迫切的危機

湯姆·克蘭西／原著

章樹平
劉喜林／翻譯
祁春明／審稿

星光出版社

Clear and Present Danger

Tom Clancy

第十七章 執行

陸軍就一項任務下達的標準野戰命令，一般依照下列順序：情勢；任務；執行；勤務與支援；指揮與信號。

情勢是執行該任務所需之背景知識，士兵必須了解的正在發生的情況。

任務是簡要敘述應完成的任務。

執行是完成該任務的方法。

勤務和支援包括可能會有助手士兵們執行任務的支援活動。

指揮確定在整個行動過程中每一階段由誰下達命令。從理論上說可以上至五角大廈，下至該部隊最小的成員，因為這個成員在緊急關頭可能不得不自己指揮自己。

信號是應遵循的通信程序的總稱。

士兵們已聽過了對整個情勢的簡要介紹。這幾乎沒有什麼必要。情勢和他們的任務都有所變化，但他們已經知道了。拉米雷茲上尉曾經就如何執行此項任務的方法對他們做過簡要說明，他也向士兵們提供了今晚行動需要了解的其他情況。沒有外來的支援，他們必須獨立完成任務。拉米雷茲負責具體指揮。他指定了幾位部屬的領導人，以防他萬一不能繼續指揮時指揮不致中斷。他已規定了無線電密碼。在他帶領士兵們離開宿營地出發之前最後一件事就是向**變星**報告。他不知道**變星**現在的具體位置，但是他已得到了**變星**的許可。

和往常一樣，參謀士官多明戈·查維斯仍然擔任尖兵。他現在的位置在朱立歐·維加前方一百公尺處。維加又是在主力的前方五十公尺處「慢吞吞地行進」，小分隊其他成員成散開隊形向前移動，相互間隔約十公尺。走下坡路通常會使人腿部感到更加吃力，但是他們並未注意到這一點——他們的注意力太集中了。查維斯每走幾百公尺就尋找一塊開闊的地方，往下看看目標——他們即將襲擊的地點——透過望遠鏡他可以隱隱約約地看見微弱的汽油燈光。太陽在他的背後，所以他不必擔心望遠鏡的反光問題。目標地點與地圖上標明的位置完全一致——他真想知道這一情報是怎麼得來的——他們完全是按照要求的程序行動的。他想，確實有人為這項任務作了充分的準備工作。這條情報估計**H加工廠**有十五人。他希望這一估計也是正確的。

情況進展不錯。這裡地面上的樹木不像在低處那樣稠密，蟲子也不算多。他想，也許對蟲子來說空氣太稀薄了。鳥兒在唧唧啾啾地叫著。在森林中掩護他的小分隊行進響聲的通常就是這些鳥叫聲——可是這時候鳥兒的叫聲似乎太少了。查維斯聽到後邊一百公尺處有一人失足跌倒。這種事只有輕步兵才能注意到。他用不到一個小時的時間就走完了一半路程，到達預定的集合地點，等待小分隊裏的其他人趕上來。

「到目前為止，一切順利，長官。」他告訴拉米雷茲。「我什麼也沒有發現，連一隻駱馬都沒有看見。」他又說了這些話想表明他一點也不緊張。「還要走三千多公尺。」

「好。到下一個地標檢查點停下來。記住，可能會有人在外面活動。」

「是的。上尉。」查維斯說完立即出發。兩分鐘後其他人也開始行動。

這時候查維斯走得更慢了。他每向**H加工廠**方向前進一步，與敵人接觸的可能性就增加一分。他提醒自己，毒品集團份子絕不會那麼笨。他們也得動點腦筋。他們僱用的人可能是本地人。這些人就是在這個山谷裡長大的。他們熟悉道路，其中許多人可能還有武器。他感到吃驚，和上一次相比，情況完全不同了。他已經花了好幾天時間監視和評估這些目標了，可是他甚至連他們有多少人都沒有準確地數過呢。他不知道他們的武器裝備情況，也不知道他們的戰鬥力如何。

天哪！這是真正的戰鬥，可是我們什麼情況也不了解。

*可是輕步兵就是幹這個的！*他告訴自己，從自己的冒險心理中得到小小的安慰。

時間開始作起怪來。每走一步似乎都要花很長時間，可是當他到達集合地點時，又似乎沒有花去多少時間。你說怪不怪？現在他已經看到了目標的燈光，從夜視鏡看它是一個不太清楚的綠色半圓，可是在森林裏仍然看不見、也聽不到任何動靜。查維斯到達最後一個檢查點後，選擇了一棵樹，走到樹旁，仰起頭四面觀察，以便掌握儘可能多的情況。他覺得他現在可以聽見聲音了。聲音時有時無。偶爾從目標方向還傳來一種奇怪的、不正常的聲音。他有點擔心了，因為他還沒有真正看到任何東西。他只見到燈光，別的什麼也沒有看到。

「有情況嗎?」拉米雷茲上尉悄聲地問。

「聽。」

「是的。」上尉過了一會兒說。

小分隊的成員卸下帆布背包，並按計畫分成若干小組。查維斯、維加和英格利斯直接向H加工廠前進，其他人則從左側迂迴。通信士官英格利斯的步槍下面掛著M二〇三榴彈發射器。維加扛著機關槍。查維斯仍然帶有消音器的MP五衝鋒槍。他們的任務是監視目標。他們要盡可能地靠近目標以便在實施攻擊時提供火力支援。如果在路上發現什麼人妨礙他們，就由查維斯悄悄幹掉。查維斯率領他的小組先行出發。一分鐘後拉米雷茲的小組也動身了。兩個組內成員之間的間隔距離都縮為五公尺。現在另一個真正的危險就是混亂。如果任何一名士兵與其戰友們失去了聯繫，或者敵人的某一哨兵莫名其妙地混在某一小組內，對完成任務、以及對這些士兵都會有致命的危險。

走完最後的五百公尺花費了半個小時。查維斯小組的監視位置在地點上是清楚的，但是夜間在森林裏卻不太容易找到。在夜間，物體看起來總是另一個樣子。即使透過夜視鏡，物體看起來仍然與白天不同。查維斯發現自己心情稍微有點緊張。這倒不是因為他害怕，而是因為他現在覺得更沒有把握了。每隔兩、三分鐘他就告訴自己他完全知道自己在幹什麼，而且每次都能發生一點作用——但是發生作用的時間都只有幾分鐘，然後他又感到沒有把握了。理智告訴他自己目前的表現是教本上所說的焦慮反應。對此他很不喜歡。但是他覺得他能控制自己，就像教本上所說的那樣。

他看到了動靜，隨即站住，一動也不動。他把左手背向後方，手掌垂直，以警告後面的兩個人也停下來，他相信自己在訓練中學到的東西。於是他又抬起頭來。人的肉眼在夜間只能看到動的東西。教本上是這麼說的，他的經驗也證明是這麼回事。除非對方戴有某種夜視鏡……。

眼前這個人未戴夜視鏡。他約莫在一百公尺之外，在查維斯所站的地方和想要去的地方之間正緩慢地、漫不經心地穿過樹林。提前宣佈此人死刑是再簡單不過的事情。查維斯向英格利斯打了個手勢，讓他們留在原地突擊。他自己則向右移動，繞開他的目標正在走的小道，以便抄到他的背後。他的行動比平常快得多，因為他必須在十五分鐘內到達適當位置。他用夜視鏡選擇沒有什麼障礙的地方走，腳步儘量放得很輕，移動的速度幾乎接近正常的步行速度。這時他的自尊心逐漸增加，壓倒了焦慮心態。他知道該怎麼做。他悄然無聲地單獨前進，蹲伏下來，看了一看目標，然後再將目光轉回自己行走的路上。一分鐘之後他就佔領了適當的位置。那裏有一條破爛不堪的小路。這是哨兵走的路。查維斯發現：這個笨蛋一直走一條路。你要想活命就不能總是沿一條路走。

那人現在往回走了，行動緩慢，從腳步看幾乎像是個小孩走路。他靠小腿一伸一伸地向前挪動——他在這條小路上行動的聲音夠輕的了。查維斯過了好一會兒才發現他。也許他並不特別傻。他仰起頭往山上看，可是卻把槍掛在肩上。查維斯讓他慢慢靠近，並且趁那人眼睛往別處看時取下了夜視鏡。摘掉夜視鏡這個簡單的動作，使他花了好幾秒鐘才又找到了目標。他又開始有點驚慌了。但他要求自己保持鎮靜。此人回來向南走時還是能找到的。

他的確走過來了，起先像個幽靈，然後變成一個黑壓壓的人形，沿著森林中這條殘破不堪的小徑走過來。查維斯蹲在一棵樹下，用槍瞄準他的頭部，讓他漸漸靠近。最好是等到十拿九穩的時候再開槍。

他把選擇鈕定在單發位置上。此人現在的距離是十公尺。查維斯屏住呼吸，瞄準他頭部的中央，扣動了扳機。

H&K衝鋒槍的金屬部分前後撞擊的聲音顯得格外地響。但是目標應聲倒地，只是在他的槍與身體一起跌落在地面時發出了微弱的啪嗒聲。查維斯躍身向前，用槍抵住目標。但是那人——此人是個男人——並沒有動。他戴上夜視鏡，清楚地看到那人的鼻子中央有一個洞。子彈正是從這個洞向上、穿過大腦的底部，因此那人連哼都沒有哼一聲，就一命嗚呼了。

這就是輕步兵！他心裏高興極了。

他站在屍體旁，高高地舉起武器，向山上望去。**警報已解除**。過了一會兒，夜視鏡中出現了維加和英格利斯的綠色影像。他們向山下走來。他轉過身，找了一塊能觀察目標的地點，等候他們。

目標就在那裏，距離七十英尺。從夜視鏡裏他看到那些汽油燈的燈光閃爍。他覺得他能夠一勞永逸地把他們徹底消滅。這時候又傳來一些聲音，他甚至可以聽清楚隻言片語，這是一天到晚幹活的人充滿厭煩情緒的交談。突然，嘩啦一聲，就像……什麼呢？查維斯不知道，而且現在不知道也無關緊要。他們的火力支援位置就在眼前。只剩下一個小小的問題。

他們現在所在位置的方向對他們不利。這些樹木可以掩護他們的右翼，可是卻妨礙他們向目標射擊。他認定，他們當初選錯了監視位置。他皺了皺眉頭，重新訂出計畫。他知道在這種情況下，上尉也會這樣做的。他們在十五英尺遠處另選了一個幾乎一樣好的地點，射向正好對準目標。他看了看錶，快到時間了。現在是他對目標進行最後關鍵性的觀察的時候了。

他數了一數，發現共有十二個人。場地的中央是……看起來像個活動澡盆的東西。有兩個人在裏面走來走去，在壓碎、或攪拌那看起來挺奇怪的古柯葉湯，或……他們告訴我們那叫什麼來看？他問自己。水加硫酸？好像是這麼個說法。他想，天哪！真該死，在硫酸裏走動！幹這種討厭的活兒的人輪流進去走動。他看到了他們的一次輪換，從澡盆裏出來的人用清水沖洗腳和小腿。查維斯斷定，他們必定會有人被碰傷、燒傷、或受到其他損傷。但是他們互相開的玩笑都是頗為善意的。由於距離只有三十公尺，所以聽得清清楚楚。有一個人在談論自己的女朋友，用語粗俗。他吹噓她為他做了些什麼，以及他是怎樣對待她的。

有六個人帶著步槍。全是ＡＫ式。媽的！全世界都有這種該死的東西。這些人站在場地的周圍，不過大部分時間是朝裏看，而不是向外看。其中一個人在抽煙。油燈附近放著一個背包。一個曾在澡盆內走動的人向一個持槍的人說了點什麼，然後從背包中拿出兩瓶啤酒，一瓶留給自己，另一瓶給了那個持槍的人。

一羣笨蛋！查維斯心裡想。他的無線電耳機中傳來了三聲長的訊號。這是拉米雷茲告訴他已佔領了適當的位置，並問他是否做好了準備。他按了兩下報話機的按鍵作為回答，然後向左右看了看。維加打開他的班用機槍的腳架，把槍支撐好，拉開帆布子彈袋的拉鍊。兩百發子彈已經隨手可取，旁邊還有一整袋備用。

查維斯又一次儘可能地緊靠著一棵粗大的樹，選擇了距離最遠的目標。他估計這段距離大約為八十公尺。他認為，這對他的武器來說稍遠了一點，尤其是要擊中其頭部就顯得稍遠了些。他用大拇指將選擇鈕移動到連發位置，將槍握緊，透過瞄準具仔細瞄準目標。

他打出了三發點放。其中兩發擊中那人的胸部。那人驚恐萬分，連喊帶叫。所有的人都轉過頭來看他。查維斯又瞄準另一個帶槍的人。此人正在把槍從肩上拿下來。他也中彈兩、三發。可是這個人仍然沒法把槍拿在手裡。

維加看到這個人似乎馬上會回擊，便立即向他開了火。他用曳光彈穿透了此人的身體；然後轉移火力，向另外兩個帶槍的人射擊。其中的一人也打出了兩、三發子彈，但都打高了。其他那些沒有帶武器的人反應遲緩得多。兩個人開始亂跑，但被維加的機槍火力掃倒了。其他人臥倒在地、往前爬行。這時候又出現了兩個帶武器的人——或者說他們的武器出現了。場地的另一側樹林裏的自動武器吐出了火舌，目標直指火力支援組。這一切完全像是預先計畫好似的。

突擊組在拉米雷茲上尉率領下從右翼開火。查維斯、維加和英格利斯繼續向目標傾瀉火力，並避開衝向加工廠的突擊隊成員。這時，M一六自動步槍的嗒嗒聲響徹林空。從樹林中射擊的人中有一人必定中彈，因為他槍口的閃光改變了方向，火光直向上衝。另兩人轉身向突擊組開火，但很快就被消滅了。士兵們這時向一切移動的東西開火。有一個曾經在澡盆中踩來踩去的人想拿起一枝丟在地上的步槍，但未能得逞。還有一個站在那兒，也許是想要投降，但是他的手還沒有舉到足夠的高度，小分隊的另一挺班用機槍就向他的胸膛射了一串曳光彈。

查維斯及其組員們停止射擊，以便讓突擊組能夠安全進入目標地點。兩名突擊隊員結束了那些已受傷但還在移動的人。然後一切都停止了。汽油燈仍然嘶嘶作響，照亮了整個場地。除了迴盪在山間的槍聲和鳥兒憤怒的叫聲，別的什麼聲音都沒有了。

四名突擊隊員在檢查屍體，其他突擊隊員圍繞目標構成了一個防禦圈。查維斯、維加和英格利斯把武器關上了保險，拿起了東西，向場地內走去。

查維斯看到的場面真是嚇人。兩名敵人仍然活著，但已奄奄一息。其中一人是被維加的機槍擊中的。他的五臟六腑都露在外面。另一人的兩條腿都只連著身體一點點，鮮血直流。小分隊的醫護兵看著他們，毫無憐憫之意。他們很快就死了。小分隊在對俘虜問題上沒有收到明確的命令。照道理說，誰也不能阻止美國士兵捕捉俘虜，而且拉米雷茲當初也覺得這個問題很難解釋清楚。反正有關的內容他已說過了。真是太糟糕了。但是這些人都與用毒品殺害美國青年一事有牽連。這個問題也不完全適用陸戰規則中的規定，難道不是這樣嗎？真是太糟糕了。而且還有其他事情令人憂慮。

查維斯剛一進入場地就聽到了動靜。每個人都聽到了。有人往山下逃跑。拉米雷茲用手指了指查維斯，查維斯馬上去追。

他伸手拿出自己的夜視鏡，想拿夜視鏡跑。這時他意識到跑步追趕也許是個笨辦法。因此，他停了下來，戴上夜視鏡，找到了一條路，也看見了那個正在逃跑的人。有時需要謹慎，有時則需要大膽。直覺告訴他，現在需要的是大膽。查維斯沿小路奔跑。他相信自己不致於跌倒，而且能迅速地追上那個正在逃跑的人。不到三分鐘他就聽到了那人穿過草木，拚命向前跑時跌跌撞撞的聲音。他停下來又戴上夜視鏡看看。那人離他只有一百公尺了。他又開始快跑，血管中熱血沸騰。還剩五十公尺。那人又一次跌倒。查維斯放慢了前進的速度。他告訴自己現在要更加留意聲響，不能讓這傢伙跑掉。他離開小路，敏捷地直插過去。他的動作簡直就像是精心設計的舞步。他每走五十碼就停下來用夜視鏡看一看。不管那人是誰，反正他看來已經十分疲勞，動作越來越慢。查維斯跑到他的前頭，又轉回到了他的右側，在小路上等著他。

查維斯幾乎鑄成大錯。他剛舉起武器就看到那個人影出現。他憑直覺從十英尺處開了火，擊中那人的胸部。那人倒在他身上，發出絕望的呻吟。他把那人推開，又向其胸部補了一個連發。再也沒有其他聲音了。

「天哪！」中士說。他雙膝著地，緩了緩氣。他打死的是什麼人？他戴上夜視鏡低頭看著。

那人光著腳，穿著樸素的棉布襯衣和……褲子。查維斯只是打死了一個農民。他是那些曾經在古柯葉湯中來回跳動既可憐又愚蠢的傢伙當中的一個。難道這也值得驕傲？

他每次作戰行動成功時的那種興奮勁頭不見了，就像一個洩了氣的氣球。真是個可憐的傢伙——連鞋子都沒有穿。毒品集團僱他們把古柯葉背上山，讓他們幹既髒又累的加工粗活兒。但是只給他們極少一點點錢。

那人的皮帶也沒有扣上。他到矮樹叢中大便，正好這時槍聲響了。他只想逃走。但是他的褲子老是往下掉，妨礙了他的行動。他的年齡和查維斯差不多，個子小一點，身體也不如查維斯結實。但是由於當地農民食物中含澱粉質太多，他的臉部虛胖。這是一張普通的臉，臉上還留著他臨死前的恐懼、驚慌和痛苦的痕跡。他沒有武器，只是個臨時工。他之所以死是因為他在錯誤的時間出現在錯誤的地點。

這件事不值得查維斯驕傲。他按了按報話機的鍵。

「六號，我是尖兵。幹掉了。只有一個。」

「需要幫助嗎？」

「不用。我可以應付。」查維斯將那人的屍體扛在肩上向目標走去。他費了很大氣力，花了整整十分鐘才走到。還有更糟糕的事。那人胸部的六個窟窿都在流血，把他的卡其布襯衣的背部全弄髒了。也許還弄髒了別的地方。

等他回到目標地點，所有屍體都已並排成一行，放在那裏，而且已經搜查過了。場地上有許多古柯葉，還有幾瓶酸劑。查維斯把他扛來的屍體放在那一排屍體的末端。共有十四具屍體。

「你看來有點累垮了。」維加說。

「我沒有你那麼結實，大熊。」查維斯氣喘吁吁地說。

那裏有兩部小型電台，還有各種各樣的其他私人用品需要分類登記。但是沒有任何有軍事價值的東西。有幾個人眼睛看著裝滿了啤酒的背包，但是沒有人開玩笑說：「現在該咱們爺們享用了！」如果這裏有無線電密碼，那一定裝在他們頭頭的腦子裏。誰是頭頭呢？人死了，看起來全是一個樣子。這些人的穿著大致相同，只是那些帶槍的人有用絲線網成的手槍背帶。總之，看起來場面是很淒慘的。半小時前還活蹦亂跳的人現在死了。除此之外，關於這次任務再沒有什麼可說的了。

最重要的是，小分隊沒有任何傷亡。只有格拉中士由於距離一次爆炸地點太近，受了點驚嚇。拉米雷茲查看了整個場地，然後要大家準備離開。擔任尖兵的還是查維斯。

這段上山的路非常難走。這使拉米雷茲上尉有時間思考。他覺得他早就應該思考這個問題了。

這次任務究竟要幹什麼？對拉米雷茲來說，現在的任務就是待在哥倫比亞的高原地區，不僅僅是除掉這個加工廠。

他瞭解，監視機場可以直接阻止毒品從空中運往美國。他們進行過秘密偵察，人們正在具體行動中使用他們得來的情報。這不僅簡單——而且有意義。可是他們現在到底在幹什麼呢？他們小分隊剛剛實施過一次十分漂亮的小分隊襲擊。他們幹得漂亮極了——當然，敵人的笨拙表現也幫了他們的忙。

這些當然會改變。敵人會從這次事件中迅速地吸取教訓。他們會改善安全措施。即使在他們沒有搞清楚正在發生什麼事之前，他們也會學到許多的東西。一個加工廠被炸毀，足以使他們知道他們必須改進具體的安全措施。

這次攻擊實際上取得了什麼結果？今天晚上有幾百磅重的古柯葉不能加工了。他沒有接到把這些古柯葉用車運走的指示。即使有這樣的指示，他也沒有現成的辦法把這些古柯葉銷毀。只有放把火把他們燒掉。可是，不管有沒有命令，他也不會笨得竟然在夜間在山腰上放把大火。他們今天沒有取得什麼成果。真的，什麼也沒有得到。這一帶有好多噸的古柯葉，有幾十個——也許幾百個——加工廠。他們今晚並未使毒品交易造成明顯的損害，甚至連輕微的損害也說不上。

因此，我們拿生命去冒險究竟為了什麼呢？他自問道。在巴拿馬時，他就該問自己這樣的問題。但是，和他的三位軍官同事一樣，當時由於聯邦調查局長和其他人被暗殺，他也和大家一起極端憤怒。況且，他只是個上尉，他主要是執行命令，而不是發號施令。作為職業軍官，他習慣於得到營長或旅長的命令。這些人都是四十歲上下的職業軍人。他們在多數情況下知道自己究竟在幹什麼。但是他現在的命令卻來自另外的地方——那裡呢？他現在也說不準——他只能滿足於認定發出命令的人知道他現在到底在幹什麼。

你當初為什麼不多問幾個為什麼呢？

拉米雷茲今晚確實成功地完成了任務。在執行任務之前，他的想法是要有一個明確的目標。現在這一目標已經實現。可是除此之外，他看不到其他的東西。他早就該意識到這一點。拉米雷茲現在意識到了，但是已為時晚矣。

還有更加令人討厭之處。他得告訴士兵們一切都進行得很順利。指揮官下達的命令，他們都非常出色地執行了。可是——

我們到底在這兒幹什麼？他不知道。他並不是這麼遲才問這個問題的第一個年輕上尉軍官。他也不知道年輕有為的軍官思考自己為什麼被派出去執行任務，幾乎是美國軍隊的一項傳統。這些誰也沒有告訴過他。但是他們問這個問題時幾乎總是為時太晚。

當然，他別無選擇。他只能假設這次任務確實是有意義的。因為他所受過的訓練和他的經歷都告訴他應該這樣設想。即使他的推斷得出的結論不是這樣——拉米雷茲絕不是個大傻瓜——他也要求自己信任他的指揮機關的領導。他的士兵信任他。他也得信任他的上級。軍隊只有這樣，別無選擇。

在拉米雷茲前面兩百公尺處，查維斯感到自己襯衫的背部黏糊糊的。他又向自己提了一些問題。他從未想到過自己得要肩扛一個已經死了的、鮮血直流的敵人爬上半個山坡。他從未想到他身上這件會使他記起這次事件的襯衫會使他感到內疚。他打死的不是真正的敵人，只是個農民，是一個沒有帶武器的農民，是一個為敵人幹活的可憐蟲。他也許僅僅是為了養家糊口，如果他有家眷的話。但是查維斯如果不這樣幹，又能怎樣幹呢？難道讓他逃走？

當個中士比較簡單，因為有軍官告訴他該怎樣做。拉米雷茲上尉知道他在幹什麼。他是軍官，他的職責就是：了解自己在幹什麼，然後發號施令。這使他在爬山返回宿營地的路上稍微輕鬆了一些。但是他沾滿血跡的襯衫不斷地貼在背上，就像不斷困擾他的良心的種種問題一樣。

蒂米·傑克遜在奧德堡的訓練場參加過一次短暫的班教練之後，於二十二點三十分回到自己的辦公室。他剛坐在自己的質料很差的轉椅上時，電話鈴就響了。這次操練進行得不大好。奧茲卡寧率領二班跟進的時候慢了一點。這是他連續第二次亂了步伐，因而使少尉很不愉快，這使米契爾上士也很惱火，因為米契爾對這位年輕軍官抱有希望。少尉和米契爾都知道沒有四年時間是當不好班長的；而且只有在當滿四年班長之後，還要有查維斯那樣的機敏才行。但是奧茲卡寧的責任就是帶好那個班。米契爾現在正在給他講解一些東西。他講解起來就像個副排長，有力、熱情，並且對奧茲卡寧的祖先還說了一些猜測性的話。

「我是傑克遜少尉。」電話鈴響第二聲過後，蒂米拿起聽筒回答道。

「少尉，我是奧馬拉上校，是特殊作戰司令部的。」

「是，長官！」

「聽說你們正在為一名叫做查維斯的參謀士官的事吵吵嚷嚷，是嗎？」傑克遜抬頭看見米契爾走了進來。他渾身是汗，臂膀下夾著鋼盔，嘴唇上掛著好奇的微笑。這時他已向奧茲卡寧講過了他們的意思。

「是的，長官。他沒有到他應該去的地方。他是我的部屬，而且——」

「不對，少尉！他現在是我的人啦，現在正在執行一項你不必知道的任務。你不要，我重覆一遍，你不要千方百計打聽與你無關的事情。**清楚了吧？少尉？**」

「可是，長官，請原諒，但我——」

「你耳朵不好還是怎麼的，小伙子？」對方的聲音變得輕了一些。而這才真正使少尉感到害怕。他今天本來已經很不順心了。

「不是，長官，是因為我接到一個電話——」

「我知道那件事，我會料理。查維斯中士正在幹的事情你不必知道。句號。完了。清楚了吧？」

「是的，長官。」

電話掛斷了。

「狗屁！」傑克遜少尉說。

米契爾上士並沒有聽清楚他們講的任何內容。但是電話線裏的營營聲傳到了走道裏他站的地方。

「查維斯？」

「對。特殊作戰司令部——我想是在麥克迪爾堡——的某個上校說查維斯在他們那裏，說他出去執行任務去了。他說我沒必要知道。他還說本寧堡這裏由他替我們負責。」

「噢！胡說八道。」米契爾說。他坐在桌子對面的座位上，然後說，「我坐下可以吧？」

「你估計正在發生什麼事？」

「我也是丈二和尚摸不著頭腦。但是我在麥克迪爾有個熟人。我想明天給他打個電話。我不喜歡我的一個部屬就這樣不明不白地不見了。做事情不能夠這樣。他也沒有任何理由打你的屁股，長官。你不過是在履行職責，打聽自己部屬的下落。他不能因為這個責備你。可能沒有人跟你說過這事。」米契爾解釋說，「他不能因為這樣的事打某個可憐少尉的屁股。你可以悄悄給營長打個電話，或者打給人事股，讓他們設法悄悄把問題解決了。少尉中尉們常常有他們自己的上校來批評，不需要讓陌生人責罵。這就是為什麼辦事要按一定的管道。你知道責罵你的是誰嗎？」

「謝謝你，上士。」傑克遜笑著說。「謝謝你的開導。」

「我已告訴奧茲卡寧說，他應該集中精力帶好他的班，不要當木頭腦瓜中士。我想這回他會聽話的。他確實是個挺好的小伙子。就是需要多開導開導。」米契爾站起來。「明天操練時見，長官。晚安。」

「好。再見，上士。」蒂米·傑克遜覺得這時候寫任何報告都沒有意義，還不如去睡覺。他出去向自己的車子走去。在開車前往單身軍官宿舍的途中，他仍然在想著剛才接到奧馬拉上校的電話。這個上校到底是幹什麼的。少尉中尉們不大和上校們交往——在元旦他曾經（按要求）到過旅長的家裏。不過如此而已。新任命的中尉少尉應當擺出低姿態。另一方面，他從西點軍校的課程中學過的一課就是他的部屬歸他管理。查維斯沒有到本寧堡，從奧德堡離開得又那樣……不正常。他自然地、負責地詢問自己士兵的情況得到的僅僅是訓斥。這一切只是使這位年輕軍官更加覺得奇怪。他已經同意米契爾打電話了，但是他自己還是暫時不插手這件事。在搞清楚自己究竟在幹什麼之前，他不想再引人注意。蒂米·傑克遜在這方面是幸運的。雖然他自己是個無足輕重的小人物，但是他有個大哥在五角大廈任職。他哥哥羅比知道事情一般應當怎樣辦，而且快要獲得上校軍銜了。羅比可以給他一些忠告。他需要的就是忠告。

乘坐艦載運輸機飛行是平穩而愉快的。即使如此，羅比·傑克遜仍然不喜歡這次空中旅行。他不喜歡坐面向機尾的座位。主要是他不喜歡自己坐在飛機裏面，卻由別人掌握操縱桿。他當過戰鬥機駕駛員、新型飛機試飛員，不久前他還當過一個海軍精銳的雄貓式戰鬥機中隊的中隊長。他知道自己幾乎是全世界最好的飛機駕駛員。他不願意把生命託付給其他技術稍遜一籌的飛行員。此外，海軍飛機上的空服員們簡直差勁透頂。而這一次，是一個來自紐約的——從他的口音可以判斷出來——滿臉青春痘的小伙子。他竟然把咖啡弄灑在他旁邊那個人的身上。

「我討厭這樣的事。」那人說。

「是的，唔！畢竟不是達美航空班機，對吧？」傑克遜一邊把文件夾放入公事包內，一邊說。他記住了新的戰術方案。他完全可以做到這一點。因為那主要是他的想法。

那個人穿著卡其布軍裝，領子上綴著「US」兩個字母。這說明他是個技術代表，不是軍人，但是在為海軍做事。航空母艦上常有這樣的技術代表——電子專家或其他各種工程師，他們為某種新裝置提供特殊服務，或是協助海軍人員訓練那些特殊服務。他們獲得相當於准尉的級別，但是待遇和軍官差不多——在餐廳食堂就餐，居住條件也甚為舒適——在美國海軍艦艇上，舒適是個相對的字眼。除非你是上校或將級軍官。技術代表還不能享受這一等級的待遇。

「你出來做什麼？」傑克遜問道。

「檢查一種新武器的性能。恐怕我只能說到這個程度。」

「其中的一個？」

「恐怕是的。」那人邊說邊看著他膝蓋上的咖啡痕跡。

「常幹這事？」

「第一次。」那人說。「你呢？」

「我駕駛艦載飛機以維持生計。不過，目前我在五角大廈做事。作戰部第五處，戰鬥機戰術科。」

「從來沒在航空母艦上降落過。」那人神情有點緊張地說。

「不太危險，」傑克遜想讓他放心。「晚上除外。」

「哦？」那人雖然擔心，但是他還沒有緊張到不知道外面已經天黑了的程度。

「是啊，白天在航艦上降落並不困難。如果要在正規飛機場上降落，你向前看，然後找出你要著陸的地點。在航艦上降落也一樣，只不過跑道小些。可是在夜間，你真的看不到你想著陸的地點。因而它使你有點兒緊張。這次駕駛我們飛機的女孩——」

「女孩？」

「是的。艦載運輸機的許多駕駛員都是女孩。現在在前面駕駛的女孩挺不錯。聽說是個飛行教官。」想到駕駛飛機的是位飛行教官總會使人產生安全感。只不過「她今天是在訓練一名新的海軍少尉」。傑克遜故意這樣說。他喜歡逗一逗那些不喜歡飛行的人。他總是用這種話逗他的朋友傑克·雷恩，使他感到不安。

「新任的海軍少尉？」

「你知道嗎？他是一位從彭沙科拉來的小伙子。他大概不適合駕駛戰鬥機或攻擊機，所以讓他駕駛運輸機。他們得要學習，對吧？每個人都得有第一次夜間艦上著陸。我也有過第一次。不是什麼了不起的事情。」傑克遜輕鬆地說。這時他檢查了一下他的安全帶是否完好，並把它繫緊了。多年來他發現減輕恐懼的最好辦法就是把它轉嫁到別人身上去。

「謝謝。」

「你也參加『發射演習』？」

「嗯？」

「我們正在組織這次演習。我們要把某種真的飛彈射向飛行靶標。『發射演習』。這是飛彈發射演習。」

「我可不這麼認為。」

「我剛才還希望你是休斯飛機公司來的人。我們想知道固定在鳳凰空對空飛彈導引系統上的定位器是否可以正確運作。」

「噢！對不起，我幹的不是這一行。」

「好。」傑克遜從口袋裏掏出一本平裝書讀起來。現在他肯定在這架飛機上有人比他更擔心。他現在可以集中注意力看書了。當然，他並不是真的害怕。他只希望坐在副駕駛員右側座位上的那位老弟不要把停機坪上弄得到處都是艦載飛機的殘片和它的乘客。可是對此他也無能為力。

小分隊回到宿營地時，大家都疲倦了。他們都找到了適當的位置。此時，上尉開始用無線電通話。每對戰士中有一人馬上拆卸武器擦拭，即使那些一槍未放的人也不例外。

「啊！大熊和他的班用機槍今晚出盡了風頭。」維加一邊把一塊布塞入廿一英寸長的槍管內，然後往外拉，一邊說。「幹得不壞，丁。」他對查維斯說。

「對方幹得不太好。」

「嘿，別說啦。我們幹得太好了，他們就沒有幹好的機會了。」

「到目前為止，是太容易了。夥計。情況可能會起變化。」

維加抬起頭看了一會兒，然後說，「嗯！是的。」

在巴西上空與地球同步定位高度，有一顆由全國海洋與大氣層管理署發射的氣象衛星，它的低清晰度攝影機一刻不停地對準著地球。這顆衛星是十一個月前發射上去的，它永遠不會返回地面了。它似乎一直在亞馬遜河流域的綠寶石般的森林上空約兩萬二千六百英里處高懸著。但是，實際上它是以每小時七千英里的速度在軌道上向東運行，正好和下面的地球自轉速度保持同步。這顆衛星上當然還有其他儀器，但是這一特殊的彩色攝影機的工作卻非常簡單。它監測空氣中那些像棉花球一樣的雲彩。這樣平凡的任務卻是極端重要的。這一點太明顯了，以致不容易為人們所承認。這顆衛星拯救過成千上萬的人的生命，是美國太空飛行計畫中最有用的、最有效的部分。它所拯救的生命主要是在海上航行的海員。如果不是衛星幫忙，他們的船隻可能誤入未預先發現的暴風雨區。從這個衛星上可以從環繞南極洲的遼闊大海觀察到挪威的北角上空之間的廣大地帶。任何暴風雨都逃脫不了這臺攝影機的眼睛。

大約在這顆衛星的正下方，人們還不能充分理解為什麼在靠近非洲西海岸廣闊而溫暖的大西洋水域產生了旋風。旋風從這個地區向新大陸運動，到了那裏人們用印第安語為它取名颶風。這顆衛星獲取的資料被傳送到佛羅里達州科勒爾蓋布爾斯的全國海洋與大氣層管理署的颶風中心。在這裏氣象學家和電腦科學家正在進行研究暴風雨是怎樣形成的多年計畫，以及他們為什麼那樣移動。這些科學工作者們的忙碌季節剛剛開始。足足有一百多人在仔細研究有關本季第一次暴風雨的照片。一百多人之中，有的人已獲得博士學位多年，還有一些人是從二十多所大學來這裏從事夏季實習的。有的人希望多來點暴風雨，以便使他們能夠進行研究並從中學到東西。經驗較多的科學家了解這種心情。但他們也知道這些從海洋來的大風暴是極富破壞力的、致命的大自然力量，經常奪去大海沿岸的成千上萬人的生命。他們也知道風暴會在適當的自然條件下自己到來。但還沒有足夠的證據說清楚他們到底是怎樣形成的。人們只能注視他們、追蹤他們、測定他們的強度，並且向他們將要經過的道路上的人們發出警報。科學工作者還給風暴取名字。名字多年以前就已選定，總是按字母順序從頭開始，一直往下排。今年排在名單上的第一個名字是阿黛爾。

這時候攝影機看到：在距離颶風的搖籃、佛得角羣島五百多英里處，雲彩直往上升。誰也無法預測它是否會變成一場強熱帶旋風，還是僅僅一場激烈的暴風雨。現在才剛剛進入這一季節，但是風暴季節所需要的條件卻已具備。西非沙漠春季特別炎熱。那裏的酷熱和颶風的生成顯然是有關係的。

卡車司機按時前來接那些人和古柯葉加工出來的糊狀物。可是一個人都不在這裏。他等了一個鐘頭，還是不見一個人影。和他一起來的還有兩個人。他讓他們兩人去加工廠。司機是三個人中的小「頭頭」，他不想再爬這座討厭的山，所以他在山下抽煙，叫那兩個人往山上爬。他又等了一個小時。公路上來來往往車輛不少，尤其用大型內燃機驅動的卡車不少。這種卡車的排氣消聲器和污染控制器都保養得不如在比較繁華的地區。這些卡車本來就煙多聲大，還有些人乾脆把排氣消聲器和污染控制器拆掉以節省汽油。許多拖拉機帶著拖車隆隆而過，不僅路基為之震動，他的卡車也在他們駛過的氣流中搖晃起來，這就是為什麼他沒有聽到那異常聲音的原因。他等了整整九十分鐘。很明顯地，他必須自己上山去看看了。他鎖上卡車，又點燃一枝煙，開始向山上走去。

司機發現上山是相當艱難的。雖然他是在這些山裏長大的，他記得小時候爬一千英尺的山簡直就像和他的玩伴賽跑一樣。他開車開很久了，他腿部的肌肉爬起山來遠不如踩煞車那麼適應了。過去只要花四十分鐘的路現在得爬一個多鐘頭。到了差不多可以看到他要去的那個地方的時候，他就特別惱火。他又氣又累，以致於一些本來非常明顯的事他也沒有注意到。他仍然能聽到下面公路上車輛的聲音，也能聽到他周圍林中鳥兒唧唧喳喳的叫聲。但是在他本該聽見一點動靜的時候，他卻一點兒也沒有聽見。他停了停，彎下腰喘喘氣。這時候他才第一次警覺起來；小路上有一塊黑斑。肯定是什麼東西把褐色的土地變成了黑色。但是它可能意味著任何事情。而且，他正急於了解山上出了什麼事，所以也沒有把這塊黑斑當一回事。畢竟近來軍隊和警察都沒有來這裏找過麻煩。他不懂為什麼要在這麼遠的山上搞提煉加工。已經沒有這個必要了。

又過了五分鐘，他看到了那一小塊空地。這時候他才注意到那裏鴉雀無聲，不過倒是有一種刺激鼻子的氣味。他想一定是加工中使用的酸的氣味。接著他轉過最後一道彎，這時他看見了。

這位卡車司機對暴力已經司空見慣了。他曾參加過卡特爾成立之前的那次戰鬥。他在那些促使形成該卡特爾的戰鬥中還曾打死過一些M—一九游擊隊的激烈分子。他看到過別人流血，自己也流過血。

但是，現在看到的情景是另一個樣子。昨天晚上他開車送來的十四個人都肩並肩地整整齊齊躺著，排成一行。屍體已經腫脹起來，而且野獸已吃過幾處傷口。他剛派上山來的兩個人也死了。這兩人是在察看那些屍體的時候碰響了一顆蘇格蘭寬劍式地雷。不過司機並未細看。他們的屍體已被炸得粉碎，被球形滾珠大小的地雷破片炸著的地方，大塊大塊的部位都不知炸飛到哪裡去了，血還在流。其中一人的臉上仍然保留著震驚的神情。另一人臉朝下，背上少了像鞋盒子那麼大的一塊肉。

司機靜悄悄地站在那裏大約有一分鐘左右的時候，不敢往任何方向移動。他用顫抖的手去摸煙，一連摸了兩枝都掉在地上。他也不敢去拾。第三枝煙還沒有摸出來，他就轉身小心翼翼地朝山下走去。走了一百多公尺，他就開始奔跑逃命。因為林中的每聲鳥叫和每一點風聲聽起來都像是士兵在追趕他。這一切一定是當兵的幹的。他對此毫不懷疑，因為只有當兵的槍法才會那麼準。

「你今天下午送來的文件非常好。我們從來沒有像你這樣深入地考慮過蘇聯的『民族』問題。你分析問題總是那麼敏銳。」巴茲爾．查爾斯頓爵士舉杯致意。「你的提升是理所當然的。祝賀你，約翰爵士。」

「謝謝，巴茲。我只是希望不是這種方式。」雷恩說。

「有那麼糟糕？」

雷恩點點頭。「恐怕是的。」

「伊邁．胡克博也是那樣。對你們這些人來說，時運真是壞透了。」

雷恩冷冷地笑了笑。「你可以那樣說。」

「那麼你準備怎麼辦呢？」

「恐怕我沒有多少可說的。」雷恩謹慎地回答道。他心裏想，我不知道，但是我又不能完全那樣說，對吧？

「是這樣。」英國祕密情報署的署長嚴肅地點點頭。「不管你怎麼回答，我肯定都是合適的。」

這時他知道葛萊是對的。他必須知道這些東西，否則就有可能被在這裏和其他地方的同行看做傻瓜。他再過幾天就要回國去向穆爾法官做具體簡報。現在雷恩應該具有某些官場上的魄力了。他不妨顯示一點官氣看看是否會奏效。

傑克遜海軍中校經過六小時睡眠之後醒來了。他也享受了艦上最舒適的待遇：住單人房，不受打擾。由於他的軍銜和原來擔任過飛行中隊長職務，他在重要名單上排在很前面的位置。正好在這個漂浮的城市裏有一間空著的單人臥室。這間臥室就在前飛行甲板的下面，從聲音可以聽出來，距艦艄彈射器很近。這就是為什麼突擊兵號的一位飛行中隊長不願在裏面住的原因。他到艦上後進行了必要的禮節性拜訪。在三小時之內他沒有任何公事需要辦理。他漱洗剃鬚之後喝了點咖啡，然後決定自己單獨去做點事情。他向這艘航艦的彈藥艙走去。

這個彈藥艙很大，艙頂較低，裏面放著炸彈和飛彈。有好幾個艙室，附近還有工作間，以便使軍械技師們能夠檢測和維修那些雷射導引裝置。

傑克遜所關心是AIM—五四C鳳凰空對空飛彈。這種飛彈的導引系統曾經出過問題。這次戰鬥羣演習的目的之一就是要弄清楚承包商所提供的定位裝置是否可用。

由於明顯的原因，進入彈藥庫是有限制的。傑克遜向一位年齡較大的士官長說明了自己的身分。原來幾年前他們曾同時在甘迺迪號上工作過。他們兩人一起進入一處工作間，軍械兵們正在那兒擺弄飛彈。一個飛彈的前端掛著一個看起來很怪的箱子。

「你覺得怎麼樣？」一個軍械兵說。

「我看讀數挺好，杜克。」在示波器上的那個人說。「我再用模擬干擾試試。」

「這就是我們為『發射演習』準備的那批飛彈，長官。」年紀較大的士官長解釋說。「到目前為止，他們似乎都還不錯，但是……。」

「不是你第一個發現有問題的嗎？」傑克遜問道。

「我和我的上司，弗雷德里克遜上尉。」士官長點點頭。由於這一發現使承包商受罰幾百萬美元。艦隊裏所有的AIM—五四C鳳凰飛彈的合格證已經被取消了幾個月。人們認為海軍中威力最大的空對空飛彈不能使用了。他帶著傑克遜來到測試設備架前。「我們要發射多少枚？」

「足以證明定位器是否靈光就行。」傑克遜回答道。士官長哼了一聲。

「那可能成為一次了不起的『發射演習』，長官。」

「飛行靶標便宜！」傑克遜撒了個瞞天大謊。但是士官長知道他是什麼意思。它也許比飛到印度洋上空，然後跟伊朗人的F—一四雄貓式戰鬥機（他們也有這樣的飛機）進行空戰時，發現這種討厭的飛彈不靈的時候來得便宜。那樣做是讓飛行員去送死的最有效的辦法。訓練飛行員時每發射一次就是一百萬美元。定位裝置是好的，這是個好消息。至少測試設備說明它是沒問題的。為了保險起見，傑克遜告訴士官長要發射十至二十枚鳳凰—C式飛彈，外加更多的麻雀飛彈和響尾蛇飛彈。傑克遜開始離去。他已看見了他需要看的東西。軍械兵們都有活要幹。

「看來我們真的要把這裏的飛彈通通發射出去，長官。你知道我們正在檢驗的新式炸彈嗎？」

「不知道，乘坐艦載運輸機來的時候，我碰到一位技術代表。他講得不多。那種炸彈到底在哪裏？只是個炸彈，對吧？」

士官長哈哈大笑。「來吧！我讓你看看這種『咻—轟』炸彈。」

「什麼？」

「你有沒有看過電視節目羅基和布爾溫克爾，長官？」

「士官長，你真把我弄糊塗了。」

「我還是小孩子的時候，常常看飛雀羅基和駝鹿布爾溫克爾。其中有一個故事是關於鮑里斯和納塔莎的——他們兩個是壞傢伙，中校——他們設法偷某種叫做『咻—轟』的東西。那是一種能把東西炸掉卻沒有任何聲音的炸藥。看來是中國湖試驗站的人設計中幾乎是最好的東西！」

士官長打開通往炸彈存放區的門。這些炸彈的彈體呈流線型——搬上甲板之前都不安裝尾翼和信管——放在貯存架上，貯存架用鐵鏈牢牢地固定在甲板上。有一臺長方形升降機負責把這些炸彈送上甲板。這個升降機附近的一個架子上放著一批藍色彈殼的炸彈。藍色表示那是演習用品。但是從貼在架子上的標籤可以清楚地看出裏面的炸藥也是普通的炸藥。羅比．傑克遜是個戰鬥機駕駛員，沒有投過多少炸彈，可是這也在他的職務範圍內。他看到的炸彈似乎是標準的兩千磅低阻力類型，內裝炸藥為九百八十五磅高爆炸藥，其鋼鐵彈殼為一千磅出頭。「啞」彈，或者叫「傳統」炸彈與雷射導引的炸彈之間的唯一區別是上面多了兩個金屬附件：彈頭上裝有一個自動尋標器，彈尾裝有可變翼。這兩件裝置都和正常引信的尖端相連。實際上這些引信就是整個導引系統的一部分。由於明顯的理由，這些引信放在另外一間艙內。總之，這些藍色的炸彈的外殼看起來十分普通。

「還有呢？」他問道。

士官長用手指關節敲敲離他最近的那個炸彈的外殼，聲音挺怪。因為聲音很奇怪，所以傑克遜也敲了敵。

「這不是鋼的。」

「纖維素製的，長官。他們用紙做這種該死的東西。你覺得它怎麼樣？」

「哦！」羅比懂了。「隱形。」

「當然，這些小傢伙需要導引，它們不會留下什麼彈片。」用鋼鐵炸彈外殼的目的是在引爆後變成上千塊高速運動的、像剃刀一樣鋒利的彈片，他們可以穿透飛行過程中碰到的任何東西。對人造成殺傷的並不是爆炸本身——製造炸彈的目的是為了殺傷敵人——而是爆炸產生的彈片。「這就是為什麼我們叫它『咻一轟』炸彈。這傢伙聲音不小，但是煙一消失，你會莫名其妙，不知道究竟發生了什麼事情。」

「中國湖的另一奇蹟。」傑克遜說。這種炸彈到底有什麼好處呢？——但是，這也許是為新型的隱形戰術轟炸機設計的。他對隱形了解得不多。在五角大廈這不屬於他應該知道的範圍。戰鬥機戰術是歸他管的。傑克遜去找飛行大隊大隊長溝通情況。這次戰鬥羣演習的第一部分將在二十四小時後開始。

消息很快傳到了麥德林。到中午他們已經知道兩處加工廠遭到了破壞，一共有三十一人死亡。死幾個人並無重大關係。這兩地的死亡者一半以上都是幹苦力活的當地農民。其他人雖然是長期的雇員，但比那些苦力們重要不了多少。他們的武器僅僅是為了不讓好奇的人靠近。他們一般是用鳴槍警告而不是勸說的辦法。令人不安的是，如果這幾件事情傳出去，要想再找人來幹苦力活就困難了。

可是最令人頭痛的事是：誰也不知道究竟是怎麼回事。是不是哥倫比亞的軍隊又進山了？是不是M－一九游擊隊違背了他們的諾言？或者是法爾克游擊隊也違背了諾言？還是發生了別的事情？誰也不知道。這是最令人頭痛的，因為他們為獲取情報花費了大量的錢。可是這個卡特爾是由一羣人組成的，只有大家意見一致才能採取行動。大家一致同意應該開一次會。但是人們又開始擔心那樣做是不是會有危險。不管怎麼說，顯然附近有武裝份子活動。這些人視人命如草芥。這一點尤其使卡特爾的頭頭們忐忑不安。特別是，這些人有重武器，而且善於使用這些武器。因此，他們決定會議應在最安全的地方舉行。

急電

最高機密……裝甲船

格林威治標準時間 十九時十四分

信號情報

截獲件一九九三 通信開始 標準時間十九時〇四分 頻率八八七・〇二〇兆赫

發話人：監聽目標F

收話人：監聽目標U

F：大家一致同意明晚在你住處聚會【當地時間二〇時〇〇分】

U：都那些人來？

F：E不能參加。不過反正生產問題不歸他管。A、G、W和我一塊來。你那裏安全情況如何？

U：在我的【加重語氣】城堡？【大笑】朋友。我們這裏能容得下一個團的人，而且我的直升機隨時可以使用。你們怎麼來？

F：你有沒有看過我的新卡車？

U：你的大腳【含意不清】？我沒見過你那種高級玩意兒。

F：我是為了你才弄到它的，巴勃羅。你為什麼不修一修到你的城堡的道路呢？

U：雨水老是把它沖壞。是的，我應該把路面鋪一鋪。可是我來來往往搭的是直升機。

F：你埋怨我的新玩意！【大笑】明晚見，朋友。

U：再見。

通話結束。訊號中斷。截聽停止。

這份截聽的情報收到幾分鐘後就送到了鮑勃．賴特的辦公室。機會來了。演習的目的有可能實現了。他沒有和卡特或總統商量，便馬上發出了訊號。畢竟他有採取行動的特許。

過了不到一小時，在**突擊兵號**航空母艦上的「技術代表」也得到了這份秘密通話記錄。他馬上撥了個電話到詹森海軍中校的辦公室，然後親自去見他。這不是什麼很困難的事情。他是個很有經驗的作戰軍官，識圖能力特別強。這一點在航空母艦上非常有用，在一片灰色迷霧般的航空母艦上，即使經驗豐富的水兵也會常常弄不清東南西北。詹森海軍中校對「技術代表」這麼快就來到他的辦公室感到吃驚。不過他已把自己的轟炸領航員叫到他的辦公室，一起聽取對任務的簡要命令。

克拉克幾乎同時收到訊號。他和拉森取得了聯繫，立即安排了一次往麥德林以南山谷的飛行，以便對目標進行最後一次偵察。

查維斯的良心不論產生了些什麼問題，在他洗他的襯衫時也都通通一起洗掉了。距他們的巡邏基地一百多公尺處有一條小溪。小分隊的成員一個接一個地到那裏去把自己的東西洗乾淨，然後再好好洗個澡。當然他們都沒有肥皂。他得到的結論是：不管那些人是不是可憐愚蠢的農民，他正在幹一件自己不應該幹的事。查維斯最擔憂的是他已用完了一個半彈匣的子彈。而且，小分隊也用掉了一顆蘇格蘭寬劍式地雷。幾個小時以前他聽說，這顆地雷完全按照原先的設想爆炸了。他們的情報專業兵真是個詭雷行家。丁·查維斯簡單地洗了個澡之後，回到了小分隊的宿營地。今晚他們不出去活動了，只在幾百公尺外派出一名監聽哨，再按常規派出巡邏組，以確保無人追蹤他們。不管怎麼說，今晚他們可以好好休息一下。拉米雷茲上尉曾經解釋過：他們不想在這個地區過份活躍。如果這樣做，有可能過早把獵物嚇走。

第十八章 優勢

對米契爾上士來說，最簡單的辦法就是給他在麥克迪爾堡的朋友打個電話。他曾經和厄尼·戴維斯一起在第一〇一空中突擊師工作過。他們兩人在一座兩層樓的公寓套房內是只隔一道牆的鄰居。他們曾在後院吃過烤紅臘腸和碎牛肉夾餅之後，砸爛過多少空啤酒瓶！他們兩人都是上士，經過陸軍的嚴格訓練。而陸軍實際上是依靠這些士官們才得以運轉的。軍官們拿錢多，痲煩事也多。服役時間長的士官們辦事穩妥。他桌子上有一本全陸軍的電話號碼簿。他撥通了自動報話系統的號碼。

「是厄尼嗎？我是米契。」

「喲！你在產酒國日子過得怎麼樣？」

「淨和小山丘打交道，夥計。你家裏都好嗎？」

「挺好，米契。你家裏好嗎？」

「安妮變得越來越像小公主了。我給你打電話是因為有件事我想查對一下。我們這裏有個參謀士官是不是到了你們那裏？他叫多明戈·查維斯。你會喜歡他的，厄尼。他是個很好的小伙子。不過，我們這邊的文書工作搞得亂糟糟的。我想要弄清楚他是不是到了該去的地方。」
「沒問題。」厄尼說。「你剛才說的是叫查維斯?」
「對。」米契爾拼讀了查維斯的名字。
「別放下話筒。稍等一下。我得幫別人轉電話。」過了一會兒，聽筒裏又傳來厄尼的聲音，同時還聽到咔嗒一聲，這說明電腦鍵盤正在操作。這個世界還要變成什麼樣子呢?米契爾在想。連步兵上士也得知道怎樣使用這些討厭的東西。「把那個名字再講一遍?」
「姓查維斯，名叫多明戈，中士。」米契爾讀出他的軍號，他的軍號和他的社會福利號碼相同。
「他不在這兒，米契。」
「啊?你們那裏的奧馬拉上校給我們打了個電話——」
「誰?」
「一個叫奧馬拉的上校。我們少尉接的電話，而他弄得有點緊張。新來的小伙子，還得好好學。」米契爾解釋說。
「我從來沒聽過什麼奧馬拉上校。我想你搞錯了地方，米契。」
「你沒騙我?」米契爾真的覺得莫名其妙。「我們少尉一定是弄錯了。好，厄尼。就這樣了。代我向黑茲爾問好。」
「知道了，米契。祝你愉快，夥計。再見。」
「哼。」米契爾盯著電話看了好一會兒。到底發生了什麼事?查維斯既不在本寧堡，也不在麥克迪爾堡，那他到底跑到哪兒去了？這位副排長打電話到位於維吉尼亞州亞歷山德里的軍事人員中心。士官俱樂部是很講義氣的。上士協會尤其如此。他的電話打給彼得．斯坦科斯基上士。他連撥了兩次才撥通。

「嘿，斯坦！我是米契。」

「你想換個工作？」斯坦科斯基是工作分派員。他的職責就是為士官們分派新工作。由於他處在這樣的位置上，他手上的權力相當大。

「不，我就喜歡幹這輕步兵。聽說你要用裝甲車來對付我們。這是怎麼回事？」米契爾最近聽說斯坦科斯基的下一個職務是到胡德堡去，在騎兵第一師擔任M二布萊德雷戰車班的班長。

「米契，我的膝關節有毛病。你有沒有想過偶爾坐下來打仗也許不錯？而且二十五公厘的鏈式機槍可以幫上大忙。你有什麼事要我幫忙嗎？」

「想找個人。我的一名中士兩個星期以前不知道跑到哪兒去了。我們得給他送點東西去。我們原以為他在那個地方，可是他不在那裡。」

「好——。等一下。我來打開我的寶貝機器，替你找找這個小伙子。他叫什麼名字？」斯坦科斯基問。米契爾告訴了他。

「11—B，是嗎？」11—B是查維斯的軍事專業暗號。這就確定查維斯是個輕步兵。機械化步兵是11—M。

「對。」米契爾聽到嗒嗒嗒又響了幾下。

「查——維——斯，你說的是吧？」

「是。」

「好了。他應該是到本寧堡去戴上護林熊帽——」

「就是他！」米契爾說。他稍微鬆了一口氣。「——可是他們改變了命令，又把他派往麥克迪爾堡去了。」

可是他不在麥克迪爾，米契爾總算忍住沒有說出來。

「那可是一批鬼鬼祟祟的傢伙。你不是認識厄尼．戴維斯嗎？他就在那兒。你怎麼不給他掛個電話？」

「好的。」米契爾說。他對那個電話真感到吃驚。我剛給他打過電話！「你什麼時候到胡德堡去？」

「九月份。」

「好，我就——嗯——給厄尼打電話。你不必惦記這事兒了，斯坦。」

「以後多聯繫，米契。問候你家人。再見。」

「見鬼。」米契爾掛掉電話後說。他已證實查維斯已經不存在了。這才真怪呢！陸軍不應該把人弄丟了，起碼不能這樣丟掉。上士不知道下一步該怎麼辦，也許只能向少尉說一說了。

「昨晚我們又出動了一次，」賴特告訴卡特海軍中將。「我們的運氣還可以。我們只有一人擦破了點皮。算不了什麼。現在已經除掉了三個毒品加工廠，打死敵人四十四名——」

「還有呢？」

「還有，今晚卡特爾的四名高級成員要開一次會，就在這裏。」賴特交給他一張衛星照片，還有一份截聽電話的抄錄件。「都是負責生產的成員：費爾南德斯、達利詹德羅、瓦格納和溫蒂貝羅斯。他們都已經進入我們的掌握了。」

「好。幹吧。」卡特說。

此刻，克拉克也在仔細研究同樣的照片，還有一些他自己拍的傾斜航空照片，和一套那棟房子的藍圖。

「你推算是這間房間，就這間？」

「我從未去過這個房間，但是我看它確實像個會議室。」拉森說。「你必須走到多近的地方？」

「我希望能在四千公尺之內，但是地面雷射指示器的有效距離可以達到六千公尺。」

「在這兒的山上怎麼樣？我們從這裏可以清楚地看到那個院子裏。」

「到那裏要多長時間？」

「三小時。先乘車兩小時，再步行一小時。你知道，你完全可以從飛機上幹這件事……」

「你們的飛機？」克拉克狡黠地一笑。

「這可不是賭博！」他們將乘一輛四輪的速霸陸車去。拉森有好幾副不同的車牌。不過那輛車卻不是他的。「我有電話號碼，還有一部蜂窩式電話機。」

克拉克點點頭。他確實期待著能有這件東西。他曾經和這樣的人打過交道，但是從來未經過官方的批准，尤其是沒有經過這樣的高層官員的批准。「好。我還得請求最後的批准。三點鐘來接我。」

摩瑞一聽消息就立即從辦公室匆匆趕往醫院。醫院從來不會使人富有魅力，但是莫伊拉在過去的六十個小時內似乎蒼老了十歲。醫院也不太重視人的尊嚴。她的雙手是被綁起來的，對她的護理也甚嚴格，為的防止她自殺。摩瑞知道這是必要的——再沒有比這更必要的了——但是她受的打擊已經太大了，這樣做並沒有取得多大成效。

病房裏已經放滿了鮮花。只有少數聯邦調查局的人知道發生了什麼事情。辦公室裏的人自然以為她對伊邁的死過份悲傷。畢竟伊邁剛遇難不久。

「你真嚇了我們一跳，孩子。」他說。

「全是我的錯。」她每次只看他幾秒鐘就把目光移開了。

「莫伊拉，你是受害者。你上了一個老千的當。這種事情連最聰明的人也在所難免。相信我，我了解。」

「我被他利用了。我簡直像個婊子——」

「別這麼說。你有過錯，已經既成事實。你並不想傷害任何人，你也沒犯法。不值得去死。你還有孩子要操心。你在這時候自殺，實在不值得的。」

「他們會怎麼想？他們要是發現了會怎麼想？……」

「你已經把他們嚇得夠糟了。莫伊拉，他們是愛你的。有什麼東西能抹去他們對你的愛呢？」摩瑞搖搖頭。「我看沒有。」

「他們為我感到羞愧。」

「他們為你擔驚受怕。他們為自己感到羞愧。他們認為他們也有責任。」這一下觸到了她的痛處。

「可是，不是他們的過失。全是我的錯——」

「剛才我告訴你，不全是你的錯，莫伊拉。你走到了一個叫做費利克斯·科特茲的大卡車經過的路上。」

「那是他的真名的嗎？」

「他過去是古巴情報機關的一位上校。在KGB學院受過訓練，而且他對自己幹的這一行特別擅長。他選中了你是因為你是個寡婦，是個年輕貌美的寡婦。他對你做過調查，發現你和大多數寡婦一樣感到孤獨。他使出自己的魅力。他也許有許多天賦，又受過專門的訓練。你根本沒有戰勝他的可能。你被一輛你根本沒有看到就開過來的大卡車撞了一下。我們請來一位心理治療醫生，他是坦培爾大學的洛奇博士。他要跟你講的和我所講的完全一樣。可是他的收費卻昂貴得很。當然你不必擔心，費用由職工賠償金裏開支。」

「我不能繼續為聯邦調查局工作了。」

「的確。你不得不放棄接觸祕密文件的權利。」摩瑞告訴她。「這也不是太大的損失，對吧？你將到農業部去工作，就在這條街上。工資級別和其他一切都不變。」摩瑞溫和地說。「比爾已經把一切都替你安排好了。」

「蕭先生？為什麼呢？」

「因為你是好人，莫伊拉。你不是壞人。是這樣吧？」

「那麼我們到底要幹什麼呢？」拉森問。

「等著瞧。」克拉克一邊回答，一邊看著道路圖。有個叫唐迪耶哥的地名離他們要去的地點不遠。他懷疑是不是有個叫佐羅（編者按：電視影集「Zorro」的男主角。）的人住在那裏。「萬一有人看到我們在一起，你用什麼話做掩護呢？」

「你是個地質學家。我一直帶著你到處尋找新的金礦。」

「妙。」這是克拉克經常用的掩護身分的故事之一。地質學是他的業餘愛好之一。他談起這個主題來頭頭是道，幾乎能騙得過地質學教授。實際上，有幾次他就是這樣做的。這個掩護故事還可以解釋他們的四輪小貨車後面所放的某些用具的用途。起碼可以向隨便看看、或者沒受過訓練的檢查人員解釋清楚。他們會說地面雷射指示器是探測器材，而且它也確實很像探測器材。

這次旅途中沒有發生什麼事。當地道路的路面品質沒有美國的普通路面好，也沒有那麼多的護欄。最大的危險是當地人開車的方式，在克拉克看來簡直有一點頭腦發燒。他喜歡這樣。他喜歡南美。儘管這裏有各類的社會問題，但是這裡的人們熱愛生活、坦率直爽、清新質樸。也許美國一個世紀之前也是這樣。老西部也許是這樣。這裏有許多值得稱讚之處，可惜的是經濟發展沒有步入正軌。不過克拉克不是社會理論家。他也是他的國家裏工人階級的兒子，在重要的問題上全世界的工人階級是一模一樣的。這裏的普通百姓一定和他一樣不喜歡販毒份子，沒有人喜歡罪犯，尤其是那些耀武揚威的犯罪份子。他們的警察和軍隊對這些人絲毫無所做為，他們也許十分憤怒。既憤怒，卻又無能為力。唯一曾經和這些人鬥爭過的「得人心」的團體是M－19游擊隊。這是一個馬克思主義的游擊隊組織——實際上是一批在城市裏長大的受過大學教育的知識份子。在綁架了一位古柯鹼毒梟的妹妹之後，為了把她救出來，經營古柯鹼的其他人聯合起來。他們打死了二百多名M－19游擊隊的成員。在這一過程中他們實際上成立了麥德林卡特爾。這使克拉克對這個卡特爾另眼相看。不管這些人是不是壞人，他們以其人之道還治其人之身，用M－19游擊隊自己的原則以城市游擊戰法擊敗了一個馬克思主義的革命集團。對他們販賣毒品一事——克拉克是深惡痛絕的——他們的另一錯誤是，他們認為他們可以用同樣的規則去對付另一個更大的敵人，他們還認為他們的新敵人不會以眼還眼，以牙還牙。變節是公平合理的，克拉克想。他向後仰，坐在座位上小睡了一會兒。他們一定會懂得的。

在距離哥倫比亞海岸三百英里的地方，美國海軍航空母艦**突擊兵號**轉向逆風開始飛行活動。該戰鬥羣包括這艘航空母艦、艾吉斯級巡洋艦**托馬斯·蓋茨號**，一艘飛彈巡洋艦，四艘飛彈驅逐艦和護衛艦，另有兩艘專用的反潛驅逐艦。海上補給大隊由一艘艦隊油輪**沙斯塔號**軍火船和三艘護航艦艇組成，現在正位於離南美大陸約五十英里的洋面上。在距海岸約五百英里處還有另一個類似的戰鬥羣正在返回美國的途中。它曾長時間地部署在印度洋的「駱駝站」。這支正在返航的艦隊模擬一支迎面駛來的敵艦編隊——假裝是俄國人。雖然在這講求公開性的時代已不再有人那樣說。

羅比·傑克遜從航空母艦上層建築高高的控制臺看到，第一批起飛的是F—一四雄貓式截擊機，都裝載著起飛時允許的最大載重量，一架架處在彈射位置上，發動機發出圓錐形火光。和往常一樣，這場面看起來令人興奮。就像是一場坦克芭蕾舞，在一批十幾歲的小伙子們手勢的指引下，那些大型滿載的飛機在四英畝的飛行甲板上來回舞動。這些小伙子身穿有顏色標誌的骯髒襯衣，一邊來回走動，一邊設法避開噴氣發動機的進氣孔和排氣孔。對他們來說，這比上下班尖峯時間，在城市街道上橫越馬路還要危險，而且更有刺激性。身著紫色襯衣的水兵負責為飛機加油，他們被稱為「葡萄」。身著紅襯衣的其他小伙子是軍械人員，被人叫做「軍械兵」。他們正在把漆成藍色的演習武器裝上飛機。發射演習的實彈射擊要到一天以後才開始。今晚他們將以自己海軍的飛行員為對象練習截擊戰術。明天晚上空軍的C—一三〇飛機將從巴拿馬起飛，與正在返回的戰鬥羣會合，然後發射一系列的靶標。這不是承包商的檢測。這些靶標將由空軍的士官們控制。他們的職責就是躲避火力，好像這些靶標與他們是性命攸關的。對他們來說，每擊機能夠用剛剛修好的AIM—五四C鳳凰飛彈讓他們在空中開花。人人都希望雄貓截成功地躲開一次火力，就得硬性地處罰沒擊中目標的飛行員買啤酒或其他東西慰勞他們。

傑克遜觀看了十二架飛機彈射升空，然後走向飛行甲板。他穿上橄欖色的飛行服，拿起自己的飛行頭盔。他今晚要飛E—二C鷹眼空中預警機，這是比較大型的E—三A空中預警機在海軍中的縮小型。從這架飛機上，他將要看到他所制定的新戰術安排是否比現有的艦隊程序好。在所有的電腦模擬作業中它表現得都比後者好。但是電腦作業畢竟不是事實。這一點在五角大廈工作的人常常忽略。

E—二C機組成員在飛行甲板的入口處迎接他。不一會兒，鷹眼式飛機的器材檢查員，一位穿棕色襯衣的海軍上士，走來把他帶上飛機。如果沒有人照應，讓飛行人員自己在飛行甲板上隨意走動，那是非常危險的，因此才有這位二十五歲的，對自己工作頗為熟悉的年輕嚮導。在往艦尾的路上傑克遜看到一架A—六E闖入者攻擊機正在裝載一顆藍色的炸彈。這顆炸彈已裝上了導引裝置，這樣它就成了一顆雷射導引的GBU—一五炸彈。他發現這是那位飛行中隊長本人駕駛的飛機。他想那一定是叫做投彈演習的系統確認試驗的一部分。投真炸彈的機會並不是很多的，因而飛行中隊長們也喜歡自己投真炸彈高興高興。傑克遜想，他們的目標是什麼呢?——他也許是一只木筏——但是他還有其他東西需要操心。那位飛行上尉一分鐘後在自己的戰鬥機就位。他跟駕駛員說了幾句話，向駕駛員敬了個漂亮的軍禮，然後就去執行下一個任務去了。傑克遜坐在雷達艙的自動彈射座椅上，束緊了皮帶。他又一次覺得不高興了，因為他在飛機上不是駕駛員，而是乘客。

經過起飛前的正常儀式之後，隨著渦輪風扇發動機的點火，傑克遜海軍中校感到了震動。這架鷹眼式飛機開始緩慢地搖搖晃晃地向艦身中部的一個彈射器移動。當它的前輪起落裝置勾在彈射器的穿梭架上時，發動機轉動達到了最大速度，駕駛員用通話器告訴機組人員起飛時間已到。三秒鐘之後，這架格魯曼公司製造的飛機從原地起飛速度一直增加到一百四十節。它離開艦身時尾部下沉，然後機身恢復水平，接著就開始向兩萬英尺高度爬升。幾乎就在這一瞬間，飛機後部的雷達操縱員開始做系統檢查。二十分鐘之後這架E—二C飛機到達了距離母艦八十英里的指定位置上空，它的旋轉天線開始啓動，向空中發送出雷達波，讓演習開始。傑克遜坐著以便能從雷達螢幕上看到整個「戰鬥」。他的飛行頭盔與指揮線路接通，這樣在鷹眼式飛機在空中盤旋飛行的同時，他可以看到突擊兵號的飛行聯隊執行他的計畫的情況。

他們從這個位置可以看到戰鬥羣。他們的飛機起飛後半小時，傑克遜看到從航空母艦上一次彈射出兩架飛機。當然，雷達電腦系統追踪到這兩架飛機的回波。他們爬升到三萬英尺，然後相會。他馬上意識到這是空中加油演習。其中一架很快飛回了航空母艦，另一架則向東南方向飛去。大約就在這時截擊演習開始了。但是每隔幾秒鐘，傑克遜就看到剛才那架飛機新的回波，直至它在螢幕上消失——它繼續向南美大陸飛去。

「是的，是的。我會去。」科特茲說。「我還沒有準備好。不過我會去就是啦。」他掛上了電話，嘴裏咒駡一番，同時伸手去摸自己車子的鑰匙。科特茲連一個被摧毀的加工廠都還沒有去看過。但是他們卻要求他去向「生產委員會」——老闆是那樣稱呼它的——做簡報，這簡直可笑。這些傻瓜那麼熱衷於奪取國家政權，以致於已經開始使用這些準官方術語了。他出門的時候嘴裏還詛咒個不停，因為他得開車走那麼遠的路到那個肥胖而驕橫的神經病在山上的城堡去。他看了一下錶。車程需要兩小時。他到那裏會遲到的。他沒辦法告訴他們任何東西，因為他沒有時間了解任何情況。他們一定會生氣。他不得不再一次低聲下氣。他已經對老在這些人面前卑恭屈膝感到厭倦了。他們給他的錢相當可觀，但是不論多少錢也買不到他的個人自尊心。科特茲在發動車子時提醒自己，和他們簽合同之前他本應該考慮到這一點。他又咒罵了起來。

最新的**裝甲船**截獲情報抄錄件的文件號是二〇九一，截獲的是一部行動電話向監聽目標E打的電話。文本出現在卡特個人的電腦印表機上。不到半分鐘又來了二〇九二號文件。他把兩份截獲情報抄錄件都交給了他的助手。

「科特茲……直接到那裏去了？真是六月份過起聖誕節來，稀奇的很。」

「我們怎麼把這個信息傳給克拉克呢？」賴特問自己。

助手想了一下說，「我們沒辦法。」

「怎麼沒辦法？」

「我們沒有可以使用的安全通訊傳聲管道，除非我們能用安全的報話方式先接通航空母艦，由航空母艦接到A—六，再通到克拉克那裏。」

賴特也開始咒罵起來。不行，他們不能那麼做。薄弱環節在航空母艦。因為這樣，他們派到艦上負責處理這一事務的官員就得去找艦長——也許一開始並不是找他，但是幾乎可以肯定最後終要找到他那裏——要求獨自一人使用無線電艙，由他親自進行話報通信。那樣做即使艦長同意，風險也太大，了解情況的人太多，提出的問題也會很多。他又咒罵了起來。很快地他恢復了平靜。也許科特茲會按時到達。天哪！要是他們能告訴局裏，他們已掌握了這個雜種的下落那該多好啊！也許有人已經掌握了他的下落，這可能性不小，雖然從表面上似乎不大可能。也許沒有人掌握他的下落。他對比爾·蕭不太了解，不知他會做出什麼反應。

拉森把速霸陸車停在距幹道一百碼處，已預先選好比較隱蔽的地點。向他們的隱蔽位置攀登的途中並未遇到什麼困難。他們到達時太陽還沒有西下。從照片上就可以看出這是個非常理想的地點，正好位在一處山脊的頂端，從那裏可以直接看到四公里處有座令他們為之驚嘆的房子。它的面積有兩萬平方英尺——一百英尺正方、兩層的建築，沒有地下室——它座落在用籬笆圍成的一個六英畝大的環形區域內。那裏比他們所在的位置大約低三百英尺。克拉克帶著一架望遠鏡，在光線還不太暗的時候，他注意到了這棟房子的警衛力量。他數了數，共有二十人，都帶著自動武器。兩挺由數人操作的重機槍安放在專門為保衛這所房子而建造在牆上的防禦據點內。他想，鮑勃·賴特在聖基茨島曾經把它正確地叫做：**弗蘭克·勞埃德·賴特遇到瘋子路德維希**。這是一所漂亮的房子，既具有新古典主義—西班牙式—現代的風格，又採用高技術建築防禦工事以防止難以駕馭的農民靠近。還有不可缺少的直升機降落場，上面停著一架嶄新的希科斯基S—七六直升機。

「關於那棟房子還有什麼需要我了解的嗎？」克拉克問。

「確實是一座結實的建築，你看得很清楚。我擔心的就是這個。你知道這裏是地震區。就我個人來說，我喜歡輕質的木柱子和木橫樑，但是他們喜歡水泥結構——我想是為了防禦子彈和迫擊砲彈。」

「越來越好了。」克拉克評論說。他把手伸進他的背包內，先取出了笨重的三腳架，迅速而熟練地把它架在一塊堅硬的地上。接著他拿出地面雷射指示器，把它安裝在三腳架上並調好瞄準器。最後，他拿出瓦羅公司製的夜儀五型夜間瞄準裝置。當然，地面雷射指示器也有相同的性能，但是一旦把它架了起來，他就不願再去移動它了。瓦羅夜間瞄準器雖然只放大五倍——克拉克喜歡它的望遠鏡的鏡頭組合體——但是它體積小、重量輕、攜帶方便。它能把周邊的光線增強大約五萬倍。這種技術自從在東南亞使用以來已經發生很大的作用，但是他仍然把它看做一種妖術。拉森負責無線電通訊。他把自己的一整套東西都準備好。現在再沒有別的事幹了，只有等待。拉森取出一些醃製食品，兩人坐下吃起來。

「那麼現在你看看，就知道『大脚』是什麼意思了。」一小時之後克拉克咯咯地笑道。他把夜間瞄準鏡遞給拉森。

「天哪！只是大人和小孩的區別……」

那是一輛四分之三噸、可換裝四輪驅動的福特貨車。至少它在出廠時是這樣。從那之後它曾被送進一家經營訂製汽車的商店，在那裏換上了直徑四英尺的輪胎，它的奇怪程度並不足以稱為「大脚」。因為與在汽車博覽會上的那些奇形怪狀的卡車相比，它簡直就是小巫見大巫。它和那些東西的效果給人們造成的印象是相同的。它非常實用，這就是它的奇特之處。通向那幢房屋的道路確實需要好好修一修，但是這輛卡車卻如履平地——保鏢們感覺到路面坑坑窪窪，他們在後面竭力追趕他們老闆的新奇玩意兒。

「我肯定它的每加侖汽油跑不了多遠的路。」車子通過大門的時候拉森說。他把夜間瞄準器遞還給克拉克。

「他花得起這些錢。」克拉克看著那車子圍繞房子在移動。他們期望的東西太難實現了，但是仍然發生。這傢伙把車緊靠著房子停下，就停在會議室的窗子外面。也許他坐在裏面還想能看到自己的新玩意兒。

從車子上下來兩個人。他們在陽臺上——克拉克想不起陽臺在西班牙語裏叫什麼了——受到了主人的歡迎，又是握手，又是擁抱，武裝保鏢站在附近，就像總統的保安隊那樣緊張。他看得出當他們保護的人走進屋子之後他們才鬆懈下來，散開去和他們的同行們混在一塊兒——畢竟卡特爾是個幸福的大家庭，是不是？

不管怎麼說，現在是這個樣子，克拉克心裏想。他看到卡車停放的位置，不可思議地搖搖頭。

「最後一輛車來了。」拉森指著在碎石路上顛簸向前的車燈說。

這是一輛經過改裝的賓士轎車，無疑像坦克一樣裝有防彈裝甲——就像大使的那輛車，克拉克想。多麼富有詩意。這位要人同樣受到盛情而隆重的迎接。這時候他看到起碼有五十名警衛人員。院牆上還有很多人把守，另外還有一些小組不停地在院內來回巡邏。他覺得奇怪的是牆外沒有警衛。按理說牆外也應該有人警衛，可是他一個也看不到。這沒有關係。窗外停著那輛卡車的房間裏燈亮了。這一點很重要。

「看來你猜得不錯，小伙子。」

「他們付錢就是讓我幹這個。」拉森指出。「你覺得那輛卡車距離——」

克拉克已經查對過，他將雷射束對準房間，也對準了卡車。「距離三公尺。夠近的了。」

詹森海軍中校完成了他的飛機的加油工作，他的飛機的油料計量器指到規定位置，他就與KA—六加油機脫鈎。他收回了空中受油探管，降低高度讓加油機飛離這個空域。這一任務從側面看是再容易不過的。他將操縱桿輕輕向右推，航向一—一—五，在三萬英尺的高度恢復水平飛行。當時他的敵友識別應答器是關著的。他可以放鬆放鬆，享受一下飛行的樂趣。他常常這樣做。闖入者攻擊機飛行員的座位相當高，以便在投彈飛行時有良好的視界——他知道在受到攻擊時，這種高座位確實有點太暴露了。在越南戰爭將結束前，詹森曾執行過幾次任務。他清楚地記得海防上空的一〇〇公厘高射砲火，就像是黑色的棉球包著邪惡的紅心。但是今天晚上沒有。他的駕駛座艙就像是空中的帝王寶座。羣星閃爍，下弦月即將升起。世界上一切都是那麼令人愜意。他就是在這種情況下執行任務。再沒有比這更好的了。

借助星光，他們在兩百英里的高空可以看見海岸線。闖入者攻擊機正以不到五百節的速度巡航。詹森一飛離E—二C鷹眼式飛機的雷達覆蓋範圍，就立即將操縱桿向右推，向南直朝厄瓜多爾方向飛去。越過海岸線後他向左轉沿著安地斯山的山脊飛行。這時他打開了他的敵我識別應答器。厄瓜多爾和哥倫比亞都沒有防空雷達網。兩國都不需要這種奢侈浪費。結果，這架闖入者的電子系統監測器上僅僅出現正常的空中交通管制類型的雷達信號。這些監測器都非常現代化。雷達技術的一個鮮為人知的矛盾就是這些新式的現代化雷達根本不能真正地偵測到戰機，而只能發現雷達收發器。世界上的每一架民航飛機上都帶有一個小的「黑盒子」——這是人們對飛機電子設備的一般理解——它記載收到的雷達信號，用自己的信號給以回答，提供有關飛機識別及其他有關的信息。這些信息「顯示」在雷達站——多數情況下位於地面機場內——的雷達螢光幕上供控制人員使用。它比採用偵測「蒙皮回波」的老式雷達便宜而且可靠。老式雷達發現的飛機只是無名的光點，至於飛機的識別、航向、速度等只能靠地面上那些長年累月不辭辛勞的人們去確定。它在技術史上是一個奇怪的標誌：它表明這一新設計既前進一步，也後退了一步。

闖入者飛機很快進入了屬於波哥大附近的埃爾多拉多國際機場的管制區。闖入者飛機的字母數字代碼一出現在機場雷達的螢光幕上，雷達操縱員馬上向它呼叫。

「瞭解，埃爾多拉多。」詹森海軍中校立即回答。「我是四—三K，是美洲大陸貨運六號班機，從基多來，到洛杉磯國際機場去。高度三〇〇，航向三五〇，速度四九五。完畢。」

雷達操縱員根據他的雷達資料查對之後，用英語——英語是國際航空通用語言——回答：「四—三K，瞭解，收到了。據了解在你的空域無其他飛機來往。氣象：高度及能見度無限，保持航向和高度。完畢。」

「瞭解。謝謝你，晚安，先生。」詹森關掉無線電，通過機內通話系統對他的轟炸領航員說，「簡單得很，對吧？開始幹吧！」

在駕駛員座位後方稍低一點的右邊座位上，詹森海軍中校啓動了掛在機身中軸線硬點的目標辨識與攻擊多重感測器之後，打開了自己的無線電。

在預定的行動時間前十五分鐘，拉森拿起他的蜂窩式電話，撥了適當的號碼。「請找一下瓦格納先生。」

「等一下。」一個聲音答道。拉森弄不清這個人是誰。

「我是瓦格納。」過了一會兒，另一個聲音回答。「你是誰？」

拉森從一個紙煙盒上撕下玻璃紙，把它揉皺蓋在受話器上，然後開始斷斷續續地講話，最後他說，「我聽不見你講話，卡洛斯。過幾分鐘我再給你通話。」拉森按了斷話鍵。它在這個多孔裝置的最邊上。

「按得好。」克拉克贊同地說。「是瓦格納？」

「他爸爸以前是德國黨衛隊的上士——曾在索比堡納粹滅絕營幹過——四六年到這兒來，娶了一個本地女子，開始做走私買賣，還沒有人抓到他前，他就死了。這是布里丁說的。」拉森說。「卡洛斯是個真正的混蛋，喜歡把他的那些女人打得遍體鱗傷。他的同夥們並不太喜歡他，但是他對自己所幹的這一行卻十分精通。」

「天哪！」克拉克說。五分鐘後無線電聲音又響了起來。

「BW，我是ZX。請回話。」

「ZX，我是BW。你的信號很清楚。完畢。」拉森立即回答。他的無線電是前進空中控制員使用的那種加密超高頻型。

「報告情況，完畢。」

「我們已到達位置。一切準備就緒。我重複一遍，一切準備就緒。」

「瞭解，收到了，我們一切準備就緒。停止通話十分鐘。開始放音樂。」

拉森轉向克拉克說，「把指示器打開。」

地面雷射指示器早已開始啓動。克拉克把旋鈕從備用狀態扭到使用狀態。地面雷射指示器是為了士兵在戰場上使用而設計的，它通過一組堅固的透鏡發射出肉眼看不見的聚集紅外線雷射光束。校靶使用的是一個紅外線感測器。它能告訴操作人員，他瞄準的是什麼地方——它基本上是個望遠鏡瞄準具。「大腳」的載重部位上面有一個玻璃纖維貨箱。克拉克將瞄準具的十字線對準「大腳」的一個車窗，一點一點地轉動三腳架的微調旋鈕。雷射光點終於按預想的那樣出現了。但是他又重新考慮了一下，覺得要充分利用他們所在的位置稍高於目標這個有利條件。因而將瞄準點定在車頂的中央。最後他打開磁帶直接與地面雷射指示器相連接的錄影機。華盛頓的大頭頭們想要一鳴驚人了。

「好。」他平靜地說。「目標照亮了。」

「正在奏樂，音響效果不錯。」拉森對著無線電說。

科特茲正在開車上山。他已經過了一處安全哨卡，在那裏負責檢查的兩個人正在喝啤酒，他覺得很厭惡。這條道路和他的家鄉古巴的道路差不多，車子只能開得很慢。當然，他們還會指責他遲到。

詹森聽到了回答。他認為這次飛行太容易了。飛機在三萬英尺高度飛行，不僅夜空晴朗，而且沒有高射砲火或飛彈的威脅。即使承包商的效能鑒定試驗也沒有這樣容易。

「我看到了。」轟炸領航員從望遠鏡中看見了目標。在晴朗的夜晚，在三萬英尺的高空可以看到很遠的地方，尤其是透過價值幾百萬元的器材來看更是如此。在闖入者飛機機身下面的目標辨識與攻擊多重感測器注意到了遠在六十英里之外的那個雷射光點。當然這是一道調制光束，這個感測器熟悉地面雷射指示器發出的信號。這時他已準確地識別了目標。

「ZX證實音樂的音響效果良好。」詹森透過無線電說。「開始下一步。」

在機內左側的武器位置，炸彈的自動尋標器已經啓動。它立即捕捉到那個雷射光點。在機內，一部電腦在跟踪飛機的位置、高度、航向和速度。轟炸領航員編製出目標位置的程序，精確度定為二百英尺。他當然還可以調得更近一些，但是無此必要。投彈動作完全是自動的。而且在這樣的高度炸彈要投進的雷射「籃」有方圓幾英里。電腦記住所有這些事實後，確定最佳投彈方案，把炸彈正好投到「籃」內的最佳部位。

克拉克這時兩眼緊盯著地面雷射指示器。他用肘支撐著身子，除了眉與其鏡片的橡皮護圈接觸之外，身體的其他部分一點也沒有碰到這件器材。

「隨時可以投彈了。」轟炸領航員說。

詹森讓闖入者飛機保持平直，一直按機上各電腦指示的航向前進。現在整個行動已經到了不是由人控制的階段。彈射式掛彈架收到了電腦的信號，引發了幾個散彈槍子彈的藥筒——就是用的這種藥筒——致動「投射活塞」一下伸頂到彈殼上側的小鋼片。炸彈乾淨俐落地脫離了飛機。

飛機失去了一千磅重的負載後，稍微向上顛簸了一下。

「脫離了，脫離了。」詹森報告說。

終於到了。科特茲看到了圍牆。他的車子仍然在碎石路上搖搖晃晃地前進。如果他得常來這裏的話，他得買一輛吉普。他很快就要開進大門了。如果他沒有記錯的話，圍牆內的道路舖得還是不錯的。他想，也許用的是修直升機降落場剩下的材料。

「正在行進中。」拉森告訴克拉克。

炸彈以五百節的速度飛向目標。炸彈一旦離開飛機，地心吸力就開始起作用，使它成拋物線形飛向地面，在稀薄的空氣中其速度實際上有一點增加。尋標器微微地調節方向，以校正風流偏差。尋標器是玻璃纖維製的，看起來像個圓頭的子彈，上面裝有幾個小翅膀。當它所追踪的雷射光點離開了它的視界中心時，整個尋標器就會自己移動，它的塑膠尾翼片就會轉動，使光點回到視界中心位置。它的下降高度為兩萬二千英尺。它的導引裝置中的微積體電路電腦會確保準確地擊中目標。它有足夠的時間校正偏差。

克拉克並不確切地知道究竟會發生什麼事情。從他要求空中攻擊之後，已經過了好長時間了。他已經忘記了某些細節——在不得不要求空中支援的情況下，一般沒有時間注意細小問題。他也不知道是不是會有呼呼聲——在他戰爭經歷中，他從來記不住這種事。他兩眼一直盯著目標，仍然非常小心，一點也不敢碰雷射指示器，以免把事情弄糟了。他看見有幾個人站在卡車附近。其中一人點燃一枝煙，有幾個人似乎在談論什麼事情。總之，他似乎覺得這段時間特別長。目標被擊中的時候，一點預兆都沒有。沒有呼呼聲。什麼都沒有。

科特茲覺得車子上了鋪過的堅硬路面時，前輪向上顛了一下。

GBU—一五雷射導引炸彈的「保證」精確率為三公尺之內，但那是在作戰條件下，而這次對這件武器的檢驗則容易得多。它落到距目標幾英寸的地方，擊中了卡車的頂部。和第一次試投不同，它這次用的是碰炸引信。它有兩個起爆管，一個在炸彈頭部，一個在尾部。尋標器碰撞卡車上貨箱的玻璃纖維頂部後，它們在一微秒之內由電腦的一個微積體引爆。它除了電子引爆裝置外，還有機械引爆裝置。其實這兩個機械裝置是多餘的。起爆開始之後，炸彈又下降了三十英寸。炸彈還沒有完全穿透貨箱蓋，炸藥就由兩個起爆管引爆了。剛才似乎比較慢的過程現在突然加快了。炸彈的炸藥是奧克托炸藥。這是一種非常昂貴的炸藥，可以用來引發核武器，起爆速度為每秒八千多公尺。易燃的彈殼在瞬間就會化為烏有。爆炸產生的氣浪不斷撞擊卡車車身、把它炸得粉碎，碎片四處亂飛——就是不向上飛——緊接著就是猛烈的衝擊波。在不到千分之一秒的時間內碎片和衝擊波猛烈撞擊房子的水泥牆。其結果是可想而知的。牆崩裂成數不清的碎片，像子彈一樣疾馳。衝擊波的餘波猛烈衝擊房子的其他部分。對這樣的事件，人的神經系統根本來不及作出反應。在會議室裏的人做夢也沒有想到他們已經死到臨頭。

地面雷射指示器上的微光感測器中變成一片白色（稍帶點綠）。克拉克本能地稍向後退，眼睛離開目鏡。他看到目標區域更白的一片閃光，他們離那裏距離太遠，不能馬上聽到聲音。通常人們並不能看到聲音，但是大型炸彈爆炸時可以看到。衝擊波造成的壓縮空氣，以卡車原來所在的位置為圓心、迅速形成一道陰森可怕的白牆，以每秒鐘一千多英尺的速度向外擴展。大約二十分鐘後，克拉克和拉森聽見了爆炸聲。當然，這時候會議室裏的人早已全部嗚呼哀哉了。衝擊波的嘎吱聲聽起來就像那些死人的冤魂在怒號一般。

「我的天哪！」拉森說。他簡直嚇得目瞪口呆。

「我想你在那裏用的炸藥夠多的，老弟？」克拉克問。所能做的就是不哈哈大笑。真是幹得漂亮極了。他消滅了眼前的敵人，可是他並未從中得到樂趣。但是目標的性質與攻擊的方法結合起來使這次事件整個很像是個令人稱讚的玩笑。婊子養的！過了一會兒他清醒過來。他的「玩笑」剛才結束了二十幾個人的性命。其中只有四人是名單上的目標。這可不是鬧著玩的。他再也不想笑了。他是個職業殺手，不是個精神變態者。

科特茲離剛才爆炸地點還不到兩百公尺。由於他所在的地點較低，結果倒是救了他的命。多數碎片都從他的頭頂上方很高的地方飛了過去。爆炸氣浪非常厲害，把他車子上的擋風玻璃往後掀起，撞到了他的臉上，雖然破裂了，但未粉碎。因為它是由兩塊安全玻璃中間裝填著的聚合物黏合在一起的。他的車子被掀了個底朝天。甚至在他的腦子還未確定到底發生了什麼事情之前，他已經從車子裏爬了出來。整整過了六秒鐘他才意識到這是「爆炸」。對此事他的反應比那些警衛人員快很多。多數警衛已經死亡。他經過考慮的第一個行動是掏出手槍向房子跑去。

那所房子已經不復存在。他的耳朵已經被震得聽不見受傷者們的嚎叫聲。幾名警衛盲目地端著槍來回亂跑——究竟要幹什麼，他們自己也不知道。從這個巨大院落內較遠的角落跑過來的那些警衛受到的影響最小。房屋本身吸收了絕大部分的爆炸氣浪，威脅他們的只是那些四處飛舞的碎片。這些碎片造成的傷害是致命的。

「BW，我是ZX，要求BDA。完畢。」BDA是轟炸效果判定。拉森最後一次按下微型電話鍵。

「我估計徑向偏差概率為零。我重複一遍，零。高速完全爆炸，成績十四點零。完畢。」

「瞭解。通話完畢。」詹森關掉了無線電。他對著對講機說：「記得我還是海軍上尉的時候，我在甘迺迪號做過一次巡迴醫療飛行。我們這些軍官們都害怕到某些地方去，因為那裡士兵們他娘的在吸毒品。」

「是啊。」轟炸領航員答道。「該死的毒品。別擔心，隊長。我不會感到內疚的。是啊。白宮都說沒有問題，那就確實沒有問題了。」

「是的！」詹森又不講話了。他要按現有的方位繼續前進，一直到飛出埃爾多拉多雷達覆蓋範圍，然後向西南飛往突擊兵號。這真是個美妙的夜晚。他不知道防空演習現在進行得如何。

科特茲幾乎沒有經歷過爆炸之類的事件，對這類事的變化莫測知之甚少。比如說，房子前面的噴水池仍然在噴水。通向房屋的電線埋在地下，因而未受損壞。室內的電源斷路器也沒有完全破壞。他低下頭把臉伸入水中洗了洗。當他重新站直的時候，他感到幾乎恢復了正常。只是頭還疼。

爆炸發生時圍牆內曾有十幾輛車子，其中半數已被炸得粉碎，它們的汽油桶也起火燃燒，一堆堆的大火把該地區照得通紅。溫蒂貝羅斯的那架新直升機成了一堆殘骸，被甩到圍牆旁邊。還有人在東奔西竄。科特茲冷靜地站在那裏思索起來。

他記得曾見過一輛卡車，輪子很大，就停靠在……他向那邊走去。雖然房屋四周整個三公頃的範圍內到處是殘骸破片，他到了這地方的時候，發現這裏倒是挺乾淨的。這時他看到了彈坑，足足有兩公尺深，六公尺寬。

汽車炸彈。

一顆大炸彈。也許有一千公斤重，他想。他一邊思索一邊把目光移向別處。

「我想那就是我們真正需要看到的東西。」克拉克說。他朝地面雷射指示器的目鏡中再看了一次，然後把機器關掉。重新把它收起來只用了不到三分鐘時間。

「你認為那個人是誰？」拉森一邊背起背包，一邊問道。他把夜間瞄準器交給了克拉克。

「一定是開BMW來遲的那個人。他會不會是個重要人物？」

「不知道，也許下一次他就逃不過了。」

「對。」克拉克領路下山。

當然是美國人幹的。無疑是中央情報局所為。一定是他們花錢叫人把一噸炸藥放在那個奇形怪狀的卡車的後面。科特茲對這一招十分欽佩。那是費爾南德斯的卡車——他曾聽說過這輛車，但從未見過。他想，現在我永遠不會再見到它了。費爾南德斯喜愛這輛新卡車，把它緊停在窗戶的外面。肯定是這樣。美國人真幸運。那麼，他們又是怎麼做的呢？他們當然不會親自做這件事。他們一定是安排了什麼人……誰呢？某個人——不，不止一個人，起碼四、五個M—一九游擊隊或法爾克游擊隊的人。是的。這樣能夠解釋得通。可能是間接幹的嗎？由古巴人或KGB來安排。在東西方關係有那麼多變化的情況下，中央情報局有可能獲得這樣的合作嗎？科特茲覺得不大像，但是也不能排除這種可能性。像卡特爾那樣直接攻擊政府高級官員的行動最不得人心。

炸彈投到這裏是不是偶然事故？難道美國人知道要開這次會議？

原先的城堡現在已是一片瓦礫，瓦礫堆中傳出了人聲。保安人員到處查看。科特茲也和他們一起查看起來。溫蒂貝羅斯的全家曾經在這裏，除了他的妻子和兩個孩子以外，還有八個或者更多的服侍他們的人。他待這些人也許像農奴一樣，科特茲想。卡特爾的頭頭們都是這樣幹的，也許特別得罪了其中的那一位——也許曾追求他的女兒。他們個個如此。這是領主們的權利。這是法國人的說法，但是這些頭頭們都懂。一羣大笨蛋，科特茲自言自語說。難道就沒有反常現象？

有的警衛人員正在從瓦礫堆中往外爬。那裏面居然還有人活著！科特茲的聽覺漸漸恢復了。他聽到有個可憐蟲的尖叫聲。他不知道數一數會發現有多少屍體。也許。是的。他轉身走到他那已經車底朝天的BMW車旁。車的油箱蓋正在往外漏油。科特茲從車內取出了蜂窩式電話機。他向前走了二十多公尺，然後打開電話機。

「老闆，我是科特茲。這裏發生了爆炸。」

賴特心想，具有諷刺意味的是，通知他們這次任務圓滿完成的竟然是另一份**裝甲船**截獲情報抄錄件。國家安全局的人員報告說，最好的消息是他們錄了科特茲的聲波紋。這就增加找到他的可能性。這位外勤副局長認為在他的客人今天第二次來訪時，總算有了點成績吧。

「我們沒炸到科特茲。」他告訴卡特將軍。「可是我們炸死了達利詹德羅、費爾南德斯、瓦格納和溫蒂貝羅斯，還有一些附帶損傷。」

「什麼意思？」

賴特又一次看著那棟房子的衛星照片。他得要一張爆炸後拍攝的衛星照片，以便判斷那棟房子的損壞情況。「我是說當時還有一些警衛人員在附近，我們可能炸死了一批。不幸的是，溫蒂貝羅斯的家眷也在那裏——他的妻子、兩個小孩子，還有一些傭人。」

坐在椅子上的卡特突然厲聲地說：「你以前沒有告訴過我任何與此有關的情況。這本來應該是一次外科手術式的打擊。」

賴特抬起頭眼睛看著上方，心中頗為不快。「好了，得了吧，吉米！你究竟想要什麼？你現在還是海軍軍官對吧？難道沒有人告訴過你，附近總會有局外人的。不要忘記，我們用的是炸彈。不管這些『專家』們怎麼說，你總不能用炸彈來做手術吧！不要生氣啦！」賴特並沒有因為這些額外的死亡而覺得高興。但是這是他履行職責時的代價——卡特爾的成員們也會懂得這一點的。

「可是我告訴過總統——」

「總統告訴過我，我有狩獵許可證，不限數量。別忘了，這是我經管的事。」

「原先說的不是這樣幹法！要是報界了解了真相怎麼辦？這是殘酷的謀殺！」

「要是從除掉毒梟以及他們的打手的角度看呢？還是謀殺，是嗎？如果總統沒有說過要真刀真槍地幹，那還可以說是謀殺。你說過這是一場戰爭。總統要我們把它當一場戰爭來打。好吧！我們就這麼幹了。附近有局外人，我感到遺憾。可是，討厭得很！總會有局外人的。如果有辦法既能把這些壞蛋通通幹掉，又不致傷害無辜的人，我們當然會採用——可是沒有這種辦法。」賴特說出這番話，並非因為他聽了卡特的話後感到驚訝。他覺得卡特也是個職業軍官，殺人是他職業的一部分。當然，卡特的生涯中大多時間是在五角大廈的辦公桌前度過的——也許從他學會刮鬍子之後，就沒有見過多少流血。一隻藏在虎皮裏的小貓。不。賴特自我更正道。只不過是一隻小貓而已。當了三十年的兵，竟然會忘記用真正的武器殺人其準確性遠沒有電影上那麼高。還是一個職業軍官呢！他竟然為總統在國家安全問題上充當顧問。真是妙不可言啊！

「我跟你說吧，將軍。你如果不告訴報界，我也不會說。這是截聽情報抄錄件。科特茲說是汽車炸彈。克拉克必定是按照我們希望的那樣做。」

「但是當地警察要是調查怎麼辦呢？」

「首先我們不知道會不會允許當地警察到那裏去。其次，你怎麼想到他們會那麼聰明，能弄清是什麼原因？我用盡心機才想出這種辦法，使它看起來像是汽車炸彈，看樣子科特茲上當了。第三，你怎麼會想到當地警察會以何種方式迅速地處理此事呢？」

「可是新聞媒體呢？」

「你腦子裏老是擔心新聞媒體。是你告訴我們對付這些人要放手大膽地幹。現在你改變態度了。要變已經遲了。」賴特不耐煩地說。這是他主管外勤部門以來做得最精彩的一件事。可是提出這個主意的人現在卻嚇得尿褲子了。

卡特中將並未十分注意聽賴特的責罵，因此他也沒有生氣。他曾向總統保證要用外科手術方式摘除掉殺害胡克博及其他人的那些傢伙。他並未說會「有無辜者」死亡。更重要的是，**牧馬人**也沒有那樣說過。

查維斯的位置在南方很遠的地方，所以沒有聽到爆炸聲。小分隊正在監視另一個加工廠。顯然，這些場所是先後建起來的。他觀察時發現兩個人正在幾個帶槍的人的監視下安裝一口攜帶式浴缸。他還聽見其他正在上山的人的咕噥聲和抱怨聲。他看見走來了四位農民，他們的背包裏裝著一罐罐的酸。另有兩名帶槍的人跟在他們後面。

查維斯心想，也許消息還沒有傳出去。他一直以為小分隊那天夜裏的行動一定會使人們不敢再用這種方式來補貼收入。他並未想到這些人必須冒這種風險，因為他們要養家糊口。

十分鐘後，第三批六個人運來了古柯葉，後面又跟著五個帶武器的人。勞工們都帶著摺疊式帆布桶。他們去附近小溪取水。衛兵頭頭命令其中兩人進入森林放哨，也就是在這裏出了問題。其中一人一直向突擊組的方向走去，突擊組就在五十公尺以外。

「哦哦！」維加悄聲說道。

查維斯在報話機的按鍵上按了四個長音。這是危險信號。

上尉用兩長音做了回答，意思是他看見了。然後又是三聲長音，意思是做好準備。

大熊架起機槍，打開了保險。

但願他們能悄悄地把他幹掉，查維斯心想。

拎桶子的人剛剛往回走，這時聽到了左側有一聲尖叫。他後面帶槍的人立即作出了反應。同時維加開始射擊。

突然從另一方向打來的子彈把那些警衛人員弄糊塗了。但是他們做出了帶自動武器的人受到突然襲擊時必然會作出的反應——他們開始向四面八方射擊。

「媽的！」英格利斯咆哮起來，他向目標發射了槍榴彈。槍榴彈落在罐子中間開花，一陣硫酸雨劈頭蓋臉撒了那些人一身。曳光彈咻咻地滿天飛，有些人應聲倒下。一切都是那麼混亂，發生得那麼突然，士兵們根本沒去弄清事態的變化。幾秒鐘後射擊就停下來了。能看見的人都倒下了。突擊組馬上跑了出去，查維斯跑出去，加入他們的行列。他數了一下屍體，發現少了三個人。

「格拉，查維斯，找找他們。」拉米雷茲上尉命令道。他不必說**打死他們！**

但是他們沒有找到。格拉碰巧碰上一人，便當場將其擊斃。查維斯一無所獲，既未看到、也未聽到任何東西。他看到了那條小溪，還發現一只桶子，距目標大約有三百公尺遠。如果射擊開始時，他們就在那裏，那意味著在他們生長的地方，他們還佔有先跑四、五分鐘的便宜。兩位士兵花了半個多小時跑跑停停，看看聽聽，還是沒有找到。那兩個人無疑是逃之夭夭了。

當他們回到目標地點時，他們得知這是個好消息。他們自己犧牲了一人，名叫羅查，是一名步槍手。一名警衛的子彈正好打中他的胸部，他當場死亡。小分隊悄然無聲。

傑克遜非常生氣，因為侵略者打敗了他。**突擊兵號**的戰鬥機沒有弄好。一個中隊把航向弄錯了，以致使他的戰術計畫完全失敗了。本來是巧妙佈設的陷阱卻變成了暢通無阻的大道。「俄國人」趁機進入，而且到達了可以向航空母艦發射飛彈的地方。這一點即使沒有完全出乎預料，也實在太令人尷尬了。制定出新的計畫是要花時間的。也許他要重新考慮他的某些安排，傑克遜提醒自己。不能因為在電腦上進行模擬作業就認為計畫是完美的。他繼續看著雷達的螢光幕，試圖回想各種隊形以及每種隊形是怎樣動作的。在他觀看的時候螢光幕上出現了一個尖頭信號，向南朝航空母艦飛來。當這架鷹眼式飛機準備著陸時，他想知道這個人是誰。

這架E—二C飛機對準三號阻攔索做了個漂亮的著陸動作，然後向前滑行，替下一架飛機騰出甲板。傑克遜走下飛機時，正好趕上看下一架飛機著陸。這是一架闖入者飛機，正是他幾小時前上鷹眼飛機時看到的那一架。他注意到這是那位中隊長的飛機，也就是向海灘飛去的那架飛機。但這並不重要。傑克遜海軍中校馬上到艦載機大隊的辦公室去參加對飛行的講評。

詹森海軍中校也滑行離開著陸區。闖入者飛機向前進入停機位置時，收回兩翼以減少在甲板上佔據的空間。他和他的轟炸領航員下了飛機時，他們的飛機器材檢查員已經在那裏等候他們。他已經從機頭儀表艙中取出了錄影帶。他把帶子交給隊長——人們把飛行中隊長稱做隊長——然後再帶他們到母艦的上部去休息。「技術代表」在那裏迎接他們。詹森把帶子交給了他。

「那人說四—零。」駕駛員報告說。詹森繼續往前走著。

「技術代表」把磁帶盒帶回自己的艙內。在那裏他把它放進一個金屬盒子內，並且上了鎖。接著他用彩色膠帶把它密封起來，在兩面都貼上最高機密標籤，然後再把它放入一個貨運箱，他把這貨運箱送到〇—三層的一個艙內。有一架航艦班機三十分鐘後就要起飛。這個箱子將放在信差袋內，由這架飛機送往巴拿馬，然後交給一名中央情報局駐當地的外勤人員，再由他送往安德魯空軍基地，以便最後送往中央情報局總部。

第十九章　附帶結果

情報機關對他們能把情報從甲地迅速地送往乙地、丙地、丁地等等感到自豪。他們尤其善於獲得特別敏感的情報或者只能用隱蔽手段獲得情報資料。但是就那些全世界都能夠看得到的資料而言，他們一般總是落在新聞媒體的後面。所以美國情報界——也許還有許多其他人——都為泰德·透納的有線電視新聞網的工作效率所傾倒。

所以雷恩看到有關麥德林以南爆炸的第一份資料上註明，資料來源是有線電視新聞網和其他新聞機構時，他一點也不覺得驚奇。在蒙斯，現在是吃早飯時間。他的辦公地點位於北大西洋公約組織駐在地的美國要人區，他們可以收看有線電視網的衛星轉播。他還沒有喝完第一杯咖啡就打開了電視機，看到一組鏡頭，顯然是一架直升機用微光電視設備拍下來的。下面的字幕是：**哥倫比亞，麥德林**。

「天哪！」雷恩把杯子放下，低聲說道。直升機飛得離目標並不很近，也許害怕受到地面上走來走去的人們的射擊。不過這種鏡頭也不需要太清楚了。原來一幢漂亮的房子現在已變成一堆破磚碎瓦，旁邊的地上就是一個大洞。地上的殘破景象是毫無疑問的。現場記者的弦外之音還沒有說出汽車炸彈這幾個字之前，雷恩已經說出來了。雷恩肯定，這意味著中央情報局沒有牽涉進去。美國人是不搞汽車炸彈的。美國人相信經過瞄準打出去的槍彈。精確的火力是美國人的一大發明。

經過一番沉思之後，他的感覺改變了。首先，這時候中央情報局應該已經在監視卡特爾的領導人物，而監視又是中央情報局的拿手好戲。第二，如果正在監視，他現在應該是從中央情報局的管道聽到有關這次爆炸的情況，而不應該是一份抄錄的新聞稿。真是難以估計的事。

巴茲爾爵士是怎麼說的？我們的反應會是恰當的。那又意味著什麼呢？過去十年裏情報戰變得文明了。在五十年代顛覆政府曾經是執行國策的標準做法。在廣泛使用外交力量的各種複雜方式的同時，暗殺只是偶爾使用的後備手段。由於豬灣失敗，以及越南戰爭——那畢竟是一場戰爭，戰爭無非是暴力行為——新聞界對某些行動的不利報導，中央情報局已經在很大程度上停止使用這一手段。這雖然奇怪，但卻是真的。甚至KGB也很少再捲入「濕的工作」——這是蘇聯人從三十年代起使用的名詞，表明血使人的手變濕——相反地，他們讓代理人去幹這種事，如保加利亞人去幹，或更經常地是讓恐怖集團去幹，這些集團幹這些非法行動為的是換取蘇聯的武器援助、或幫助他們訓練。值得注意的是，這類事也逐漸減少。奇怪的是，雷恩竟認為這類積極行動偶爾還是必要的——而且有可能變得更加必要，因為世界現在對公開的戰爭開始感到厭惡，從而轉向由國家支持的半隱蔽恐怖活動的較量和低強度衝突。對於使用常規武裝部隊進行更有組織的、破壞性更大的暴力形式而言，「特殊作戰」部隊是個真正的半文明替代手段。**如果戰爭是以工業化的規模進行得到批准的謀殺，那麼以更集中的方式更有選擇地使用暴力不是更人道嗎？**

這是一個倫理問題，不必在吃早飯的時候沉思。

但是到了這個程度，什麼是對，什麼是錯呢？雷恩問自己。法律、倫理和宗教都認為士兵在戰爭中殺人不是犯罪。這完全是用沒有證明的假設來回答下面的問題：什麼是戰爭？早一代以前，這個問題是很容易回答的。民族國家集合起自己的陸海軍，派他們為某些討厭的問題去打仗——事後往往會發現曾經可以用和平的方式解決問題——而在道義上是能夠接受的。不過戰爭本身在改變，難道不是這樣嗎？誰決定什麼是戰爭呢？是民族國家。那麼一個民族國家能不能確定什麼是它的至關重要的利益，然後依此採取行動呢？恐怖主義是怎麼進入這一方程式的呢？幾年前，當雷恩自己就是別人暗殺目標的時候，他曾認為恐怖主義可以被看做是現代形式的海盜行為。執行恐怖活動的那些人一直被看做是人類的公敵。所以從歷史角度看，有一種非完全戰爭狀態，在此種情況下可以直接使用軍隊。

那麼國際毒品走私犯又處在什麼位置上呢？他們是民事犯，並且按民事犯處理？如果這些毒品犯為了他們的商業利益能夠顛覆一個國家那該怎麼辦呢？是否那個國家就變成人類的公敵，就像舊時的北非海盜那樣？

「真該死！」雷恩說。他不知道法律是怎樣規定的。他是個受過專業訓練的歷史學家，但是他的學位幫不了多少忙。從前唯一的一次毒品買賣是由一個強大的民族國家進行的，它打了一場「真正的」戰爭，強行把鴉片賣給一個雖然其政府堅決反對的民族，但是後者在這場戰爭中打輸了，因此也失去了保衛其人民不受非法毒品之害的權利。

這是個令人不快的先例，對吧？

雷恩所受的教育迫使他要尋找正當的理由。他相信正確與錯誤的確是互不相關而且可以識別的價值，但是法律條文上並非總是可以找到現成的答案。他有時不得不從其他管道尋找答案。作為一個父親，他討厭犯罪份子。誰能擔保自己的孩子有朝一日不會經不起誘惑而吸毒？他不是有義務保護自己的孩子嗎？作為他的國家情報界的代表，他能不能把自己的保護義務擴大到全國的孩子們？要是敵人直接向他的國家挑戰怎麼辦？那會不會改變各種規定？對恐怖主義，他已找出答案：如果你以那樣的方式向一個民族國家挑戰，你就得冒一場巨大的危險。民族國家，比如美國，具有人們無法理解的能力。他們有一批穿軍裝的人。這些人不幹別的，只是練習殺死其他人的藝術。他們有能力使用從事這一藝術所需要的可怕的工具。從把一顆子彈從一千多碼之外送入一個人的胸部，到使一枚兩千磅的雷射導引炸彈不偏不斜地穿過窗戶飛進某人的臥室……，簡直無所不能。

「真見鬼！」

有人敲門，雷恩看到巴茲爾爵士的一位助手站在那裏。他交給他一封信就走了。

你回國後，請務必告訴鮑勃，事情幹得很好。巴茲。

雷恩把便條摺好裝進信封，然後把信放進衣袋裏。他當然是對的。雷恩對此毫不懷疑。現在他得要確定那樣做是不是對的。他很快就認識到，要是這種錯或對的問題已經由別人確定了，再讓他事後評論一番當然容易得多。

他們當然必須轉移陣地。拉米雷茲給每人都找了事做。要做的事情越多，能想的事情就越少。他們必須清除能看出他們到過這裏的一切痕跡，他們還得埋葬羅查。到時候，如果有這樣的機會，他的家庭——假如他有家——會收到一個密封的金屬棺材，裏面裝著一百五十磅的裝填物，就像是他的屍體在裏面一樣。查維斯和維加的任務是挖墓穴。他們按常規挖了六英尺深，想到要把他們的一位戰友留在這裏，心裏很不是滋味。他們希望以後能有人來把這位戰友運走。但是他們想大概不會有人這樣做的。雖然兩人都是來自和平時期的軍隊，但他們對死亡毫不生疏。查維斯想起了在韓國的那兩個小伙子、以及在訓練意外、直升機失事和其他事故中死亡的其他人。當兵本身就意味著危險。即使在不打仗的情況下也是如此。所以他們設法按照意外死亡來使它顯得合情合理。可是羅查並非死於意外。他是在履行職責過程中犧牲的。他是響應國家的召喚自願服役的。他為自己身著軍服而自豪。他知道有什麼樣的危險，能勇敢面對自己的命運。現在他卻被埋葬在異國他鄉。

查維斯知道，如果他認為這類事情永遠不會發生，那是荒謬的。他之所以感到吃驚，是因為像小分隊裏的其他成員一樣，羅查是真正的職業軍人。他機敏、堅強、精通自己的武器，在樹叢中能保持安靜。他是一個熱情而嚴肅的戰士，真正喜歡追蹤毒品犯——至於為什麼喜歡，他沒有告訴過任何人。真怪，這倒是起了些作用。羅查是在執行任務過程中犧牲的。查維斯覺得這一評價，對任何人來說都是一篇相當好的墓誌銘。墓穴挖好之後，他們盡可能輕輕地將屍體緩緩放下去。拉米雷茲上尉講了幾句話，坑也大部分填上了。和往常一樣，奧利韋羅撒了一些催淚毒粉以防止動物挖刨。接著把草皮放在上面以消除痕跡。但是，拉米雷茲特別記下了這一地點，為的是今後可能會有人回來找他。然後他們就撤離了。

他們不停地走，天明時到達距羅查現在單獨守衛的地點五英里遠的備用巡邏基地。在那裏拉米雷茲計畫讓他的士兵們休息一下，然後再儘快帶領他們執行下一次任務。最好是讓他們有事好做，而不是讓他們過多地思考。教本上就是這麼說的。

一艘航空母艦作為戰艦差不多就是一個小社會。它是六千多人的家，有自己的醫院和購物中心，基督教堂和猶太教教堂，警察和放映電影的俱樂部，它甚至有自己的報紙和電視網。士兵們的工作時間很長。他們下班後得到的服務也並不過份——說得更明白一點，海軍發現水兵們得到這些服務之後，工作得起勁得多。

羅比·傑克遜起床後像往常一樣淋浴，然後至軍官集會室喝咖啡。今天他要和艦長共進早餐，因此他希望在早餐之前能保持頭腦清醒。在角落裏的一個支架上放著一臺電視機，軍官在那裏看電視，就像在家裏一樣，也是為了保持頭腦清醒。大多數美國人每天的第一件事就是看電視新聞。在這裏播音員拿不到每年五十萬元的薪資。他也不需要化粧。但是他的台詞必須自己寫。

「昨晚大約九點鐘——我們突擊兵號稱為二十一時〇〇分——埃斯特伯·溫蒂貝羅斯的家裏發生了爆炸。溫蒂貝羅斯先生是麥德林卡特爾的一位要人。似乎是他的一位朋友不像他想像的那樣友好。新聞報導說，一顆汽車炸彈徹底炸毀了他在山頂上的豪華住宅，室內所有的人都被炸死。」

「在國內，第一個夏季政治年會下週在芝加哥正式開場。喬·羅伯特·福勒州長在他的黨提名的總統候選人中雖然票數領先，但是仍然差一百票才能達到多數。今天他將會見的代表來自……」

傑克遜轉過身向四面看看。在離他三十英尺的地方，詹森海軍中校指著電視機得意地看著他的一位同事一直笑，而那位同事也端著茶杯微微一笑，沒有講話。

傑克遜腦子裏突然產生了**靈感**。

一次投彈演習。

一位不願多談話的技術代表。

一架A—六E飛機沿一—一—五方位向海灘飛去，然後轉向厄瓜多爾。最後從二—○—五方位回到**突擊兵號**。這一三角的另一邊一定是——可能是——哥倫比亞上空。

一篇關於汽車炸彈的報導。

一枚有可燃外殼的炸彈，不，是一枚有可燃外殼的**雷射導引**炸彈，傑克遜海軍中校糾正自己。

真是，**婊子養的**……

他感到可笑的地方不止這一點。打死一名毒品犯並不使他在良心上覺得有什麼過不去。見鬼，他覺得奇怪，他們為什麼不僅僅把來回運送毒品的班機打下來算了。政治家所有那些關於威脅國家安全和有人對美國從事化學戰的不負責任的信口開河——哼，都是胡扯，他想。為什麼不舉行一次真刀真槍的射擊演習呢？那樣，連靶機都不需要買了。海軍裏不會有人不願意除掉幾個毒品犯。敵人就在你發現他們的地方——也就是國家最高指揮當局所說的他們所在的地方——而對付他國家的敵人正是美國海軍中校羅比·傑弗森·傑克遜的職業。用雷射導引炸彈對付他們，但又使它看起來像是別的東西。這純粹是一種欺騙。

更有趣的是，傑克遜認為他知道發生了什麼事。這個祕密是個討厭的東西。根本無法保守，祕密總會以某種方式洩露出去。當然他不會告訴任何人。這確實太糟糕了，難道不是這樣嗎？

但是又有什麼必要把它做為祕密保守住呢？傑克遜自問道。毒梟們殺害聯邦調查局局長採用那樣的方式是公開的宣戰。為什麼不公開站出來說，我們是來對付你們的！尤其是在一個大選之年。每當他們的總統宣布有必要追捕一些人時，美國人民什麼時候沒有支持他呢？

但是傑克遜的工作不是政治性的，現在是去見艦長的時間了。兩分鐘後他來到了艦長室。站崗的海軍陸戰隊員替他開了門。傑克遜看到艦長正在讀電文。

「你的服裝不整！」艦長嚴肅地說。

「什麼——請再說一遍，艦長？」傑克遜莫名其妙地站住，低頭看看褲子，發現拉鍊是拉上的。

「你看。」**突擊兵號**艦長站起來，把書面通知遞給他。「你的軍銜剛剛提陞，羅比——請原諒，傑克遜海軍上校。恭禧你，羅比。作為一天的開始，它一定比喝咖啡好得多，對吧？」

「謝謝你，長官。」

「現在咱們設法把你制定的CF戰鬥機戰術使用在……」

「是，長官。」

「叫我里奇。」

「好的，里奇。」

「當然在艦橋上和公開場合，你還是得稱呼我『長官』。」艦長指出。新晉階的軍官總是受到人們的取笑。他們還得破費一點請大家喝幾杯慶祝一番。

電視新聞記者們一清早就來了。他們在上山到溫蒂貝羅斯房子的路上也遇到了不少的困難。警察已先到了。這些新聞界人士從來沒有問過自己：這些警官們是否屬於「馴服的」那一種。他們穿著制服，腰繫槍帶，行動挺像真正的警察。這些人在科特茲的監督下已經完成了認真搜尋倖存者的工作，已找到的兩個人已經運走了。還有所有倖存的保安人員和武器也被帶走了。保安人員在哥倫比亞並沒有什麼特別異常的，不過那些全自動武器和數人操作的機槍卻頗不尋常。當然在這些新聞記者來到之前，科特茲已經走了。到他們開始拍攝錄影的時候，警察的搜索已全面展開。雖然有一輛地面接收站的卡車未能開上山來，但是好幾名記者可以直接使用衛星獲取的資料。

搜尋工作最容易的部分是在原來做為會議室的地方，這裏現在是一堆瓦礫，有三英尺高，為了留做資料還仁慈地錄了影。找到的一位生產委員會委員（此身分並未透露給新聞記者）身上的最大的部分是一條非常完整的小腿，正好從膝到右腳，鞋帶還繫得好好的。後來證實這塊「殘骸」是卡洛斯·瓦格納的。溫蒂貝羅斯的妻子和兩個孩子曾經在二樓對面那個房間看錄影帶。在這幾具屍體面前，匣式錄影機的電源仍然是接通的，錄影機還在運轉。另一架電視攝影機的鏡頭緊隨著一名保安人員——他暫時沒有帶AK—四七步槍——正抱著一個滿身血污的小孩屍體往救護車走去。

「噢，我的天哪！」總統說，他正在橢圓形辦公室內看幾部電視中的一部。「要是有人推斷出……」

「總統先生，我們以前也做過類似的事。」卡特指出。「雷根指揮的轟炸利比亞，對黎巴嫩的空襲，還有……」

「還有我們每次都挨罵！沒有人過問我們為什麼要那樣做。他們所關心的只是我們誤殺了人。天哪！吉姆，那是個小孩！我們該怎麼說？『啊呀！太糟糕啦！他們真不巧待在錯誤的地方！』？」

電視播音員說，「據說這座房子的主人是麥德林毒品卡特爾的一名成員。但是當地警方人士告訴我們從未有人控告過他犯有任何罪行，……」播音員對著鏡頭暫停了一下，然後說，「你看到了汽車炸彈把他的妻子和孩子炸成了什麼樣子。」

「太好了。」總統咆哮起來。他拿起了遙控器，關掉了電視機。「這些壞蛋對我們的孩子想怎麼幹就怎麼幹，如果我們在他們的地盤上追蹤他們，突然之間他們倒變成了他媽見鬼的受害者！穆爾有沒有把這事通知國會？」

「沒有，總統先生。這樣的行動開始後四十八小時之內，中央情報局是不必告訴他們的。為了替行政方面考慮，行動實際上是昨天下午才開始的。」

「他們不會發現的，」總統說。「如果我們告訴他們，那麼一定會洩露出去。你把這點告訴穆爾和賴特。」

「總統先生，我不能——」

「你怎麼不能！我命令你，先生。」總統向窗戶走去。「本來不應該這樣。」他低聲說。

卡持當然知道真正的問題是什麼。反對黨的政治年會即將開始。他們的候選人，密蘇里州的鮑勃·福勒州長在民意測驗中現在是領先總統。這當然屬於正常的情況。在政府中任職的人，初選中一般都不會遇到嚴重的反對，結果是單調的、預先確定的結果。而福勒則傾盡全力競選以爭取得到本黨的提名。現在還不能完全肯定他就能得到提名。選民一般總是喜歡活躍的候選人，而福勒個人則非常活躍。他爭論的問題也是有趣的問題。像尼克森以後和第一次毒品戰爭以來所有的候選人那樣，他說總統沒有遵守要限制毒品交易的諾言。這樣的話對目前佔據橢圓形辦公室的人可以說是似曾相識。四年前他自己也說過同樣的話。他就是利用這個問題，還有其他問題，進入座落在賓夕法尼亞大道的這棟房子的。所以他現在要實際採用某種激烈的手段。而且已經開始做了。美國政府剛剛使用了它最複雜的軍事武器殺害了兩個孩子和他們的母親。福勒會這麼說。畢竟今年是大選之年。

「總統先生，把我們正在進行的行動在這個時候停下來是不利的。如果您真的想要替胡克博局長和其他死難者報仇，真的想狠狠打擊販毒活動，您現在絕不能停止我們的行動。我們快要搞出點名堂了。從空中運入的毒品已經減少了百分之二十。」卡特指出。「把這一點和我們破獲他們的洗錢買賣的成功加在一起，我們可以說已經贏得了真正的勝利。」

「我們怎麼解釋投扔炸彈的問題呢？」

「我一直在考慮這個問題，總統先生。我們說不知道，怎麼樣？不過我們可以有兩種說法。一種是：它可能受到了M—十九游擊隊的襲擊。這個集團近來的政治言論對毒梟們頗多批評。另一種：我們可以說是卡特爾內部互相之間鬥爭的結果。」

「怎麼講法?」他問話時頭都沒有轉過來。卡特知道，要是**牧馬人**不正面看你，那就是個壞兆頭。他確實對此感到擔心。他想，政治確實是令人頭痛的事情，但也是這座城市裏最有趣的遊戲。

「殺害胡克博和其他人，是他們的一項不負責任的行為。誰都知道這一點。我們可以放出風聲說，卡特爾裏有些人認為他們的頭頭們幹的事情太極端了，以致於危及他們的整個毒品買賣，因此他們正在懲罰這些頭頭。」卡特對自己的這種說法甚感得意。這其實是賴特想出來的，但是總統不知道。「我們知道毒品犯們不會閉口不談殺害家庭成員的事——這實際上是他們的特徵。這樣我們正好可以揭露『他們』正在幹什麼。我們可以一舉兩得。」他說完微微一笑。不過總統背對著他，所以沒有看見。

總統轉身背朝向窗戶。從神態上看他仍持懷疑態度，但是……「你真的認為你能夠成功?」

「是的，總統先生，我認為可以。這樣至少可以再給我們一次『互惠』的機會。」

「我必須表明我們正在做某件事情。」總統語氣平和地說。「我們派到叢林中去的那些士兵現在情況如何?」

「他們到目前為止，已鏟除了五個加工廠。我們的損失是兩人死亡，兩人受傷，但傷勢不重。總統先生，這是執行任務的代價。他們都是職業軍人。他們知道會有什麼樣的危險。他們為自己現在執行的任務感到自豪。對這個問題您不必操心。不久就要傳話出去，告訴當地農民不要再為毒梟們幹活。這對毒品加工業將是一次嚴重的打擊。當然，這是暫時的——只要幾個月，但卻是真的。這是您可以指出的。市面上古柯鹼的價格會馬上上漲。您也可以指出來。那就是我們估計封鎖行動成敗的辦法。等不到我們宣布，報紙就會談論這一點。」

「那反而更好。」總統說著笑了笑。這是他今天第一次笑。「好吧!——咱們只是要更加謹慎才是。」

「那當然,總統先生。」

第七師的早晨體育訓練開始於六點十五分,這是這支部隊具清教徒式美德的原因之一。雖然士兵們,尤其是年輕戰士們,和美國社會中的其他人一樣喜歡喝酒,但是喝得暈陶陶的人去從事體育訓練意味著向慢性死亡邁出一大步。奧德堡已經暖和起來。到七點他們完成每日三英里跑步的時候,排裏的每個成員都是滿身大汗。然後是早飯時間。

軍官們在一起吃飯,他們在飯桌上談論的也是全國都在思考的同一話題。

「是他媽的動手的時候了。」一位上尉說。

「據說是一枚汽車炸彈。」另一人指出。

「我肯定中央情局知道怎樣安放它。他們從黎巴嫩和世界各地獲得那麼多經驗。」一位副連長說。

「不像你想得那麼簡單。」營情報軍官說。他原來當過突擊隊的連長,所以對炸彈和詭雷略知一二。「不過,不論是誰幹的,反正幹得真巧妙。」

「可惜我們不能到那裏去看看。」一位中尉說。級別低的軍官們低聲附和。級別高的軍官一言不發。這一類的應急計畫幾年來一直是師和軍的參謀機構討論的問題。不能隨隨便便地談論使用部隊去引起戰爭——準確地說,那就是一場戰爭——雖然普遍的看法是:派部隊去是完全可以辦得到的……只要得到當地政府的贊同。當然他們不會贊同。軍官們認為這可以理解，但卻是十分不幸的。陸軍對毒品的厭惡程度十分強烈。營裏級別高的軍官，也就是少校及其以上軍官，對七十年代的毒品問題記憶猶新。當時陸軍完全像人們批評的那樣空虛，人們也不是不知道，有些地方軍只有帶著武裝士兵才敢去。制服毒品這個敵人花了好多年的心血。即使今天美國軍隊的每個成員都要隨時準備接受毒品血樣抽查。對高級士官和軍官也不留情。只要檢查出是陽性反應，你就滾蛋。對於下士及其以下人員，有較多靈活的餘地：一次檢查有問題，按照第十五條規定給予嚴厲的訓斥；第二次發現，再讓他們滾蛋。官方的口號很簡單：**我的在部隊中不行！**然後，還有其他的方面。在這個飯桌上吃飯的人大多數都已結婚，有了孩子；遲早販毒份子可能接近這些孩子，使他們成為潛在的主顧。他們的一致認識是：誰要是向職業軍人的孩子出賣毒品，誰就得小心自己的腦袋。當然這類事很少發生，那是因為軍人畢竟是受紀律約束的。但是，他們的想法是現實的。他們也有能力辦得到。

常常有一些毒品販子莫名其妙地失蹤了。他們通常死於黑勢力之間的明爭暗鬥。這類兇殺有許多是永遠沒法查出來的。

蒂米·傑克遜意識到，查維斯就是去幹這事去了。巧合的事情太多。他和穆尼奧斯、還有萊昂都去了。他們都會講西班牙語，都不約而同地在一天內被調走。所以他一定是在從事一項祕密的行動，也許是按照中央情報局的旨意在行事。很可能是件危險工作，但是他們是軍人，這是他們的職責。傑克遜少尉呼吸輕鬆了。因為他『知道』了他不必知道的東西。不管查維斯在幹什麼，反正沒問題。他不再追根究底啦。蒂米·傑克遜希望查維斯一切順利。他知道查維斯太棒了，如果有人能幹這事，那就是他。

電視臺記者很快就開始感到厭倦。他們離開去寫稿子、錄音去了。等他們的最後一輛車開上了去麥德林的公路，科特茲就回來了。他這一次開着一輛吉普車上山。他累得很，心裏也很煩躁。不過他更感到好奇。這裏發生了非常奇怪的事，可是他捉摸不透到底是什麼事。不查個水落石出，他是不會罷休的。爆炸後倖存的兩個人已經送往麥德林，在那裏將由一位信得過的醫生給他們祕密治療。科特茲要和這個人談談。但是他還有一件事一定要做。在這個房子執行任務的警察分隊是由一位與卡特爾關係不錯的警官率領的。科特茲知道他對溫蒂貝羅斯和其他人的死一定不會感到悲傷。但是這不是問題的所在，對吧？這位古巴人停下了吉普車，走到那位警官和他的兩位部屬正在交談的地方。

「早安，警官。你能不能確定這是什麼樣的炸彈？」

「一定是汽車炸彈。」那人嚴肅地說。

「是的，我也懷疑是汽車炸彈。」科特茲耐心地說。「炸藥呢？」

那人聳聳肩膀說：「不知道。」

「也許你們能弄清楚。」科特茲說。「這是你們調查工作的例行部分。」

「好。我可以做到。」

「謝謝你。」他走進吉普車準備向北開去。當地製造的炸彈可能用甘油炸藥——在開礦的地方可以得到大量的此種炸藥——或商用膠塑炸藥，甚至用硝酸肥料製成炸藥。科特茲估計，如果是由M—十九游擊隊製造的，那就是森特克斯炸藥，這是旋風炸藥的捷克製變種，全世界馬克思主義的恐怖份子都使用旋風炸藥，因為它爆炸力強，易於獲得、而且便宜。如果能確定實際上用的是什麼東西，他就能知道一些事情。他想到自己讓警察去蒐集這一情報感到很好笑。這是他開車下山的路上值得一笑的事情。

還有其他值得高興的事情。對於卡特爾的四位大頭頭被消滅，他也像那位警察一樣，並不感到悲傷。他們畢竟都是商人，並不是科特茲所尊敬的那類人。他從他們那裏領取報酬，僅此而已。不管是誰幹的，這一招幹得真漂亮。這使他想到不可能是中央情報局幹的，因為他們對殺人不太在行。科特茲差一點被炸死。人們一定會以為他對此非常惱火，其實不然。畢竟祕密行動是他的本行。他也知道幹這一行的危險。此外，即使他真的是這一完美計畫的主要目標，他現在也不會這樣地分析的。不論怎麼說，除掉了溫蒂貝羅斯、費爾南德斯、瓦格納和達利詹德羅意味着卡特爾最高層出現了四個空缺，少了四個擋在他前進路上有權勢的人，如果……，他自問。嗯！為什麼不成？在董事會上佔有一席之地，肯定能辦到。也許會比這更好，但是還有事情要做。還有一件「罪行」要查清。

等他到了麥德林，從溫蒂貝羅斯在山頂的那幢房子裏救出來的兩位倖存者已經過治療，準備接受詢問，還有溫蒂貝羅斯在麥德林那幢房子裏的六個傭人也一起等著他來詢問。他們在一座結實且能防火的高樓中最頂層的一間屋子裏，此屋有隔音設備。科特茲走了進去，發現溫蒂貝羅斯的八名僕人都帶着手銬，坐在直背椅子上。

「你們之中誰知道昨晚要開會？」他以令人愉快的語氣問道。

他們點頭。當然每個人都點了頭。溫蒂貝羅斯愛講話，僕人們自然也就聽到了。

「好，誰告訴過別人？告訴過誰呢？」他像一個文明人那樣很有禮貌地說。「在我知道這個問題的答案之前，誰也別想離開這間屋子。」

這些人馬上爭先恐後地說沒告訴過任何人。他早預料到會是這樣。絕大多數人說的是真話。科特茲對此也深信不疑。

情況太糟糕了。

科特茲看了看衛兵隊長，然後指着最左邊椅子上的那個人。

「我們從她開始。」

福勒州長從旅舘出來，他知道他過去三年來為之奮鬥的目標已經勝利在握。幾乎勝利在握，他自我糾正說。因為他記起來在政治上沒有什麼事情是一定的。但是一位特別賣力地進行競選活動的肯塔基州國會議員剛剛和他做成了一筆交易，他願以保證他那些代表支持福勒為條件換取一個內閣位置。這樣就使福勒在本黨內成為支持率最高者，可以比其他候選人多出幾百張票。他可以說必勝無疑。當然，他不能那麼說。他必須讓那位肯塔基州人自己宣佈。此人已計畫在年會的第二天宣佈。再讓他風光一天——或者說得確切些，再出一天風頭。雙方陣營的人都會一點一點把消息洩露出去。但是這位國會議員只會哼哼哈哈，一笑置之，讓人們隨便去怎樣猜測——可是，這事只有他自己知道。福勒心想，政治竟然如此虛偽。這太奇怪了，因為福勒畢竟是個非常誠實的人。他的性格不允許他違反比賽規則。

他現在正按照這些規則行事。他站在電視機鏡頭前連續講了大約六分鐘，實際上是空話連篇。關於「我國面臨的重大問題」曾有過一些「有趣的議論」。州長和國會議員「都希望看到這個國家有新的領導」。他們兩人都相信——雖然都不願意說出來——不管誰在十一月份大選中獲勝，這個國家都會繁榮起來。因為總統之間或者政黨之間的政治差別一般都將在國會大廈裏的吵吵嚷嚷中消失。因為美國的政黨組織得鬆鬆垮垮，以致總統競選一次比一次更像是選美比賽。福勒想，雖然看到他夢寐以求的權力可能真的變成一枕黃粱時，他會垂頭喪氣，但那樣也許挺好。提問題的時間到了。

第一個問題使他大吃一驚。福勒未注意是誰問的。他被燈光和照相機照得眼花撩亂——經過幾個月的折磨，他懷疑自己的視力能否恢復正常——但是提問題的是個男的，他想這人大概是代表一家大報紙。

「州長，來自哥倫比亞的一則消息說，一顆汽車炸彈炸毀了麥德林卡特爾一個重要成員的家，他的家屬都被炸死了。這件事距聯邦調查局局長和我們駐哥倫比亞大使被暗殺的時間那麼近，可否請你評論一下？」

「我今天早晨沒有趕上聽新聞，因為我和國會議員先生共進早餐。你有什麼想法？」福勒問道。這種態度反映他從樂觀的候選人已轉變成一位想要成為政治家的謹慎政客——不管政治家是怎麼回事。這問題一度曾經是非常清楚的。

「先生，有人猜測說美國可能牽涉進去了。」記者進一步說。

「哦？你知道我和總統的意見有許多分歧，有些是十分嚴重的分歧。但是我想不起什麼時候我們有過願意從事謀殺的總統。我絕不會指責說我們的總統幹了這樣的事。」福勒以政治家的最佳語氣說。他的意思是什麼也不說——政治家的話就是這樣，不是言之無物，就是講的內容人人皆知。他始終為自己的總統競選保留着廣闊的前景。甚至福勒最有力的政敵——在他自己黨內就有幾位，更不用說反對黨的人——也說他是受人尊敬的、富有思想的人，說他把注意力集中在問題上，而不是在謾罵上。他剛才的一番話就反映了這一點。他並未想過要改變美國政府的政策，也未想要佈下圈套讓他的潛在政敵上當。但是，他的這番話卻起了雙重的作用。當然他本人並不知道。

總統的這次旅行預先經過了周密的計畫。出於禮貌，在反對黨召開年會期間，總統一般都保持低姿勢。在大衛營工作同樣也很輕鬆——其實更輕鬆些，因為在這裏更容易避開記者們。但是你要到大衛營又得承受各種各樣的非議。一架海軍陸戰隊的VH—三直升機已在白宮草坪上等候着。總統帶着第一夫人和兩名工作人員從大樓的大門走出來，在那裏又是密密麻麻地聚集了一大批新聞記者和攝影機。他不知道那些大講「公開性」的俄國人是否知道他們在幹什麼。

「總統先生！」一位老資格的電視新聞記者喊著。「福勒州長說他希望我們沒有牽涉到哥倫比亞的炸彈問題中去！你有什麼評論嗎？」

總統朝被繩子攔住的新聞記者們走過去，他知道這是個錯誤，但是他被他們和那個問題吸引了過去，就像旅鼠被大海吸引過去一樣。實在是身不由己，那位記者發問時的聲音那樣大，每個人都知道他聽到了，不回答本身必定會被認為是某種回答。不能讓記者們說總統廻避了什麼什麼問題！他不能以低姿態離開華盛頓一個星期，讓對方大出風頭——至少不能不回答這個問題，就離開白宮草坪，是吧？

總統說：「美國不殺害無辜的婦女和兒童。美國堅決和那樣做的人進行鬥爭。我們絕不會自貶到他們那種殘忍程度。這個回答够清楚了吧？」總統的語調柔和，說得有板有眼，倒是總統投向這位記者的目光，使這位經驗豐富的記者失去了力量。總統心想，看到自己的力量偶爾鎮住了這幫記者倒也令人愉快。

這是那一天他撒的第二個政治大謊——肯定這是消息緩慢的一天。福勒清楚地記得：約翰·甘迺廸和羅伯特·甘迺廸曾經策劃要殺害卡斯楚和其他的人。當時他們的心情就像伊恩·弗萊明的小說裏所敘述的那樣極度喜悅，可是在他們吃盡各種苦頭之後，他們才得知暗殺是件骯髒的事情。實在太骯髒了。因為通常總有一些你不特別想要殺害的人在附近。現在總統對「附帶損傷」是十分了解的。他覺得這個名詞太令人厭惡，但它卻表明了某些既需要却不可能向人們解釋清楚的事情，因為這些人們不了解世界實際上是個什麼樣子；恐怖份子、罪犯和各種各樣的膽小鬼——殘忍的人畢竟在大多數情況下是膽小鬼——通常隱藏在無辜人們的背後或中間，故意刺激強大的力量對他採取行動，利用敵人的利他主義為武器對付敵人。你們不能碰我們。我們是「壞」人。你們是「好」人。你們不可能攻擊我們，卻還想保全自己的自我形象。這就是這些最可恨的人的最可恨的特性，有時候——雖然情況很少，但有時——必須讓他們知道這樣做並沒有用處。這確實骯髒，難道不是嗎？就和某種國際車禍一樣。

但是我究竟該怎樣向美國人民解釋呢？在這大選之年？請投票重新選舉現任總統，因為他為了保護你們的孩子不受毒品之害，殺害了一位妻子、兩個孩子和幾個家庭僕人……？總統懷疑福勒州長是否知道總統權力是多麼虛無飄渺，以及當一項原則與另一項原則互相牴觸的時候，所產生可怕的吵嚷聲。那聲音比新聞記者們的吵嚷聲還厲害，總統心想。他一邊走向直升機，一邊被這個問題弄得頭昏腦脹，一直搖頭。海軍陸戰隊的一位士官在飛機階梯附近向他敬禮。總統還了禮——這是傳統，儘管坐這架飛機的所有總統從來沒有穿過軍服。他繫好了皮帶，回頭看了看聚集在那邊的人羣。攝影機仍然對着他，錄下了飛機起飛的動作。電視網並不想放那個特別的鏡頭，只是為了防止這架直升機爆炸或失事，他們才讓攝影機繼續運轉的。

消息傳到莫比爾的警察那裏時，稍遲了一些。法庭的書記員負責處理文件。這時候已有消息從一個法院洩露出去。消息一般是從法院洩露出去的。這次書記員大為光火。他經手過多少案件！他是個五十五歲左右的人，他讓自己的孩子們受了很好的教育，一直唸完大學，總算未使他們染上吸毒的惡習。但是這位書記員的鄰居們的孩子並非個個如此。他家隔壁那家的老么買了一「小塊」上好的古柯鹼，然後以每小時一百英里的速度飛車行駛，結果撞在一座橋墩上。書記員是看着這個孩子大的，有一兩次還曾開車送他上過學，還曾掏錢讓那孩子用割草機給他割過草坪。棺材是在賽普里斯山浸信會教堂密封起來然後埋葬的。他聽說孩子的媽媽在辨認過殘留的屍體之後，現在還在接受治療。牧師把毒品的懲罰說成像基督因自己的激情所受的懲罰一樣。他是個能幹的牧師，是個遵循南方浸信會傳統的天才演說家。當他帶領大家為那個死去的孩子的靈魂祈禱求福的時候，他個人對毒品問題的義憤使得全體聽他講道的信徒的憤怒有增無減……

書記員對此無法理解。達維多夫是個極優秀的檢查官。不管他是不是猶太人，他是上帝親手選定的人。在一個充滿騙子的行業裏，他是個真正的英雄。怎麼會是這樣呢？這兩個社會渣滓要逃脫懲罰了！

書記員想。那一定是弄錯了。

書記員對酒吧很不習慣。作為一名嚴肅對待自己宗教信仰的浸信會教徒，他從未沾過含酒精成分很重的烈性酒。至於啤酒，他也只是在孩提時代嚐過一次，而且還是別人激將的結果。他對此一直感到內疚。這只是妨礙他成為正直而高尚的公民的兩個缺陷之一。另一點是公正。他信仰公正就像他信仰上帝一樣。他雖然在聯邦法院作了三十年的書記員，但這一信仰一直沒有改變。他認為公正是上帝給的，不是人給的。法律是上帝制定的，不是人制定的。難道西方所有法律不是以某種形式以聖經為基礎而制定的嗎？他把他國家的憲法看做是神賜靈感的產物，因為自由一定是上帝希望人們生活中所享有的。人們可以學會認識上帝，並為上帝服務，這不是去做上帝的奴隸，而是為了尋求正義而做出的積極選擇。事情就應該是這個樣子。問題是正義並非永遠必勝。多年來他已習慣於這種看法。雖然這太令人喪氣，但是他也知道上帝是最後的審判者。上帝的審判必將壓倒一切。但是有時候上帝的審判也需要人幫助。人人都知道上帝透過人們的信仰為自己選擇幫手。雖然今天下午阿拉巴馬的天氣如此炎熱，但是書記員有自己的信仰，而上帝也有自己的幫手。

書記員來到一家警察酒吧，這裏距警察局只有半段街區的距離。他點了汽水以適應氣候。當然，警察們知道他是誰。他出席過警察的所有葬禮。他曾經領導一個市民委員會，負責照顧在履行職責過程中死亡的警察和消防隊人員的家屬。他從未要求任何回報。他甚至從未要求弄個標誌之類的東西——他一生從無任何標誌。但是也從來沒人曾想過要看一下他有沒有什麼標誌。

「你好，比爾。」他對一個負責偵辦殺人案的警察說。

「和聯邦政府工作人員一起工作怎麼樣？」這位警探問道。他覺得書記員有點怪，但又比多數書記員正常得多。他真正需要知道的只是這位法院書記員負責照顧警察。這就够了。

「我聽說了些事情，你也該知道一下。」

「哦？」這位巡官正在喝啤酒，這時立即擡起了頭。他也是浸信會教徒，但沒有那麼虔誠。真正的浸信會教徒在警察裡沒有幾個，即使是在阿拉巴馬。他也和其他警察一樣，感覺自己有罪。

「那些『海盜』即將認罪以換取從寬處理。」書記員告訴他。

「什麼？」那不是他的案子，但這表明出了問題。那些海盜和他的那些犯人關在一所牢房裏。

書記員詳細說明了他所知道的情況，其實也沒有多少情況。這個案子出了點問題。技術細節問題，或是別的什麼問題。法官並未解釋清楚。達維多夫對此極為生氣，但他也沒有辦法。他們兩人都認為這真是太糟糕了。達維多夫是個大好人。書記員說這話當然是說謊。他不喜歡說假話，但是有時為了正義就需要說假話。這一點是他在聯邦法院的工作中學到的。這只是證明了他的牧師所說的，「上帝的行動是神秘的，祂創造奇蹟。」

有趣的是下面這話並非全是假的：「殺害布雷登巡佐的傢伙們與這些海盜有關係。聯邦調查局的人認為是海盜們命令他們殺害了他——還有他的妻子。」

「你對這事有多大把握？」警探問道。

「我十分有把握。」書記員喝完杯中的啤酒，放下杯子。

「好。」警察說。「謝謝，我們絕不會說是你說的。對於你們為布雷登的子女所做的一切我也表示感謝。」

書記員覺得很尷尬。他為警察和消防隊員的家庭所做的一切並不是為了要誰感謝。這是職責，是純潔而樸素的職責。上帝將會獎賞他，因為是上帝賦予了他這一職責。

書記員離去了。這位巡官走到角落裏的一個雅座和他的幾個同事坐在一起。他們快取得了一致的看法，即不得讓——也不能讓——海盜用認罪的辦法減刑。不管它是不是聯邦法院的案件，這兩個人觸犯多起強姦罪和謀殺罪——而且，看樣子還犯有另一起雙重謀殺罪，莫比爾警方對此很有興趣。街上已有消息說：販毒份子們有生命危險。這是發出的另一信息。和比他們級別高的政府官員相比，警官們有一個優勢，那就是他們使用的是罪犯能充分理解的語言。

「但是誰會發送這個信息呢？」另一位警探問。

「帕特森弟兄倆怎麼樣？」巡官答道。

「啊！」隊長說。他略加思索後又說，「好。」

總括起來說，對這個問題做出決定，要比政府就重大問題做決定容易得多。而且執行起來也容易得多。

兩位農民在日落時分到達麥德林。此時科特茲已經十分喪氣。有八具屍體需要處理——在麥德林這並非難事——但卻沒有任何站得住腳的理由。他對此深信不疑。就像六個小時之前他對另一件事有把握。究竟消息是從那裏走漏出去的呢？三個婦女和五個男人剛剛死去，這證明他們沒有走漏任何消息。

其中最後兩人是被子彈直接打進頭部死的。他倆曾親眼看見其他六個人痛苦萬狀地死去，緊張極了。但卻毫無意義。屋子裏現在一團糟。科特茲現在感到自己的人格受到了汚損。一切努力均告失敗。毫無任何理由地殺了人，他太惱怒了，一點也不感到羞愧。

他洗完手換過衣服之後，在另一間屋子的另一層會見那兩位農民。他們很害怕，不是怕科特茲，這使他感到吃驚。過了好幾分鐘他才明白了。他們像放連珠砲似地毫不連貫地講述了他們了解的情況，連細節都記得很準確——有些細節互相矛盾，但是這也是預料之中的，因為他們是兩個人——他讓他們一直講下去，然後再問一些導向性的問題。

「他們的步槍不是AK—四七式。」一個農民很肯定地說。「我能從聲音聽出來，不是那種槍。」另一農民聳聳肩膀。他分辨不出不同的槍聲。

「你有沒有看見什麼人？」

「沒有，先生。我們聽到了嘈雜聲和喊叫聲，趕緊就跑。」

你們可真敏感啊！科特茲沒說出口。「你剛才說有喊叫聲，是吧？講的什麼語言？」

「怎麼？講的是我們的語言。我們聽到他們追趕我們，但是我們還是跑。他們沒抓住我們。我們在山裏路熟。」那位武器專家說。

「你有沒有看到或聽到別的什麼東西？」

「槍聲、爆炸聲、還有火光——槍口的閃光，就這些。」

「事情發生的地點——你以前去過多少次？」

「許多次，先生。我們就是在那裏做漿糊的。」

「很多次。」另一人證實說。「我們去那裏已經有一年多的時間了。」

「不要告訴別人你們到這兒來過，不要把你們知道的事情告訴任何人。」科特茲告訴他們。

「但是他們的家庭……」

「不要告訴任何人。」科特茲平靜而嚴肅地又重複了一遍。他們知道說出去就會有危險。「你們所做的一切將得到回報，其他人的家庭將得到賠償。」

科特茲認為自己是個講道理的人。這兩個鄉下佬圓滿地滿足了他的要求，他一定要適當地報答他們。他仍然不知道是誰洩露了消息，但是，如果他能抓到他們中的一個——誰？M—十九匪幫？不知怎麼的，他不相信是M—十九游擊隊幹的。

那麼是誰呢？

美國人？

查維斯知道羅查的死如果對他們有什麼影響的話，那就是增強了他們的決心。拉米雷茲上尉對此極為難過，不過好的軍官都會這樣做的。他們新的巡邏基地距該地區的許多咖啡種植園最近的一個只有兩英里，距離另一方向的一個加工廠也只有兩英里遠。戰士們正在幹白天的正常工作。一半人睡覺，一半人站哨。

拉米雷茲獨自坐着。他想，查維斯是對的。他確實感到難過。從理智的角度看，上尉知道他應該把他的一名士兵的死亡僅僅看成是履行職責時付出的代價。但是感情和理智不同。同樣正確的是，從歷史來看，沒有一種辦法預測哪些軍官適於作戰，哪些不適於作戰。當然啦拉米雷茲沒有確切地按此思路去思索。拉米雷茲做為作戰指揮官已經犯了一個典型的錯誤。他和他的士兵們的關係太親密了。要他把他們看做可以消耗掉的財物，他做不到。他的這一缺點與勇敢沒有任何關係。上尉是足够勇敢的。冒生命危險是完成欣然接受的任務所不可少的。雖然他知道讓士兵去冒生命危險是完成任務中不可避免的，但是他不知道，這意味著不可避免地會有人死亡。不知什麼原因，他忘記了這一點。他身為連長，曾率領他的士兵們進行過無數次野外演習，訓練他們、教他們怎樣完成各種任務。當他們平日以邁爾公司生產的野戰訓練雷射感應器來顯示模擬的傷亡時，他糾正他們，但是羅查的死亡並不是模擬的傷亡。羅查並不是初入軍隊的笨手笨腳的小伙子。他是個熟練的職業士兵。拉米雷茲告訴自己，這說明他辜負了他的士兵對他的期望。他知道他即使這樣想也是錯誤的。如果他把自己的部隊部署得更好一些，如果他更注意一些，如果，如果，如果。年輕的上尉想要擺脫這些想法，但是他做不到。他也不能離開。因此，他這次要更謹慎才行。

剛一吃過中飯，錄影磁帶就拿來了。**突擊兵號**上飛來的班機與來自波哥大的一架郵務飛機協調飛行，有關人員誰也不知道。由拉森把地面雷射指示器錄製的影帶送到埃爾多拉多，交給了另一名中央情報局的官員。這兩卷磁帶塞在中央情報局的一名郵差的信袋裏，這位郵差坐在空軍C—五A運輸機的前艙內，把握時間在離飛機駕駛艙右側幾英尺處的一個嘎扎作響的舖位上睡了幾個小時。這架飛機直接進入安德魯機場。它一着陸，四十英尺長的梯子就在貨運區放了下去。那位郵差從貨運區大門走出去，上了一輛在那兒等着的情報局的汽車，一直向蘭格利駛去。

賴特的辦公室裏有兩臺電視機、每臺都配有一臺錄放影機。他一個人獨自看着送來的兩卷錄影磁帶。他調整了一下，使它們大致同步播放出來。從飛機上拿來的那一卷效果不太好、只能看到雷射光點和房子的大體輪廓、而且到爆炸閃光之前再也看不到多少東西。克拉克的那卷磁帶效果好得多。上面有那幢房子，在視頻放大的畫面上燈光明亮的窗戶清晰可見。警衛們來回亂跑——那些抽着煙的人就像螢火蟲一樣；他們每吸一口煙，臉就被照得通紅。然後就是炸彈。賴特想，這就像是看希區考克電影一樣。他知道發生了什麼事，但是螢幕上的人都不知道。他們毫無目的地四處亂竄，不知道在這齣戲中扮演什麼角色。這齣戲是由中央情報局外勤副局長在辦公室裡編寫的。

「真有趣……」賴特自言自語道。他用遙控器把磁帶倒回到炸彈爆炸前幾秒鐘的地方。一輛新汽車來到大門口。「你可能是誰呢？」他面向螢幕問道。然後他又讓磁帶跳到爆炸過後。他剛才看到上坡的汽車——一輛BMW車——被衝擊波震翻了。但幾秒鐘之後，開車的人從車內爬了出來，掏出手槍。

「科特茲……」他讓鏡頭靜止。畫面中看不出多少東西。他是個中等身材的人。所有的其他人都在房子的廢墟中盲目地來回亂跑、這個人卻在那裏站了一會兒，用噴水池的水洗了洗臉使自己提起精神來——怪不怪？噴水池竟然完好無損！賴特想——然後這人走到爆炸的地方，不可能是任何一位卡特爾成員的隨從。這些人這時候都在爛磚碎瓦中又挖又刨呢！不，這個人已經在思索到底發生了什麼事。正好在磁帶轉為只有吵雜聲而沒有影像之前他看到了最好的鏡頭。這可能是費利克斯·科特茲。他在環視四周。他已經在思索，試圖對事情做出判斷。真是個職業情報人員。

「真該死，就差一點。」賴特低聲說。再一分鐘，你就會把自己的車和其他的車子停在一起。只差該死的一分鐘！賴特取出了那兩卷錄影帶，塞進他辦公室的保險櫃內，與**鷹眼**，**演藝船**，**互惠**等放在一起。他對着錄影帶說，**下次絕不放過你**。這時候他開始思考。科特茲真的和暗殺有牽連嗎？

「好啊！」賴特在辦公室內大聲地說。他曾經那樣假設過，可是……難道說他是提出這項罪惡計畫之後才到美國來的……？為什麼要這樣做呢？根據那位祕書的說法，他並沒有特別主動地要她提供什麼情報。相反地，那是個情侶們最普通的偷情的周末。採用的技術是古典式的。第一步，引誘目標。第二步，確定是否能從她那裏獲得情報（通常西方情報機構是用女色勾引男性，但是東方集團則是利用男子勾引女人）。第三步，加強關係，以達到利用這一關係的目的。如果賴特對證據理解正確，科特茲在這件事上還沒有進入關鍵階段。

那根本不是科特茲，對吧？科特茲也許把他獲得的情報當成是理所當然的事情提供給了他們，不知道聯邦調查局對卡特爾的金錢所採取的行動。當他們做出襲擊聯邦調查局局長的決定時，科特茲不在那裏。他當時如果在那裏，一定會反對那樣做。為什麼你剛剛建立了一個好的情報來源，就要猛力出擊呢？不，這不是職業情報人員的做法。

那麼，科特茲，你對所有這一切有什麼感覺呢？賴特很願意付出巨大的代價，以換取當面向他提問題的可能性，儘管答案是那麼一目了然。情報官員常常被他們政治上的上司所出賣。對科特茲來說，這絕不是第一次，但他同樣會非常惱火，就像賴特對卡特中將非常惱火那樣。

現在，賴特發現自己第一次在猜測科特茲究竟在幹什麼。也許只是背叛了古巴，使自己成為雇傭人員。卡特爾之所以僱用他是因為他受過訓練，並有豐富的經驗。他們以為自己僅僅收買了名雇傭兵——儘管是個非常出色的雇傭兵，但畢竟是個雇傭兵，就像他們收買當地警察——真該死，收買美國警察——和政界人士一樣。但是一個警官和一個在莫斯科的訓練中心受過專業訓練的職業情報人員不是同一回事。他向他們提出自己的建議。他會認為他們出賣了他——他們的行動太愚蠢，因為殺害伊邁．胡克博完全是感情用事，並非出於理智。

我為什麼原先沒有想到這一點呢！賴特責備自己。答案是：正因為原先沒有想到這一點，他才有藉口做他一直想做的事情。他沒有認真思索，因為他畢竟知道，要是認真思索的話，他就不可能採取行動。

科特茲不是個恐怖份子，對吧？他是個情報官員。他曾經和伐木開路先鋒集團一起行動過，那是因為他被派去幹此工作。在這之前，他的活動純粹是諜報性質的。僅僅因為他和這個發瘋的波多黎各集團一起活動過，他們就認為……也許這就是他叛逃的原因之一。

現在情況更清楚了。由於科特茲的專業知識和豐富經驗，卡特爾僱用了他。但是在這樣做的同時，他們也收養了一條寵狼。狼可是個危險的寵物，對不？

目前，賴特只能做一件事。他召來了一位助手，指示他把他們所有科特茲最好的照片拿去透過電腦放大後送往聯邦調查局。這是值得做的事情。只要他們把這個人從背景下分離出來就行。但這也是要靠圖像處理機去完成的。

當總統遠在馬里蘭州西部的群山中度假時，卡特將軍仍然待在白宮的辦公室。他每天早晨都要飛往馬里蘭州向總統做情況簡報——在總統執行「度假」生活制度的時候，情況簡報的時間稍微遲一些——但他大多數時間待在白宮。他有自己的職責，職責之一就是做「一名高級行政官員」。他想到了他的頭銜，當他向新聞界進行不供發表的情況簡介時，他的名字就叫「一名高級行政官員」。這種情報是總統制定政策時，一個極為重要的部分，是政府與新聞界之間玩弄的精心設計的遊戲：官方透露。卡特將放出「試探氣球」，也就是經營消費品的人稱作試銷的東西。當總統有了一種新的想法而又沒有把握時，卡特——或者別的內閣成員，他們每位都是高級行政官員——將對其背景做出說明。主要報紙將就其寫出文章，以便使國會和其他人在總統正式批准發表之前對其做出反應。這是在華盛頓這個舞臺上當選的官員和其他演出者擺出各種姿勢，進行各種表演而不需要喪失面子的一種方式——這本來是一種東方的思想，經過一番巧妙的轉變之後，現在已侵入到首都環狀道路的範圍之內。

鮑勃·霍爾茨曼，一家華盛頓報紙駐白宮的高級記者，此刻正坐在卡特對面的椅子上等待深入介紹背景。雙方都充分了解各項規定。卡特想說什麼就說什麼，毫不擔心自己的姓名、官銜或辦公室的位置有可能被引用。霍爾茨曼可以想怎麼寫就怎麼寫，只要合乎情理，只要不把他的消息來源洩露給除編輯之外的任何人。兩人彼此間都沒有特別的好感。卡特對新聞記者沒有好感。他和他的軍官同事們大概就剩下這唯一的共同點了，不過他肯定自己沒有把這種感情流露出來。他認為他們都懶惰、愚蠢、不會寫、也不用腦筋、尤其是他面前的這位。霍爾茨曼認為卡特是錯誤的人處在錯誤的位置上——這位記者不喜歡讓一位軍官與總統過從甚密，甚至提出建議；更重要的是他認為卡特是一個膚淺的、為一己私利而鑽營的馬屁精，滿腦子富麗堂皇的幻覺，更不用說是個驕傲的傢伙。他把新聞記者看做是有一半用處的馴服了的禿鷹。結果，他們兩人反倒相處得挺不錯。

「你下週會去看他們的年會嗎？」霍爾茨曼問。

「我儘量不捲入政治。」卡特回答說。「要咖啡嗎？」

對啦！記者心想。「不要，謝謝。到底在古柯鹼之國發生了什麼事？」

「你的猜測似乎是說——嗯，不是那麼回事。我們對這些壞蛋已經監視了一段時間了。我的猜測是伊邁是被卡特爾裏的一派殺害的——毫不奇怪——但是他們並沒有真正地做出正式決定。昨天晚上的爆炸可能表明在那個組織內部發生了內訌。」

「是啊！有人倒楣。」霍爾茨曼說，一面在筆記本上隨便寫了「卡特」二字，然後在下面潦草地做着筆記。他把「一位高級行政官員」寫成高政官。「有消息說卡特爾僱用了M—十九游擊隊的人從事暗殺，還說哥倫比亞人確實拷打了他們抓到的人。」

「也許他們那樣做了。」

「他們怎麼知道胡克博局長要到那兒去？」

「我不知道。」卡特答道。

「真的不知道？你知道他的祕書曾試圖自殺。聯邦調查局對此緘口不言。但是我覺得這是個絕妙巧合。」

「誰在那兒管這個案子？不管你信不信，反正我不知道。」

「丹·摩瑞是個副助理局長。他實際上並不做外勤工作，但是他負責向蕭簡報。」

「哦！那不歸我管。我負責這個案件的海外部分，國外、國內部分資料在另外的辦公室內。」卡特指著他豎起一道壁壘，霍爾茨曼無法衝破。

「卡特爾對**海鰱行動**感到非常惱火，所以有些頭頭經整個機構批准就去暗殺胡克博。其他人認為他們的行動太魯莽，就決定把那些背棄了合同的人消滅掉，你說呢？」

「現在看來像是這樣。你知道，我們對這件事的情報是很少的。」

「我們的情報總是很少的。」霍爾茨曼指出。

「你可以和鮑勃·賴特談談。」卡特儘量把問題推給別人。

「好啊。」霍爾茨曼笑了笑。華盛頓有兩個人可以放心，他們從來不會洩露任何東西。一個是鮑勃·賴特，另一個是亞瑟·穆爾。「你覺得傑克·雷恩怎麼樣？」

「他就要回來了。他整整一週都在比利時，參加北大西洋公約組織的情報會議。」

「國會山莊上人們吵吵嚷嚷地說，得對卡特爾採取點什麼行動，說對胡克博的攻擊是直接攻擊——」

「我也看國會會議簡報，鮑勃。說起來容易。」

「今天早晨福勒州長說的是……？」

「我想政治問題還是讓政治家去談吧。」

「你可知道街上古柯鹼漲價了?」

「噢?我不注意那方面的行情,漲價了?」卡特還沒有聽說這件事。已經……

「漲得不多,但漲了一些。街上有消息說,到貨少了一些。」

「聽了很高興。」

「不想做點評論?」霍爾茨曼問。「你是一直說這是一場真正的戰爭,我們應當認真看待這件事嗎?」

卡特臉上的笑容暫時收了一下。「像戰爭這樣的事情由總統決定。」

「國會呢?」

「是啊!他們也管。可是自從我在政府工作以來,國會還沒有就這類事情發表過聲明。」

「假如我們和那次爆炸事件有牽連,你會有什麼感覺?」

「我不知道。我們與它沒有牽連。」這次會見並不像計畫的那樣進行。霍爾茨曼知道了些什麼呢?

「那只是個假設。」記者指出。

「好。下面咱們談的都不供發表——完全保密。如果假設的話,我們能把所有這些雜種通通消滅,我一滴眼淚也不會掉。你呢?」

霍爾茨曼哼了一聲。「同意你說的也不供發表。我是在這兒長大的。我仍記得什麼時候可以在街上安全地走路。現在我每天早晨看死了多少人。我不知道我是在華盛頓,還是在貝魯特。那麼,不是我們幹的?」

「不是。看樣子像是卡特爾在清除內部。這當然是猜測。但是目前，我們最多也只能這樣做了。」

「好吧。我想我可以用這些資料寫篇文章了。」

第二十章 發現

太令人吃驚了。但也是真實的。科特茲在那裏待了一個多小時。和他在一起的有六個帶武器的人，還有一隻狗用鼻子到處嗅，想要找到曾經攻擊這個加工廠的那些人的蹤跡。空子彈殼多數是五點五六公厘子彈的彈殼。北約大多數的國家和他們在全世界的代理人都用這種子彈。可是這種子彈最初是在美國使用的點二三三雷明頓體育用子彈。這裏還有一些九公厘子彈的彈殼，還有一顆四〇公厘槍榴彈的空彈殼。攻擊者中有一人受傷，可能傷勢很重。攻擊的方式是傳統式的。山上有一個火力組，突擊組也在同一高度，朝北一點。他們離開得很倉促，沒有像前兩次那樣在屍體身上布設詭雷。科特茲想，也許是因為有一名重傷兵吧！也是因為他們知道——懷疑？不，他們也許知道——有兩個人跑了，去搬救兵去了。

一定有不止一個小組在山裏活動。從到目前為止受到攻擊的加工廠數目和位置分佈來看，可能有三、四個小組。這排除了M—十九游擊隊的可能性。這個游擊隊沒有那麼多受過訓練的人，所以幹不出這樣的事情——據他所聽說的情況看，沒有可能，他糾正自己說。卡特爾已收買了當地的游擊隊派別，它還對每個單位裏的提供情報者給予報酬。這一點哥倫比亞政府顯然未能做到。

所以，他暗自思忖，現在可能有美國人的秘密行動小組在山裏活動。他們是些什麼人？在幹什麼？也許是士兵，或者是高水準的雇傭軍。前者可能性更大。國際上的雇傭軍組織已是今非昔比了——實際上它從未發揮過什麼特殊作用。科特茲曾到過安哥拉，見過非洲部隊是什麼樣子。雇傭軍隊要戰勝非洲軍隊不必特別擁有戰鬥力，當然這一點也隨著世界在改變。

不管他們是什麼人，他們此刻一定離這裏很遠——遠得足以使他毫無不舒服之感。當然他要把追蹤這些人的任務交給別人去幹。科特茲是個情報人員，並不幻想當一名軍人。眼前，他幾乎像一名警察一樣在蒐集證據。他發現那步槍子彈和機槍子彈都是由同一廠家生產的。他並未把這條情報記在腦子裏，但是他發現九公厘的彈殼和他從哥倫比亞北部海岸附近的一個飛機場得到的彈殼是同一批號——都壓印在彈殼的頭部。他認為這是巧合的可能性甚小。所以當初監視那些飛機場的人現在到了這裏……？那他們到底是怎麼來的呢？簡單的辦法可能是坐卡車或交通車，但是那又有點太簡單了。要是M—十九游擊隊的話，可能會這樣幹的。可是，要是美國人的話，這麼幹危險就太大了。美國佬會用直升機。從哪兒起飛呢？也許是從一艘軍艦上，或者更可能從他們在巴拿馬的基地起飛。他沒聽說在海岸附近的直升機飛行距離以內有美國的海軍演習。所以一定是一架能在空中加油的大型飛機。只有美國人才會那樣做。而且必須以巴拿馬為基地。在巴拿馬有人替他辦事。科特茲收起了子彈殼向山裡走去。他現在有了一個出發位置，這是像他這種受過訓練的人必須有的。

雷恩的VC—二〇A飛機——把它看成是他的飛機還需要竭盡全力去想像——下午很早就從蒙斯郊外的機場起飛。他出人意料地以正式身分參加國際情報業大聯盟的會議，結果是令人滿意的。他寫的關於蘇聯人和他們在東歐活動的報告得到廣泛的認可和贊同。他非常滿意地得知北約組織所有情報部門的分析要員對他們敵人政策的變化和他的看法完全相同：誰也不知道到底在發生什麼事情。從「和平正在突破，我們現在怎麼辦」的看法到同樣不太可能的「一切全是花招」的觀點，有各種各樣的理論。但是要做正式的情報估價，那些在雷恩出生之前就已開始從事情報工作的人也只能搖頭，嘴對著啤酒杯在那裏咕噥——雷恩有時候就是這樣做的。當然，這一年真正的好消息是取得一項明顯的成就：它的反情報組織在整個歐洲已經阻止了KGB的行動。雖然中央情報局沒有告訴任何人（除了巴茲爾爵士，因為他從計畫還在醞釀階段就在那裏了），這些事情究竟是怎樣發生的，但是由於這項成績，它在那個地區享有很高的威信。雷恩在投資業方面定的底線是相當清楚的：北約在軍事上處於有史以來最好的狀態，它的祕密機關所取得的成績比任何人想像的還要好——只是從政治上看聯盟的總任務受到了懷疑。在雷恩看來這似乎是成就。只要政治家不頭腦發燒，這樣的成就就不錯了。

隨著飛機的不斷爬升，下面的比利時鄉村慢慢地看起來像是賓夕法尼亞州荷蘭地區拿來的一條特別迷人的被子。雷恩覺得有許許多多值得高興的事情。最少在北約方面是如此。

然而，也許最能說明北約目前高興程度的證據是：在他們全體會議的休息時間，在宴會桌旁，和在喝咖啡的時候，他們所談論的都不是多數參加會議者認為的「正事」。來自德國、義大利、英國、挪威、丹麥和葡萄牙的情報分析家們都表示了對他們自己國家日益嚴重的毒品問題的關注。卡特爾的活動正向東擴展。它不再僅僅滿足於在美國推銷其毒品了。這些職業情報人士都注意到了胡克博和其他人被暗殺一事。他們都懷疑國際毒品恐怖主義是否已完全轉向新的危險道路——以及對此該採取什麼辦法。法國人歷史上就採取積極行動保護自己的領土，所以法國的代表特別稱讚麥德林附近的這次炸彈爆炸。他們對雷恩那種困惑的、有點讓人惱火的反應感到茫然。雷恩的反應是：沒有評論，我什麼也不知道。當然，他們對此做出這種反應是可以預見的。如果法國一位同樣職位的官員被公開殺害，法國海外安全局一定會馬上採取行動。這是法國人特別善於做的。這種事法國的新聞媒體能理解並且贊同，更準確地說，法國人民理解並且贊同。所以法國海外安全局的代表期望雷恩在不做評論時，能伴以會意的微笑，而不是一種毫無表情的窘態。歐洲人一般不是這樣做的，這使美國的歐洲盟友覺得美國人真怪。他們會問自己：美國人必須這樣難以預測嗎？用這副架式對付俄國人還有戰略價值，但不應這樣對待盟友。

也不能這樣對待自己的政府官員嘛，雷恩想。到底發生了什麼事情呢？

遠在距自己國家三千英里之外，使得雷恩對這件事情的看法能夠比較超脫。在沒有現行機構對付此類犯罪的情況下，也許直接採取行動是合適的辦法。如果直接向一個民族國家的權力挑戰，那就得準備接受這個民族國家的直接反應。如果因為組織人對柏林迪斯可舞廳內的美國士兵採取了敵對行動，就可以對一個外國進行轟炸，那為什麼不能——

——在一個美洲兄弟國家的領土上殺人？

它的政治含義是什麼？

這就是困難之所在，對吧？哥倫比亞有自己的法律。它不是利比亞，利比亞是由一個穩定程度令人懷疑的滑稽角色統治的。它也不是伊朗，伊朗是個邪惡的神權統治的國家，依靠老人醫學的技術維持統治。哥倫比亞是個具有真正民主傳統的國家，它曾經使自己的制度遭受過危險，為的是使別國的公民不受——他們自己的危害而鬥爭。

我們到底在幹什麼？

按目前的治國策略的標準，正確與錯誤具有不同的價值。這種看法是對呢？還是不對呢？什麼是規則？什麼是法律？有沒有法律？有沒有規則？雷恩知道他必須了解事實才能回答這些問題。那會是非常困難的。他向後坐在自己舒適的座位上，看著下面的英吉利海峽。隨著飛機向西朝蘭茲角飛去，海峽逐漸變寬形成漏斗狀。在那一片孤零零的毀船礁石之外就是北大西洋。大洋彼岸就是家了。他有七個小時可以用來考慮他回國之後馬上該做什麼。雷恩想，整整七個小時。在這段時間內他能有多少次問自己這些同樣的問題，有多少次他只會遇到新的問題，而不是找到答案。

法律是陷阱，摩瑞告訴自己。它是一個令人崇拜的女神，是一個在黑暗中手舉燈籠以指明道路的可愛的青銅女士。可是，它所指的道路要是不通呢？在對付暗殺局長的那個「嫌疑犯」問題上他們走進了死胡同。哥倫比亞人已經得到了他的招供。三十頁密密麻麻的供詞就放在桌子上。經過了聯邦調查局傳奇式的刑偵取證實驗室的化驗測定，他們有足夠的物證。只有一個小小的問題。美國和哥倫比亞之間的引渡條約目前沒有效力。哥倫比亞的最高法院——更準確些說，是不久前他們的十二個同事被M—十九游擊隊殺害之後還活著的法官；所有那些被殺害的法官生前都是支持引渡條約的——認為該條約與他們的憲法有些牴觸。沒有條約就無法引渡。殺手將在當地審判，無疑將判處長期監禁。可是摩瑞和聯邦調查局希望最少能把他關在伊利諾州的馬里恩——這裏是收押真正的搗亂份子最安全的聯邦監獄；這是個沒有周圍設施的阿爾卡特拉斯島——司法部認為可以引用關於「與毒品有關的謀殺」的死刑法規。但是——哥倫比亞人得到的供詞與美國人關於證據的規定不完全符合。律師們也認為這樣的供詞很可能被一位美國法官否決掉。那樣就沒有判死刑的可能性了。那麼殺害聯邦調查局局長的傢伙在伊利諾州的馬里恩監獄裏就可以成為有名氣的人了，因為那兒的大多數犯人並不像大多數美國公民那樣喜歡聯邦調查局。他昨天剛得知，海盜案也是同樣。有個該死的辯護律師很狡猾，他打聽到海岸防衛隊有欠妥當的做法，也使得一樁死刑案告吹了。摩瑞認為唯一的好消息是，他的政府肯定已經以某種令人滿意的方式進行了反擊，但是在法律上卻構成了謀殺罪。

使丹．摩瑞擔憂的是，他的確認為事態的這一發展是個好消息。這不是他在聯邦調查局學校當學生時學到的東西，也不是後來他身為教師教過別人的東西，是吧？政府違犯法律會出什麼事？教科書上的答案是無政府主義——至少大家知道政府違犯自己的法律時會是這樣。但是，對罪犯下的最切實可行的定義是，難道不是這樣——一個被發現違反法律的人，難道不對嗎？

「不。」摩瑞悄悄地告訴自己。他的這一生都是向著這一亮光前進的，因為在黑暗的夜晚裡，整個社會只有這一理智的目標燈光。他和整個聯邦調查局的任務就是使他們國家的法律得到忠實的執行。有靈活的餘地——必須這樣做，因為書面文字不可能把什麼都預見到——但是當法律文字敘述得不夠清楚時，人們就得依照該法律所根據的原則行事。也許情況並非總能令人滿意，但是沒有別的選擇，是吧？

可是當法律沒法解決問題時，你怎麼辦呢？難道這也是法律遊戲中的一部分？是否在說了這麼多、也做了這麼多之後，還僅僅是在玩弄手段？

在這個問題上克拉克所持的觀點稍有不同。他從來不考慮法律——至少不會直接關心有關法律的問題。對他來說「合法」就是「可以」，而不是由一些立法人制定出一套法規，再由某位總統或其他人簽署。對他來說，如果現任總統已經確定某個人或某件東西的繼續存在，有害於他國家的最大利益，那麼把這個人或這件東西消滅掉就是合法的。他為政府工作開始於在海軍中祕密的精銳部隊——海豹突擊隊中服役。那是一支組織嚴密行動詭祕的部隊，他在那裏小有名氣，至今仍為人所稱道。人們把他叫做蛇。因為別人聽不到他走路的腳步聲。他不知道有哪個看見過他的敵人能活著回去，向別人講述自己所經歷過的事。他當時並不叫這個名字，後來改名字是因為他離開海軍之後犯了一個錯誤——他確實認為這是個錯誤，不過只是從技術角度看是個錯誤——那就是他向任何人提供服務。而且他幹得很不錯。後來終於被警察發現了他的身分。他得到的教訓是：雖然沒有人認真調查戰場上所發生的事情，但是在其他方面，人們是會調查的。這就是危險。因而他必須十分謹慎。現在回想起來，他犯了一次愚蠢的錯誤。他幾乎被當地警察所發現，其結果之一是他受到了中央情報局的注意。中央情報局偶爾需要具有他這樣獨特技能的人。這簡直就是個玩笑：「需要殺人的話，就去找靠殺人謀生的人」。至少在差不多二十年前這還是可笑的。

誰必須死是由別人決定的。這些別人是透過適當方式選擇出來的美國人民的代表。他的整個成年時代就是以某種方式為這些人服務的。有一次他終於發現，法律就是沒有法律。如果總統說，「殺！」那克拉克就只是執行透過適當方式確定的政府政策的工具。現在更是這樣了，因為選出的國會成員必須同意行政部門的做法。有時不允許他們採取此類行動的法規是由總統辦公室的行政命令規定的，然而總統自己可以任意違犯此類命令——或者更準確地說，他可以對這些命令重新予以解釋以適應新的情況。當然，克拉克極少涉及此類事情。他在中央情報局的主要職責需要是他另外的技能——比如說，他能神不知鬼不覺地出出入入，神出鬼沒。這是他的絕活。沒有人能比得上。但僱用他首先是為了殺人。克拉克在印第安納州印第安納波利斯的聖·伊格內修斯教區受洗時被賜名為約翰·特倫斯·凱利。對他來說，殺人僅僅是他的國家和他的宗教批准的行動，對此他比較認真。畢竟越南戰爭從來就不是一場得到合法批准的公開宣佈的戰爭。如果當時殺死他國家的敵人是合法的，那麼現在為什麼就不合法呢？對於改名換姓的約翰·T·克拉克來說，謀殺就是毫無道理地殺人。法律讓律師們去研究吧！他知道他對正義之事的理解實際得多，也有效得多。

他直接關心的是他的下一個目標。他在航空母艦戰鬥羣中還有兩天的時間。如果可能的話，他還想再玩一次隱形炸彈的轟炸。

克拉克在波哥大郊區的一座木造房子裏住了下來。這是十年前中央情報局建立的安全房，名義上歸一家企業所有，一般作為商用房出租給來訪的美國商人。它沒有什麼明顯的特殊之處。電話機是普通的電話機。他在上面加了一個手提式加密裝置——這種簡單的機器在東歐還沒有過關，但是在這裏卻可以有效地防止較低強度的竊聽——他還有一個拋物面衛星接收天線，透過屋頂上的一個不太明顯的孔接收效果挺不錯，同時還接在一架看起來像手提式卡式錄音機的加密系統在好好地工作。

那麼下一步幹什麼呢？他問自己。對溫蒂貝羅斯所採取的轟炸經過了精心的操作，其結果非常像一枚汽車炸彈。為什麼不再來一次，搞一次真的汽車炸彈爆炸呢？妙就要妙在真的放一枚汽車炸彈狠狠地嚇唬一下那些預定的目標，把他們驅趕到一個便於攻擊的目標地區。要做到這一點，就得看起來像是真幹的樣子，但同時又不能認真到傷害普通老百姓的地步。搞汽車炸彈就有這個問題。

低度爆炸？他想。這倒是個辦法。要假戲真做，使這個炸彈看起來像是一次未成功的爆炸。他認為**這太難做到了。**

最好採用比較簡單的辦法，用步槍來一次暗殺，但是要幹好也是不容易的。僅僅找到一個能俯視目標地點的適當位置，以便從那裏射擊就非常困難，而且非常危險。卡特爾的老爺們對每個能看見他們住宅的窗戶都進行監視。如果美國人租用了某個房子，不久就會有子彈從這個房子裏射出來——當然，這也不十分隱蔽，是吧？整個問題就是不讓他們準確地知道究竟發生了什麼事。

克拉克的行動方案非常簡單而巧妙。既巧妙又簡單得連蘭格利的所謂「隱蔽」行動專家們都會拍案叫絕。克拉克想做的只是把列入名單上的人多殺掉幾個，以增加目標集團內的相互懷疑。把他們通通殺掉雖然可能是大家最希望的，但實際上不大可能。他想做的只是殺到一定的程度，要能使他們再一次做出全面反應。

卡特爾是由一批非常殘忍的人組成的，他們的才智表現為他們在戰場上與技術熟練的敵人鬥爭的那種狡詐本領。他們就像優秀的士兵那樣，能隨時對危險保持警惕。但是他們又不像士兵，因為他們除了注意外部的危險之外，還注意內部的危險。雖然他們的合作事業取得了成就，但是這些人都把其他人看做對手。他們揮霍錢財，濫用權勢。他們從來沒有滿足，也不會感到滿足。在金錢和權勢，尤其是權勢方面，他們永遠沒有滿足的時候。在克拉克和其他人看來，這些人最終目的是對他們的國家進行政治控制。但是國家是不能由委員會管理的，至少不能由大的委員會管理。克拉克要做的只是讓卡特爾的頭頭們相信在他們自己的統治集團內潛藏著爭權奪利現象。從此他們會開始互相殘殺，重打一場三十年代那樣的黑手黨組織之間的大戰。

他覺得有這種可能性。他認為這一計畫完全成功的可能性有百分之三十。即使失敗，某些主要人物也會被清除掉。即使這算不上是戰略上的勝利，也可算是戰術上的成就。削弱卡特爾的勢力就有可能增強哥倫比亞對付卡特爾的機會，這是另一可能的戰略結果，但不是唯一的結果。他想挑起的這種火併的結局也有可能會與海堡之戰的最後階段相同。海堡之戰的最後階段在人們的記憶中被稱做義大利晚禱之夜：在這個晚上，幾十名黑手黨成員被他們自己的同伙殺掉了。在這個血腥的夜晚之後出現了更加強有力的、更加危險的、組織得更好的犯罪網，由更加老練的卡洛·盧欽諾和維托·葛諾維斯領導。這才是真正的危險，克拉克想。但是情況不可能比現在的樣子更糟了。也許華盛頓的看法正是這樣。這是一場值得一試的賭博。

拉森到達那棟房子。他以前只到過這裏一次。他看到房子裏放了好幾箱的岩石——雖然這與克拉克扮演來訪的地質勘探家的掩護身分相符合，但是這也是這次任務中令他不安的一面。

「聽到新聞了嗎？」

「人人都說是汽車炸彈。」拉森淘氣地笑著回答。「下次我們不會那麼幸運了。」

「也許不會。不過下次得幹得真正十分漂亮才行。」

「別看著我！你是不是期望我去打聽他們下次什麼時候開會？」

那樣當然最好啦！克拉克心裏想，但是他並未指望那樣。即使上面有這樣的命令，他也不會同意。

「不，我們只得向上帝祈禱，希望能再截聽到消息。他們一定還要聚會。他們必須開會討論已經發生過的事情。」

「對。但是可能不在山裏開會。」

「哦？」

「他們在低地上都有住處。」

克拉克倒忘記了這一點。這會使選定目標變得非常困難。我們用飛機上的雷射能不能找到目標？」

「我看沒有什麼道理說不能。但是，以後我們就著陸、加油、離開這個國家，永遠不再回來。」

亨利·帕特森和哈維·帕特森是孿生兄弟，年齡二十七歲。犯罪學家們提出的各種社會理論都可以適用於他們。他們的父親在其短暫的一生中是個職業罪犯，即使算不上特別的犯罪能手——他死的時候僅僅三十二歲，是被一位酒店老闆從十一英尺的距離用十二公厘口徑的雙管槍打死的。支持保守派的行為學派認為這是他們兄弟二人淪為犯罪份子的重要原因。而支持自由派的環境行為學派則認為他們走上犯罪道路的主要因素是：單親家庭、教育差、同儕朋友的不良影響，以及居住地經濟不景氣等等。

不管促使這兩兄弟走上犯罪道路的原因是什麼，反正他們是職業罪犯。他們欣賞自己的生活方式，一點也不在乎是他們的腦子天生就適合這種生活，或者是他們小時候學會的，他們並不笨。如果智力測驗對文盲不抱偏見的話，他們的智商可能會略高於中等水準。他們非常狡猾，警察要抓住他們得花費九牛二虎之力。他們也略知一些法律的皮毛，於是也能夠成功地鑽法律的漏洞。帕特森兄弟也有原則。他們飲酒——而且都接近於酗酒的程度——但是他們不吸毒。這使他們顯得有點怪。但是由於他們對法律毫不在乎，所以也就根本不去考慮改邪歸正的事了。

從十五、六歲開始，他們兩人就在阿拉巴馬州南部一起偷盜、搶劫、對路人進行人身傷害。他們的同類也敬重他們幾分。有幾個人曾經和他們作對——因為他們是長得非常相像的孿生兄弟，與其中一人作對必然意味著和兩人都作對——結果都丢了性命。有的死於直接外傷（用棍棒擊傷），有的死於穿透性殺傷（刀傷或槍傷）。警方認為他們涉嫌五次兇殺事件。問題是：他們之中的哪一個殺的？他們兩人的相貌極端相像，這就給每一案件增加了技術上的複雜性。他們的律師——在他們犯罪生涯的初期，就已和他們取得聯繫的一位好律師——曾經非常有效地利用過這一點。每當帕特森兄弟當中有一人殺了人，警察都會用他們的薪水打賭說，這兩兄弟中的一人——一般指有殺人動機的那一位——必然在幾英里之外的某個地方故意招搖過市。此外，他們殺的人都不是善艮之輩，而是像他們一樣的犯罪份子。因此，對這些案件警方自然地沒有多大的興趣。

但是，這次警察卻不是這樣。

從他們第一次觸犯法律到現在已經十四年。這一次他們算是闖下了大禍。全州各地的警察都從他們的值班警官那裏獲悉：他們終因一起重罪被警察抓住了。警方非常高興地注意到這件事，是因為另一對面貌相像的孿生姨子而引起的。這兩個姨子都是十八歲的可愛女子，她們征服了帕特森兄弟的心。在過去的五週裏，亨利和哈維簡直和諾琳·格雷森與多琳·格雷森打得火熱、難捨難分。該地區的巡警曾經注意到他們的羅曼史正在開花，警察局裏的人都在猜測他們究竟是怎樣不弄錯相互關係的——支持行為主義的警察聲稱他（她）們即使搞錯了，實際上也沒有什麼關係；而相信環境主義的警察則認為這種見解是僞科學的胡扯，因為那豈不變成了性關係的陰錯陽差了嘛。但是兩派都認為這只是非常有趣的猜測。不管是哪種情況，兩派都認為帕特森兄弟倒楣的原因就是他們真的墜入了愛河。

亨利和哈維決定要把格雷森姐妹從販賣毒品的皮條客那裏解救出來。這個人是個惡名昭彰的、有長期暴力行為前科的大惡棍，還是他的好幾個女友失蹤的嫌疑犯。引起對立的原因是，這個壞蛋狠狠地揍了姐妹倆一頓，原因是她倆沒有把帕特森兄弟為紀念他們相好一個月而送給她們的禮物——珠寶首飾——交給他。諾琳的下顎被打成骨折，多琳的六顆牙齒被打掉，再加上其他的非禮舉動，使得帕特森兄弟怒從心頭起，惡向膽邊生。他們把兩姐妹藏到了南阿拉巴馬大學醫學中心。這兩位孿生兄弟不是那種能容忍冒犯行為的人。一週以後，兩人從一條巷子的暗處用兩把相同型號的史密斯—威森手槍結束了埃爾羅德·麥基爾文的性命。也真該他們倒楣，這時候半段街區之外正好有一輛警察無線電車。連警察也認為，在這個案件中帕特森兄弟替莫比爾城做了一件大好事。

警官把他倆帶到了訊問室。這兩個一向蔑視一切的傢伙現在成了洩了氣的皮球。他們的槍在距犯罪現場不到五十碼的地方被找到了。雖然每枝槍上都沒有指紋——武器上並非總能找到指紋——從麥基爾文身上取出的四顆子彈頭的確是這兩枝槍用的子彈。帕特森兄弟是在四個街區之外被抓住的；他們的手上有曾射擊過某種槍械的火藥痕跡；而且他們殺死這個皮條客的動機是人盡皆知的。犯罪案件從來沒有比這個案子更清楚的了。警察唯一缺少的就是口供。這對孿生兄弟該到倒楣的時候了。連他們的律師也這樣告訴他們。他們也沒有認罪以求減刑的希望——當地檢查官比警察還恨他們——在他們因犯兇殺罪有可能進大牢的時候，有好消息說可能不會對他們用施用電刑，因為陪審團不願意對一個殺死販賣毒品的皮條客的人執行死刑，何況這個皮條客還把他的幾個婊子打傷住進了醫院，也許還殺死過另外幾個婊子。這是感情衝動殺人。按照美國的法律，這種動機一般被認為是為了減緩痛苦。

帕特森兄弟穿著同樣的監獄犯人服裝，隔著桌子坐在那位警官的對面。警官簡直就分不出誰是誰來，他也懶得去分清他們。因為出自惡意，他們很可能說謊。

「我們的律師在哪兒？」不知是亨利還是哈維問道。

「是啊。」不知是哈維還是亨利幫了句腔。

「我們這時候實際上不需要他到這裏來。你們兩個是否願意幫我們做件事？」警官問道。「你們幫我們一點忙，或許我們也能幫你們一點忙。」這就解決了法律諮詢問題。

「鬼扯淡。」兩兄弟中的一個說道，當然僅僅是一種討價還價的方式。他們正處於見了稻草也會抓住不放的時候。監獄正向他們招手。雖然他們兩人從來沒有長期真正坐過大牢，他們在地方監獄所待的時間卻足以使他們了解蹲監獄可不是好玩的。

「你們喜歡無期徒刑嗎？」警官臉上毫無表情地說。「你們知道是怎麼回事，坐七、八年牢，然後你們就可以出去恢復正常生活。也就是說，如果你們幸運的話。八年，當然是非常長的時間。喜歡那樣嗎，小伙子？」

「我們不是傻瓜。你來這兒到底要幹什麼？」另一個帕特森問道，話裏流露出他願意談談條件。

「你們替我們幹點事，嗯。可能會對你們有好處。」

「什麼事？」兩兄弟已願意考慮這項安排。

「你們見過拉蒙和赫蘇斯嗎？」

「那兩個海盜？」一位帕特森問。「狗屎。」和在其他有人羣的地方一樣，在犯罪份子當中也有地位高低之分。專門欺侮婦女和兒童者處於最低層。兩位帕特森屬於暴力型的罪犯，可是從不欺侮婦女。他們只是襲擊男人，他們在大多數情況下襲擊比他們弱小的男人，但畢竟是男人。這一點是這兩人共同的自我形象的主要特徵。

「是的，我們見過這兩個雜種。」另一位帕特森說道，他強調了他的兄弟的比較簡單的話。「最近這兩、三天簡直像個臭皇上。該死的拉丁美洲豬。嗨，夥計，我們都是壞人。可是我們從不姦污小女孩，也不殺害小女孩——聽說他們要獲釋了？臭狗屎！我們宰了一個混蛋皮條客，這傢伙喜歡打自己手下的女人。我們考慮的是生活。警察先生，你把這叫什麼樣的公正？去他媽的！」

「如果拉蒙和赫蘇斯出點事情，」警官悄悄說。「出點真正的大事，也許就會發生另外一件事。一件對你們兩人有利的事。」

「說說看。」

「比如說你們可以定期去看望諾琳和多琳，也許甚至可以長期住下來。」

「胡說。」亨利和哈維說。

「這是一件難得的交易，小伙子們。」警官告訴他們。

「你們想讓我們殺掉這兩個狗娘養的？」是哈維搶先問了這個問題，他使他的兄弟大失所望，因為他的兄弟認為自己比哈維聰明。

警官只是看著他們。

「我們聽到了你的話。」亨利說。「我們怎麼知道你們會履行諾言呢？」

「什麼諾言？」警官停了一停。「拉蒙和赫蘇斯殺了一家四口。而且是先強姦了妻子和小女孩。他們還可能與殺害莫比爾城的一位警察及其妻子一案有關。但是控告他們的案子中出了點問題，因此頂多只會判二十年，很可能七、八年。可是他們殺死了六條人命。這似乎很難說是公平的，對吧？」

這時候兩位孿生兄弟已經明白了他的意思。警官也看得出來，兩對眼睛的眼神幾乎完全一樣。現在該決定怎麼辦了。他們在考慮該怎麼辦時，那兩對眼睛都留意不露出任何感情。接著他們平靜了下來，點了點頭。事情就這樣決定下來了。

「你們兩個現在應當小心點。監獄裏有時候十分危險。」警官起立喚監獄看守過來。如果有人要問他，他就會回答說——當然，在沒有律師在場的情況下與他們交談是得到他們本人同意的——他想要問帕特森兄弟一件與他們本人無關的搶劫案，他們可能對該案有所了解，而且他已答應如果他們願意與警方合作，他就向地方檢查官替他們求求情。天哪！他們說對那搶劫案一無所知。所以只談了不到五分鐘就讓他們回牢房去了。如果他們再提到這次交談的內容，那就是被控犯有明顯謀殺罪的兩名職業罪犯與一位警官的談話。它最後會成為**莫比爾紀事報**第五頁的一篇故事。這本雜誌對暴力犯罪持有相當嚴厲的態度。不管警察是否要求，他們都不大會承認共同殺了人，對吧！

警官是個誠實的人，他立即開始按他們的交易去完成他那部分安排。他估計帕特森兄弟也同樣會那麼做的。從埃爾羅德·麥基爾文身上取出的四顆子彈頭中有一顆因為變形已不適於彈道比對（譯者註：指具有相同的彈道特性。）——沒有被甲的鉛彈非常易於損壞——其他幾顆雖然在這一案件中可以作為證物，但都是模擬兩可，難以確定。警官命令把這幾顆子彈頭從證據存放處取出來，與檢查人的報告和照片一起重新檢驗。對此，他當然必須簽名，以維持「證據的連續性」。法律明文規定要保證：在審判中使用的證據一旦從犯罪現場或其他地方拿走，並被確認是重要的證據，就應總是置於已知的地點，並且妥善保管。這是一種防止非法製造證據的措施。如果一件證據丟失，即使後來找到了，也不能在犯罪案件中使用，因為他已經不是原來的樣子了。他走向實驗室，發現技術人員已開始離開回家去。他問彈道專家他是否可以在星期一早晨重新檢驗一下帕特森案中的彈頭。那人回答說，當然可以。還說彈道比對中有一顆彈頭的檢驗結果稍差一點。但是他認為非常接近，在審判中使用沒有什麼問題，即使如此，他也不反對再檢驗一次。

這位警官帶著這幾個子彈頭回到了自己的辦公室。裝這些子彈頭的牛皮紙袋上面標明案件的號碼，因為它現在仍處於妥善的保管之下，上面有這位警官的簽字，證據的連續性未遭破壞。他在辦公桌上的記事簿中寫明：他不想在週末把這些子彈頭留在辦公桌內。他要把它帶回家去，整包放入用號碼鎖鎖起來的公事包內。這位警官已經五十三歲，再過四個月就可以享受一切福利退休。他想，三十年的警齡已經夠多了，他期待著好好運用自己的釣魚船。他覺得讓兩個殺害警察的犯人輕易地在監獄度過八年，自己在這種情況下退休，良心上是很難過得去的。

販賣毒品掙來的錢不斷流入哥倫比亞帶來了各種的副作用，其中之一就是有些錢經過極富諷刺性的轉變之後，讓哥倫比亞警察建立起一個非常複雜的犯罪實驗室。溫蒂貝羅斯的房子的殘留物都經過了例行性的一系列化學檢驗。幾小時之後他們就確定炸藥是環四甲基四硝酸和三硝基甲苯的混合體。化學分析家在報告中寫道：通常人們稱他們為HMX和TNT。把兩者按百分之七十和百分之三十的比例混合在一起，就構成一種新的混合炸藥，叫做奧克托。他繼續寫道：這種炸藥很貴、很穩定、具有極高的爆炸力，主要由美國生產。但是在美國的化學公司，歐洲的化學公司，還有一家亞洲的化學公司都有貨出售。這就是他今天的收穫。他把寫好的報告交給秘書。秘書把它用無線電傳真通信發往麥德林。在那裏另一名祕書用全錄複印機複印了一份。二十分鐘後這份複印件就被送給費利克斯·科特茲。

對這位前情報軍官來說，這個報告是一個令人莫名其妙的東西。當地開礦沒有人使用奧克托炸藥，因為它太貴了。商店裏只有以硝酸鹽為主藥的簡單的爆炸凝膠體。如果想在爆炸岩石時產生較大的爆炸力，只要把砲眼打得大一些，裏面多放一些炸藥就行。但是，在軍事行動中就不可能有這樣的選擇。砲彈的大小受到砲管直徑的限制。一顆炸彈的大小則受到它對攜帶它的飛機造成的空氣阻力大小的限制。因此軍事組織總是設法尋求威力更大的炸藥，以便使體積有限的武器發揮更大的作用。科特茲從他自己的藏書架上取出一本參考書，從中證實奧克托炸藥幾乎只用於軍事目的……而且是用作核裝置的引爆劑。這引起他一陣哈哈大笑。

這也能解釋一些現象。他開始時以為那次爆炸使用了一噸炸藥。不到五百公斤的奧克托炸藥就能取得同樣的效果。他又抽出一本參考書，從中得知一枚兩千磅重的炸彈的實際裝藥不到一千磅。

那麼為什麼沒有彈片呢？炸彈的鋼外殼就佔整個重量的一半以上。科特茲暫時把它放置一旁。

很可能是飛機上扔的炸彈。他想起了他在古巴受的訓練，當時北越軍官曾經在上課時給他們講過「雷射導引的炸彈」，這位軍官說，在一九七二年短暫而猛烈的線衛—Ⅱ轟炸戰役中，他們國家的橋樑和發電廠受損失的禍根就是「雷射導引炸彈」。經過多年的巨大消耗和失敗之後，美國戰鬥轟炸機終於在幾天之內使用他們的新式精密導引武器摧毀了幾十個有重兵防守的目標。

如果以一輛卡車為目標，這樣一顆炸彈就會顯得是一顆汽車炸彈，難道不是這樣嗎？可是為什麼沒有彈片呢？他又重讀了一遍那份實驗室的報告。那裏還發現了纖維素殘渣，但是實驗室技術人員把它解釋成是裝炸藥的紙箱上的紙片。

纖維素？那就是紙纖維或木纖維，對吧？用紙造炸彈？科特茲拿起一本參考書——珍氏武器系統。這是一本很重的書，封面用的是外面包了一層布的硬紙板。這確實很簡單，是吧？如果能夠把紙做得這樣堅硬作為書皮，那……。

科特茲坐在椅子上身體向後仰。他點燃一枝煙向自己——也向美國人——致敬。簡直太高明了！他們派出了一架攜帶著特殊的雷射導引炸彈的轟炸機，以那輛難看的卡車為目標，沒有留下任何以後可以被稱作證據的東西。他想，不知道是什麼人想出了這個主意。美國人竟然幹出這麼聰明的事情，真是令他驚嘆不已。要是KGB的話，準會派一個連的特種突擊隊而且打一場常規的步兵戰，事後留下各種的證據，用典型的俄國方式「發出信息」。這樣做效果很大，但不夠巧妙。美國人至少這一次做到了，值得由西班牙人——由他科特茲去解開的巧結，科特茲心裏想。幹得真是漂亮。

他現在解決了「如何」問題。下一步他必須考慮「為何」問題。當然啦，一家美國報紙曾說可能在進行一場派系之戰。卡特爾中曾有十四位大員。現在還有十位。美國人還要設法進一步減少這個數目。用……什麼方式呢？他們可能會認為這一炸彈爆炸會引發卡特爾內部的一場惡戰，對吧？科特茲斷定他們不會。一次這樣的事件不足以引起那種結果的。也許兩次可以，但一次不行。

所以說美國人派出了突擊小組在麥德林以南的山裏活動。他們已經投了一枚炸彈，並且還在做些別的事情以減少販毒飛行。這一點也是明顯的。他們當然在擊落運毒飛機。他們派人監視機場並且向別的地方提供行動的情報。這是非常完整的行動計畫。最令人難以置信的是，它實際上已在順利進行。美國人已決定採取一些有作用的行動。這簡直是奇蹟。他多年來一直是一位情報軍官，中央情報局在蒐集情報方面還是比較有成效的。但是在具體行動方面則成績平平。

科特茲從桌子旁站起來，走到他辦公室裏放酒的地方。這需要認真思考，這就要來點好的白蘭地酒。他把三杯多量的酒倒入球形玻璃器皿內，用手轉動，以手的熱度使酒溫暖起來，以便在喝第一口酒以前使酒的蒸氣能夠薰陶他的各種感官。

漢字是表意的——科特茲也已領教過中國式的才智——漢語中的「危機」就是把表示「危險」的

「危」和表示「機會」的「機」結合在一起。他第一次聽到這種雙重性的詞語就印象特別深刻。他永遠不會忘記這個詞。像這樣的機會少極了，但同樣也非常危險。他知道，主要的危險是他不知道美國人是怎樣獲取情報的。他所了解的一切都指向該組織的一個滲透人物。某個在上面的人物，但又沒有高到他所希望的那種程度。美國人已經暴露了某個人的身分，就像他自己經常做的那樣。這是標準化的獲取情報的程序，也是中央情報局的特長。某個人？是誰呢？某個曾受嚴重的冒犯，想要報復、而且很想在頭頭席位中奪得一把交椅的人。屬於這一類的人不少，其中包括費利克斯·科特茲。為了達到這一目標，他現在可以借助美國人的力量，不必自己採取行動。為了個人的目的，他竟然信賴起美國人來，這的確使他感到吃驚，但是這件事也特別好笑。實際上，這幾乎就是典型的完全隱蔽的行動。他現在只是讓美國人去執行自己的計畫，自己完全可以坐山觀虎鬥。這對自己的敵人可能要有耐心和信心——更不用說所牽涉到的危險的程度——可是科特茲覺得這件事值得一試。

在不知道怎樣把訊息傳給美國人的情況下，他認為他只有靠運氣了。不，不是靠運氣。他們不知怎麼搞的，似乎總能得到消息。這次他們也可能得到消息。他拿起電話聽筒，打了一個電話。這不是他經常愛做的事。然後，他想了一想，又做一項安排。他畢竟不能期望美國人正好在他認為合適的時間，正好做他想讓他們做的事。有些事還得自己動手才行。

晚上七點剛過，雷恩的飛機就降落在安德魯機場。他的一名助理——有助理是件非常好的事——收起了祕密文件，開車把這些文件送往蘭格利。雷恩把自己的包包扔到了他的積架汽車的後部，然後開車回家。他要好好睡一晚上，以消除乘坐噴射機飛行對他生理節奏的影響。明天他就得去辦公室上班。他的車上了第五十號公路時，他告訴自己，首先要辦的事是要弄清楚中央情報局在南美洲的目標是什麼。

賴特搖搖頭表示懷疑，同時他覺得要謝天謝地。**裝甲船**又一次成功地找到了他們。這一次找到的還是科特茲本人。他們根本就沒有想到他們的通信聯絡有薄弱環節。當然，這並不是新鮮事。第二次世界大戰中，德國人和日本人反覆出現過這種事情。而監聽正是美國人所擅長的。他們掌握到這一情報的時機簡直妙不可言。航空母艦只要再經過三十多個鐘頭就可供他們利用，把信息送到他們在**突擊兵號**上的人手中，這點時間相當緊迫。賴特用自己的個人電腦打出了命令和任務要求。這些文件被複製一份，放入信封內封好，交給他的一位高級部屬。這位部屬趕上一架空軍的補給班機飛往巴拿馬。

羅比·傑克遜海軍上校感到稍好了一些。他認為已經感覺到他的軍便服白襯衣的肩上新增加的第四道槓的份量，取代他衣領上原來的橡樹葉的銀鷲，對一位飛機駕駛員來說要體面得多，對吧？這次特別提升意味著他正在真正地朝著艦載機大隊長的位置前進，他將指揮自己的艦載機大隊——傑克遜知道，這將是他最後的一個真正的飛行職務，但是也是最有氣魄的職務。他將要透過各種類型飛機的考核，負責管理八十多架飛機，這些飛機的駕駛人員，和維修保養人員。如果沒有這一切，飛機只不過是航空母艦的飛行甲板上的美麗裝飾物而已。

遺憾的是他的戰術構想並沒有達到預期的效果，但是他仍然安慰自己，因為他知道所有新想法的實現都要花時間的。他已發現他原來的有些想法是有缺陷的。**突擊兵號**的一位中隊長提出的定位點幾乎成功了——實際上明顯地改善了他的計畫。這也是正常的。鳳凰空對空飛彈的情況也同樣，它的導引設備定位器效果挺好；不過不完全像承包商說的那樣好，但這也是正常的，對吧？

傑克遜來到了航空母艦的作戰情報中心。眼前沒有飛行行動。戰鬥羣碰上了惡劣天氣，要幾個鐘頭之後天氣才有可能好轉。在保養人員維修飛機的同時，傑克遜和幾位高級防空人員第六次觀看戰鬥機作戰的錄影帶。「敵」軍打得非常漂亮，他們搞清了**突擊兵號**的防禦計畫，迅速而有效地採取了相應措施，進入其飛彈發射器的有效射程之內。**突擊兵號**的戰鬥機在「敵」機飛走的途中將其打垮，但這與作戰計畫無關，因為外圍空戰計畫的關鍵就是把逆火式飛機擊垮在來襲的途中。

錄影帶是從傑克遜為了看第一次作戰行動而乘坐的那架E—二C鷹眼飛機的雷達上錄製的，看六遍也確實夠了。他已經了解了他能夠了解的東西。他現在思緒紛亂。他又看到那架闖入者飛機與加油飛機並肩飛行，脫鉤後便向厄瓜多爾飛去，眼看就要越過海岸線時從螢光幕上消失了。周圍的人們還在繼續討論。傑克遜海軍上校身體在椅子上稍向後仰。他們按快進鍵以便看到接敵階段，花了一個多小時重看戰鬥的實際情況——然後，又一次快進。**突擊兵號**的艦載機大隊長對他的幾個飛行中隊為了飛回航空母艦而重新編隊時鬆散的表現極為不滿。戰鬥機很差的組織工作受到了上校的尖銳批評。傑克遜很快就會得到此人的頭銜。雖然此人講話帶有一點批評，但傑克遜聽起來仍覺得受益匪淺。緊接著是邊討論邊繼續看錄影——直到那架A—六闖入者飛機又出現了。鬼知道它去幹什麼了，反正現在又飛回航空母艦。傑克遜知道他正在假設。對職業軍官來說，假設是危險的。但是他已經實際上做過了假設。

「你是傑克遜海軍上校吧，長官？」

傑克遜轉過頭，看到一位文書士官帶著一個有夾子的寫字板。這是一份他必須簽名的行動電文，他簽了名，接過電文讀起來。

「什麼事，羅比？」航空母艦的作戰軍官問道。

「佩因特海軍中將即將飛往海軍研究所去。他要我不要回華盛頓，而是到那裏去見他。我猜他想早點知道我的新戰術效果如何。」傑克遜答道。

「不用太擔心了。他們不會把肩章收回的。」

「我從來沒有從頭至尾考慮過這個問題。」傑克遜手指著螢光幕答道。

「從來沒有人考慮過。」

一個小時以後**突擊兵號**駛出了風浪區。第一架起飛的飛機是那架航艦班機。它飛往巴拿馬送郵件去，再裝回一些東西。它四小時後飛回。那位「技術代表」正在等著它，他從廣播頻道中已得到一些信號。他讀完電文之後向詹森海軍中校的寢室掛了個電話。

照片的複製件正派人送往海德威大飯店，但是離他最近的證人卻在亞歷山德里亞。他帶著複製件親自到那裏去。

摩瑞知道不該問這照片的來源。這就是說，他知道是中央情報局弄到的。這是在進行某種監視時拍攝的照片，與此照片有關的細節都是些他不必知道的事情——如果有必要讓他知道，只要他提問題，他們也會告訴他的。但是他沒有問。這樣也好，因為這樣他就可以不聽那些「需要知道的」解釋。

莫伊拉的情況正在好轉。對她的種種限制已經取消，但是仍然在對她服用安眠藥片之後的某些副作用進行治療。摩瑞聽說，這與她的肝功能有關。她正在積極配合治療。他看到她坐在床上，電動床按過電鈕之後已經升起。探訪時間已過——她的孩子今晚曾經來過。摩瑞想，這大概是她能夠得到的最好的治療。正式的說法是她不慎服用過量的藥物。醫院知道不是這麼回事，而且消息已經洩露出去。但是聯邦調查局公開的說法是服藥不慎造成的事故。因為她從未服用過如此大劑量的安眠藥。聯邦調查局的心理治療醫生每天看她兩次。醫生的報告是樂觀的。醫生認為當初她想自殺完全是一時的衝動，不是長期思考的結果。經過護理和勸告，她會慢慢好轉，而且有可能完全恢復健康。心理治療醫師認為摩瑞即將做的事對她會有好處。

「你看起來真的好多了。」他告訴她。「孩子們好嗎？」

「我再也不會這樣對待他們了。」莫伊拉·沃爾夫回答說。「幹這種事太愚蠢、太自私了。」

「我一再告訴你，你是被『大卡車』撞到的。」摩瑞坐在床邊的椅子上，打開他帶來的一個牛皮紙袋。「這是那個『大卡車』嗎？」

她從他手裏接過照片，仔細端詳了好一陣子。這照片不太清晰。它是從兩英里之外的地方拍下來的，即使用的是高倍的鏡頭，事後還對畫面進行了電腦圖像增強處理，也不及一個業餘攝影者為自己孩子拍的動態照片的效果。但是除了一個人的面部表情之外，照片上還可以看到別的東西，例如頭的形狀、髮型、體態、手擺放的位置、頭傾斜的方向和程度等等。

「是他。」她說。「那是胡恩·迪亞斯。你從那兒弄到的這張照片?」

「這是從政府的另一部門弄來的。」摩瑞答道,他的措詞並沒有說出是那個部門——而不說就意味著是中央情報局。「他們對某個地方進行了隱蔽監視——具體地點我也不知道——拍下了這張照片。他們認為這可能是我們要找的人。為了讓你看看,這是我們所有的經過證實的費利克斯·科特茲的第一張照片,他原是古巴情報機關的一名上校。現在我們至少知道這個壞蛋長的是什麼樣子了。」

「抓住他。」

「嗯,我們會抓住他的。」摩瑞擔保說。

「我知道我應當幹什麼——作證等等。我知道律師會對我怎麼樣。我能對付得了。我能,摩瑞先生。」

摩瑞看出她不是在開玩笑。報仇心理能夠使人堅強地活下來。這已不是第一次。摩瑞很高興看到這一點。報仇是莫伊拉必須活下去的另一目的。他的職責就是使她和聯邦調查局的報復得以成功。聯邦調查局批准的用詞是懲罰,但是為這個案子工作的幾百人現在並沒有使用這個詞。

第二天大清早雷恩到辦公室後,果然發現一大堆工作在等著他去做,最上面是穆爾法官寫的便條。便條上寫著:「年會今晚結束。已經為你訂了去芝加哥的最後一班飛機的票。明天早晨你要向福勒州長簡單介紹情況。這是對總統候選人正常的程序性工作。附上你的介紹應遵循的指導方針,同時還附有一九八四年總統競選時有關國家安全簡介的副本。『內部』情報和『祕密』情報可以討論。但是『機密』及其以上等級的情報不得討論。五點鐘以前我要看你寫的書面介紹。」

這下一天都賠上了。雷恩給家裡掛了個電話，告訴家人他今天晚上又不能回家。接著他就開始工作。他得到星期一早晨才能與賴特和穆爾開開玩笑。不過他聽說，賴特今天大多數時間都要在白宮裏。雷恩接著還得給貝塞斯達打電話，和葛萊海軍將軍討論一些事情，並要求他給予指導。他驚奇地發現上一次這樣的簡介就是由葛萊親自去做的。這位老頭子這次講話的聲音比他們上次通電話時輕多了。他對此並不感到驚奇。雖然他的語氣仍然是那樣興致盎然，雖然聲音充滿了歡迎，但是雷恩腦海裏的影像卻是奧林匹克運動會上的一位溜冰選手在薄而脆的冰上奮力爭奪獎牌。

第二十一章 解釋

羅比．傑克遜從沒有把航艦班機看成艦載機大隊中最忙碌的飛機。不過，它的確是比較忙碌的，而且他一直也知道是這樣的。但是對一位「出生」在F－四N幽靈－Ⅱ戰鬥機上，接著又躍入F－一四雄貓式戰鬥機的飛行員來說，這種醜陋的緩慢螺旋槳推進的飛機絲毫不能引起他的興趣。他已有幾週沒有飛戰鬥機了。當他走向這架班機時——它的正式名稱是C－二A灰猩式艦載運輸機，這名字非常恰當，因為它飛行起來確實像一條獵犬——他決定要靜悄悄地到帕克斯河去，爬上一架飛機，顛簸幾個鐘頭。「我感到需要這樣。」他笑著自言自語說，「需要速度。」他看到那架班機停在右舷艦艏距彈射器不遠的地方。傑克遜向它走去時，他又看到一架A－六E闖入者飛機。又是那位飛行中隊長的飛機，停放在艦橋附近。艦橋外側是一條狹長的地帶叫做炸彈儲存地域，作為軍械的儲存和準備。這是個很方便的地點，地方太小，不宜於存放飛機，但是距離甲板邊緣也挺近。在必要的情況下，可以輕易地把炸彈從艦邊上扔下海去。搬運炸彈用的是低裝卸式推車。他剛走上航艦班機，就看見一輛小推車上放著一枚藍色的「演習」炸彈向闖入者飛機開過去。這枚炸彈上附有奇特的雷射導引裝置。

這麼說，今晚又有一次投彈演習，嗯？這又是一件值得高興的事情。傑克遜想，詹森，你把這顆炸彈也精確地投到目標上吧。十分鐘之後，飛機離開了甲板，向巴拿馬飛去。從那裏他將轉搭一架空軍的飛機去加利福尼亞。

雷恩此時正在西維吉尼亞上空飛行。他乘坐的是美國航空公司的一架DC—九式班機的二等艙內。和乘坐空軍的要人大隊的飛機相比，這是個相當不小的降格。但是他這次沒有足夠的理由享受那種待遇。陪同他的是一位保安人員，對此傑克已漸漸習慣。此人是一位外勤人員，曾在執行任務時負過傷——好像是從什麼東西上摔了下來，臀部受了重傷。完全恢復之後他可能得回外勤部門去。他的名字叫羅傑·哈里斯，三十來歲。在雷恩看來，他挺機靈。

「你到咱們局之前是幹什麼的？」他問哈里斯。

「啊，長官，我——」

「叫我傑克，有個職務頭銜並不代表頭上就有一個光環。」

「你相信不？我原來是紐瓦克的一名街道警察。我覺得我得找個安全的差事幹幹，所以我就到這個單位來了。後來你猜發生了什麼事。」他咯咯地笑了。

這架班機的座位只有一半有人坐。雷恩環顧四周，發現附近沒有人。由於飛機發動機的轟隆聲，聽力效果難免會受影響。

「在哪兒發生的？」

「波蘭。一次接頭時出了問題——我的意思是，我覺得有點不對勁，趕緊就跑。我的伙伴跑掉了。我轉身向另一方向跑。在距我們大使館兩段街區之外的地方我翻越一堵牆，想翻過去。那裏有一隻貓，就是那種普通的老野貓。我踩到牠的身上，牠尖聲叫了起來，我就摔倒了。屁股就他媽的摔傷了。就像小老太太在浴缸裏跌倒了一樣。」他一陣苦笑。「這間諜買賣一點也不像電影上那個樣子，對吧？」

雷恩點點頭。「我有一次也出過同樣的事，以後我再跟你聊。」

「在執行任務中嗎？」哈里斯問道。他知道雷恩屬於情報部門，不屬於外勤部門。

「絕妙的故事。遺憾的是我不能告訴任何人。」

「那麼你準備告訴喬．羅伯特．福勒什麼呢？」

「有趣就有趣在這個地方。全是他能從報紙上看到的東西，不算太正式，除非出自我們之中任何一個人的口。」

空中小姐從身邊走過去。航程太短，所以不供應餐點。雷恩要了兩杯啤酒。

「長官，我執行任務時不能飲酒。」

「給你一次特准。」雷恩告訴他。「我不喜歡一個人喝。我每次搭飛機都要喝點酒。」

「人家說你不喜歡這裏的情況。」哈里斯說。

「我已克服了。」雷恩答道。他說的差不多是真心話。

「那麼，究竟發生什麼事呢？」埃斯科韋多問。

「好幾件事。」科特茲慢條斯理地、謹慎地、猜測似地答道，以向老闆表明他仍然摸不著頭腦。但是他正在竭盡全力用自己善於分析的頭腦尋找正確的答案。「我認為美國人有兩、三個傭兵小組在山裏活動。你知道，他們正在襲擊一些加工廠。他們在這裏的目的似乎是心理上的。本地農民已表現出不願幫助我們的樣子。要嚇唬這些人並不難，只要多嚇唬嚇唬，我們的生產就遇到了問題。」

「傭兵？」

「這是個技術用語，老闆。你知道，一個傭兵是為了錢而做事的任何人。但是這個詞現在非常多地用於軍事部門。但準確地說是什麼人呢？我們知道他們講的是西班牙語。他們可能是哥倫比亞公民、叛逃的阿根廷人，你知道美國人用阿根廷軍隊裏的人訓練反政府份子，對吧？這些人從軍的時候就是危險份子。也許因為他們國內動盪不安，他們決定半永久性地受僱於美國人。這是我說的許多可能性之一。老闆，你要知道這樣的行動必須看起來不大可能。不管他們是哪國人，他們也許還不知道自己正在為美國人做事。」

「不管他們是什麼人，你認為我們應該怎樣對付他們？」

「當然，我們應該把他們找到通通打死。」科特茲乾脆地說。「我們需要大約二百名武裝人員，我們肯定能聚集起這樣一支力量。我已經派人到這個地區去偵察了。我要求你允許我調集必要的力量以進行搜山，追殺他們。」

「你可以這樣做。溫蒂貝羅斯家炸彈爆炸事件呢？」

「有人把四百公斤非常高級的炸彈放到一輛卡車的後面。老闆，他們幹得太聰明了。要是別的車輛就不可能放進去，可是那輛卡車……」

「是啊！每輛車子都不止四百公斤。誰幹的呢？」

「不是美國人，也不是他們僱用的人。」科特茲肯定地回答道。

「可是——」

「老闆，想想看。」科特茲提醒說。「誰有可能接近這輛卡車？」

埃斯科韋多思索了起來。他倆坐在他那輛加長的賓士車的後車座，這是一輛老的六〇〇型車，保養得很好，頗像一輛新車。賓士車是那些需要提防兇暴敵人的人們所喜歡的車型。它本身已經很重，車的關鍵部位還包著一千多磅重的功夫龍裝甲，但它的引擎馬力很強，所以車跑起來仍然速度很快。它厚厚的防彈玻璃可以擋住點三〇口徑的機槍子彈。它輪胎中填裝的不是氣體，而是泡沫材料，所以戳個洞也不至於陷下去——最少不會很快陷下去。油箱裏裝的是蜂窩狀的金屬格子，它不能防火，但能防相比之下更為危險的爆炸。在他們前後各五十公尺處是速度快，馬力大的BMW M三型汽車，上面坐滿了武裝人員，很像國家首腦那樣為了安全起見，前有開道車，後有尾隨車。

「你認為是我們當中的人？」埃斯科韋多想了一會兒後說。

「有可能，老闆。」科特茲的語調說明並非只有一點可能。他正在仔細掂量他揭露出的事實，同時眼光看看路旁一個又一個的路標。

「那是誰呢？」

「這是該由你回答的問題，對吧？我是個情報軍官，不是偵探。」科特茲之所以敢撒下瞞天大謊，證明埃斯科韋多患上了偏執狂。

「失蹤的飛機呢？」

「也不知道。」科特茲報告說。「有人在監視機場，也許是美國人的軍警人員，但是更可能是現在在山裏活動的那些傭兵。他們也許破壞了飛機，有可能是在機場的衛兵默許下幹的。我猜測他們離開之前又幹掉了機場的衛兵以殺人滅口，然後他們用詭雷炸了儲油庫，造成似乎是另外一回事的假象。這是一次巧妙的行動，要不是在波哥大的暗殺事件，我們本來是可以對付得了的。」科特茲深深地吸了一口氣，接著說下去。

「在波哥大對美國人的襲擊是個錯誤，老闆。它迫使美國人把一種令人討厭的行動改變成一次直接威脅到我們活動的行動。他們收買我們組織中某個人，利用你的高級同事中某個人的野心或不滿來實現他們報復的慾望。」科特茲說話自始至終沉著冷靜，合情合理，就像一位導師對特別聰明的學生那樣。他過去在哈瓦那向首長簡報時就用這種語調。他說話的方式使人們想到醫生，這是一種說服人，尤其是說服南美人，特別有效的方式。南美人習慣於爭論，但是卻尊重那些能控制自己情緒激動的人。透過指責埃斯科韋多殺害美國人——科特茲知道，埃斯科韋多並不喜歡受人指責；埃斯科韋多也知道科特茲了解這一點——科特茲僅僅是在提高了自己的可依賴性。「美國人並也愚蠢地這麼說，也許是想以這種蹩腳的方式把我們引向歧途，說是這個組織內在『打派系仗』。而且，這是美國人編造出來的鬼把戲，也就是用真話否定真話。這倒很聰明。但是他們用這種辦法用的次數太多了。也許他們以為我們這個組織還不知道這種花招，但是在情報系統所有的人都知道它。」科特茲越說越神，其實這都是他剛想出來的，可是他覺得這段話聽起來頭頭是道。它也產生了一定的效果。埃斯科韋多眼睛一直望著厚厚的車窗外，這種新想法在他的腦子裏不停地翻騰。

「誰，我懷疑……」

「這個我無法回答。也許你和富恩特斯先生今天晚上討論討論會有所進展。」對科特茲來說最難辨的是要擺出一副一本正經的面孔。雖然老闆奸詐而殘忍，但是只要你知道什麼時候該按哪個鍵，你就可以任意擺佈他，就像玩弄小孩子一樣。

公路順著一條山谷的谷底延伸過去。這裏還有一條鐵路。鐵路和公路都是沿著山邊小河切入山裏岩石的小徑修建起來的。科特茲知道，從嚴格的戰術眼光來看，這不是一件令人感到愉快的事情。雖然他從未當過兵——除了在古巴上學時上過軍訓課程——但是他認識到低地的不利因素。因為人家從很遠的高處就可以看見你。現在公路路標更具有了不吉祥的含意。科特茲對這輛車可以說是相當熟悉。它經過世界著名的裝甲運輸工具廠家改裝，而且定期受到該公司技術人員的檢查。車窗玻璃每年更換兩次，因為陽光會改變防彈玻璃的水晶體結構——在靠近赤道和海拔較高的地方改變得更快。這些車窗能擋住七點六二公厘的北大西洋公約組織使用的機槍子彈。它的門和引擎周圍的功夫龍纖維在適當的條件下可以擋住更大的子彈。他仍然感到心驚肉跳，但是他極力克制，沒有流露出擔心危險的樣子。

「可能是誰呢……？」當車子開上一個急彎道時，埃斯科韋多問。

有五個小組，每組二人，即機槍手和裝填手。他們裝備著西德製MG三式班用機槍。哥倫比亞軍隊也剛剛使用這種武器，因為他們步兵的標準武器G三式步槍，也是西德製造的亦使用七點六二公厘的子彈。這五挺機槍最近從一個軍用倉庫被「偷走」——實際上是從一位貪婪的補給上士那裏買來的。MG三式班用機槍的前身是第二次世界大戰中赫赫有名的德國早期的MG—四二式機槍。它保持了MG—四二式每分鐘一千二百發射速每秒鐘二十發。機槍的位置之間距離三十公尺。由兩挺機槍負責對付尾隨車，兩挺對付前導車，可是只有一挺對付賓士車。科特茲不太相信車子的裝甲。他看了一下錶。他們正好準時到達。埃斯科韋多有一批好駕駛員。可是，溫蒂貝羅斯有一批好僕人。

在每個槍口上增加了一個圓錐形延伸頭叫做消焰罩。許多外行人常常誤解了它的作用。它的目的是保護槍手不受閃光之害，防止他的眼睛被自已射擊時的閃光弄得看不見東西。想讓其他人看不到閃光，實際上是不可能的。

槍手們同時開始射擊，沿公路右側出現了五道一碼長的純白色火焰。每一次槍口閃光都帶出一連串的曳光彈，使槍手能夠直接將火力射向目標，不必使用他們槍上的金屬瞄準器。

車上沒有人聽到槍聲，但是他們都聽到了子彈的撞擊聲——至少那些沒有受傷或沒有馬上死亡的人聽到了。

當埃斯科韋多看到黃色曳光彈直向開道的M三型汽車射擊時，他的身體變得僵硬起來，就像一根鋼棒一樣。那輛車上的裝甲不如他的車上裝甲堅硬。只見它的尾燈搖搖擺擺，忽左忽右，接著那輛車偏離了道路，像他兒子的玩具那樣翻了個觔斗。在此之前，他和科特茲都感到有二十多發子彈打在他們的車上，就像冰雹落在洋鐵皮屋頂上似的。可是這是一五〇英厘（譯者註：英厘，又譯做「谷」，每英厘等於六四點八公厘）重的子彈，不是冰雹，是打在車身上的鋼鐵和功夫龍裝甲上，而不是洋鐵皮上。他的司機經過良好的訓練，總是緊張而警惕。他開著那輛車體很長的賓士車左拐右繞，以免碰上前面的BMW。同時他把油門踩到了最低位置。賓士車有裝甲防護層的六公升引擎立即加速，一秒鐘之內馬力和轉速都增加了一倍，使座位上所有的人都猛地向後一撞。這時埃斯科韋多轉過頭，看見了對他們的威脅。他發現曳光彈似乎都直衝著他的臉而來，顯然是由於車窗玻璃的神奇力量把它們擋住了——他發現在子彈的撞擊下，車窗玻璃正在破裂。

科特茲被摔倒在埃斯科韋多的身上，把埃斯科韋多也撞倒了。兩人誰也顧不得說什麼了。當第一發子彈打出來的時候，他們的車子正以每小時七十英里的速度飛馳。現在他們的速度愈來愈快，接近每小時九十英里。他們在槍手們調整火力之前，迅速逃離了有效殺傷地區。這時車身已中彈四十多發。兩分鐘後，科特茲抬頭往上看去。

他吃驚地發現有兩發子彈射穿了左面的車窗。這些槍手們的技術好得有點出奇。他們竟能瞄準一點連續射擊，以致射穿防彈車窗的玻璃。前導車和尾隨車都無影無蹤了。科特茲深深地吸了一口氣。剛才他拿自己的生命贏了一場最危險的賭博。

「前面有轉彎就拐！」他向司機大喊道。

「不！」埃斯科韋多馬上表示反對說，「直接向——」

「傻瓜！」科特茲反駁這位老闆說。「你還想在前頭再中一次埋伏？你知道他們會用什麼樣的辦法打死我們！有彎就轉！」他又一次向司機大喊。

司機懂得伏擊是什麼樣子，他腳踩煞車，見了第一個彎馬上就拐。這是個右拐彎，通向供各咖啡種植園使用的道路網。

「找個安靜的地方停一停。」科特茲然後命令說。

「可是——」

「他們期望我們逃跑，而不是期望我們思考。他們期望我們按照那些反恐怖指南所說的去做。只有傻瓜的行動才是可以預見的。」科特茲一邊說，一邊用手抹去他頭髮上的防彈玻璃碎片。他的手槍早已掏出來了。現在他故意以誇張的動作把手槍放入他的肩背式手槍套內。「何塞，你開車的技術真好！」

「那兩輛車都完了。」司機報告說。

「我不感到驚奇。」科特茲答道，他回答的非常老實。「聖母瑪麗亞——差一點啊！」

不論埃斯科韋多是什麼樣的人，他們兩人的表現一點也不像膽小鬼。埃斯科韋多也看到距他的頭僅僅幾英寸處的車窗已被擊中破裂。兩顆子彈穿透車身——一半子彈頭揑在手裏弄得咯咯直響，它還是熱的呢！

「我們必須向生產車窗的人說說。」埃斯科韋多冷靜地說。他已瞭解到是科特茲救了他的命。具有諷刺意義的是，他想得沒有錯。但是科特茲印象更深的是，他自己的反應——這樣的事情即使事先已經跟他說明過，他採取相應行動的速度也是夠快的——救了自己的命。從他按照古巴情報機關的要求參加並通過身體適應性檢查以來，已經有一段很長時間。只有在這樣的時候才能看出最謹慎的人是不可能戰勝的。

「有誰知道我們要去看富恩特斯？」他問。

「我必須——」埃斯科韋多拿起電話開始撥號碼。科特茲從他的手裏輕輕地把電話拿過來放回話機支架上。

「那也許會鑄成大錯，老闆。」他輕聲說。「先生，我非常恭敬地請求你讓我處理這件事吧！這是個專業技術方面的問題。」

埃斯科韋多對科特茲的印象從未像現在這樣深過。

「你將受到獎賞。」他告訴他的忠實奴僕。埃斯科韋多責備自己有時曾錯待過他，更糟的是，有時還對科特茲的明智的意見不予理睬。「我們該怎麼辦呢？」

「何塞。」科特茲告訴司機。「找一個能看到富恩特斯家高一點的地方。」

不到一分鐘，司機就找到了一處可以俯視山谷的「之」字形路段。他把車開到路旁，三個人都從車內走出來。何塞檢查車子損壞的情況。幸好輪胎和引擎都沒受到損壞。雖然車身非得大修不可，但是它行動的能力仍然完好無損。何塞的確喜歡這輛車子。雖然他對車子損壞到這般地步感到難過，但是正是這輛車和他自己的高超技術拯救了他們三人的性命，想到這裏他不由得感到一陣自豪。

箱子裏有好幾枝德國製G三式步槍，就像軍隊裏扛的那種步槍，但是是透過合法途徑買來的——和一副望遠鏡。科特茲讓別人拿著步槍。他拿起望遠鏡，向大約六英里之外的路易斯．富恩特斯的房子看去。

「你在找什麼？」埃斯科韋多問。

「老闆，如果他參與了埋伏，他該知道現在他們已經失敗了，應該能夠看到他那邊的活動。如果他對此毫無所知，我們就看不到任何動靜。」

「那麼向我們開火的那些人呢？」

「你是不是以為他們知道我們已經逃了？」科特茲搖搖頭。「不，他們不能肯定。首先他們要設法證明自已是否成功了。我們的車掙扎了一會兒，所以他們首先要設法找到我們。何塞，你把我們帶到這兒共拐了幾個彎？」

「六個，先生。這裏岔路很多。」司機回答說。他拿著步槍看起來十分可怕。

「你了解問題了嗎，老闆？除非他們人非常多，要搜索的路太多了。我們對付的不是警察或軍隊。如果是警察或軍隊，我們還得繼續變換位置。但是像這樣的埋伏——就不必再變換位置了，老闆。一旦他們失敗，他們就徹底失敗了。給你。」他把望遠鏡遞了過去。現在是顯示一下男子漢的氣魄的時候了。他打開門，拿出幾瓶法國產皮埃爾礦泉水——埃斯科韋多喜歡這東西。他把瓶蓋套在箱蓋上的子彈洞內，往下咔嚓一聲，瓶子就打開了。就連何塞看了也覺得好笑，而且埃斯科韋多就喜歡搞這種噱頭。

「危險使我覺得口渴。」科特茲解釋說，並把其他瓶子傳給別人。

「這是個刺激的夜晚。」埃斯科韋多贊同地說，同時手抓著瓶子喝了一大口。

但是對詹森海軍中校和他的轟炸領航員來說，這天夜晚並不刺激。第一次執行這種任務，就像任何事情的第一次一樣，還有些新奇感。但是現在已經變成了例行公事。問題在於這種任務顯得太簡單了。詹森二十歲剛出頭的時候，曾經以極大的勇敢和高超的技術面對過地對空飛彈和雷達導引的高射砲，與有經驗、狡猾的北越砲手周旋過。這次去執行任務就像是去郵局投一封信一樣。不過他提醒自己，重要的東西常常是透過郵局遞送的。這次任務完全是按計畫進行的。電腦按照程序投出了炸彈，轟炸領航員用他的目標辨識與攻擊多重感測器上的瞄準器四處搜索，尋找目標。這時詹森的右眼往下看了電視螢幕。

「不清楚是什麼事情把埃斯科韋多拖住了？」拉森說道。

「也許他早就到啦？」克拉克自言自語地說。他的眼睛看著地面雷射指示器。

「也許，」拉森表示同意。「這次怎麼沒有汽車停在房子附近？」

「是的，嗯，這個炸彈引信點火後，百分之一秒就爆炸。」克拉克告訴他。「差不多碰到會議桌的時候就會爆炸。」

從遠處看甚至更加壯觀，科特茲想。他沒有看見炸彈落下來，也沒有聽到投彈飛機的聲音——他覺得有些怪——他看見閃光之後好久才聽到聲音。這就是美國人的玩意兒，他想。這些東西也真夠危險的。不管他們是誰設計出來的，那是一種非常好的東西。這一點是最危險的。那到底是什麼東西，科特茲也莫名其妙。這是令他一直擔心的東西。

「看來富恩特斯並未捲進去。」科特茲在爆炸聲還未傳到他們這裏時說道。

「在那裏被炸死的差一點就是我們！」

「是的，可是我們沒被炸死。我想我們該離開了，老闆。」

「那是什麼？」拉森問。這時三英里之外的一個山坡上出現了汽車的兩個前車燈。剛才兩人都沒有注意到那輛賓士車進入了可以俯視的有利地形，因為他們正集中注意力看著目標，但是克拉克責備自己忘了向四周進一步查看一下。這種錯誤常常是致命的。他竟然忘了這件可能引起嚴重後果的事情。那兩個車燈一轉向另一方向，克拉克就把自己的夜間瞄準器對準那輛車。這是一輛大的——

「埃斯科韋多的車子是什麼樣子？」

「任你選擇。」拉森說。「就像邱吉爾草原上的馬羣一樣。有保時捷、勞斯萊斯、賓士……」

「好，那輛車像是一輛長體轎車，可能是一輛大型賓士。在這個地方出現一輛這樣的車有點奇怪。我們趕快離開這裏。我想，到這個隱蔽地點來兩次已經足夠了。我們下次再也不幹這種炸彈買賣了。」

八十分鐘之後，他們的速霸陸汽車不得不放慢速度。公路的一側停放著許多救護車和警車。同時在障礙燈的略帶粉紅色光線下，不了解發生了什麼情況的人忽隱忽現。克拉克看見有兩輛BMW汽車翻倒在路旁。不管這兩輛車是誰的，反正有人不喜歡他們。路上來往車輛並不多，但是在這裏也和在世界任何有人開車的其他地方一樣，司機們都會放慢速度，看個究竟。

「有人把他們打得連魂都沒有了。」拉森說。克拉克的估計更加具有職業性。

「三〇口徑的火力。重機槍近距離開火。第一流的伏擊。那些車是BMW M三型汽車。」

「那輛大型快速的汽車？是某個非常有錢的人。你難道不猜測是……？」

「在這種買賣中我們一般不猜測。你要多長時間才能打聽明白這裏發生了什麼事情？」

「在我們回去兩小時之後。」

「好。」警察注視著過往的車輛，但並未搜查。其中一人用手電筒照了照速霸陸汽車的後部。那裏有一些奇怪的東西，但大小和形狀都不像機關槍。他揮手讓他們繼續向前開。克拉克看到了這一切，然後做了一些假設。難道他所希望的派系仗已經打起來了？

羅比·傑克遜有兩小時的短暫停留，然後再上空軍的C—一四一B運輸機。這種飛機加上它的油箱看起來就像一條綠色裝有後掠翼的蛇。在機上還有六十餘名全副武裝的士兵。這位戰鬥機駕駛員看著他們覺得好笑。他的小弟就是以此為生的。一位少校徵得他同意之後，坐在他的旁邊——傑克遜比他高兩級。

「哪個部隊的？」

「第七輕步兵師。」少校身子往後仰，想要盡可能坐得舒服一些。他的鋼盔放在膝上。傑克遜拿起了他的這頂鋼盔。它的形狀很像第二次世界大戰時德國的鋼盔，是用功夫龍纖維製成的，外面包了一層偽裝布，再外面有一條彈性纖維織成的綠色布帶，最外面是一些像水母一般的有花結的布條。

「你知道我弟弟也戴這些東西。夠重的。它到底有什麼用處？」

「甘藍帽？」少校笑了，他的眼睛也閉上了。「據說功夫龍纖維可以保護你的頭蓋骨不致被撕裂。我們在它周圍包的那些絮絮拉拉的東西可以迷惑別人的視線——要是你在草叢中就更難被發現了，長官。你剛才說你弟弟在我們單位？」

「他是個新手——我想是個少尉——是在，嗯，你們稱為輕步兵什麼的……」

「第一旅十七團三營。我是第二旅的情報科長。你做什麼工作？」

「目前暫時在五角大廈工作。我不坐辦公室時就開飛機。」

「你什麼事都坐著幹，一定痛快得很。」少校說。

「不。」傑克遜笑起來。「最痛快的還是我想把道奇汽車開多快就開多快。」

「一點不錯，上校。請問你到巴拿馬有何貴幹？」

「我們有個航空母艦大隊在沿海活動。我去看看。你呢？」

「在我們的一個營裏進行正常的輪換訓練。我們在叢林和危險的地方活動。我們隱蔽的時間多。」

「游擊戰？」

「差不多是相同的戰術。主要是偵察演習，設法進到裏頭去獲取情報，進行少量的襲擊，以及類似的行動。」

「進行得怎麼樣？」

少校咕噥著說：「沒有我們希望的那麼好。由於某些重要的疏忽，我們損失了一些非常好的人——你們也這樣，對吧？有人換進去，有人換出來。要讓新來的達到應有的速度需要花一些時間。不管怎麼說，特別是偵察部隊，損失了一些很好的戰士。這花費我們不少的代價。這就是為什麼我們搞這種訓練，從不停止。」少校最後說。

「我們不是這樣。我們是作為一支部隊部署的，在調回部隊之前一般不像你們那樣損失任何人。」

「給人的印象一般總是海軍聰明，長官。」

「有那麼糟糕？我弟弟告訴我，他有一個非常優秀的班長失蹤了，那是不是一樁大的買賣？」

「有可能。我有個小伙子叫穆尼奧斯，在進入叢林弄到東西方面真是神通廣大。有一天就這樣失蹤了。他們告訴我，是去執行什麼特殊作戰任務去了。現在接替他職務那位夥計就是沒有他那麼棒。事情就是這樣。你得忍受啊。」

傑克遜記得穆尼奧斯這個名字，但記不起在哪兒聽見過。「我要往蒙特雷去怎麼走，手續怎麼辦？」

「見鬼，就在隔壁。你要不要搭我們便車，上校？當然我們沒有海軍那樣的舒適條件。」

「我們有時也將就將就，少校。有一次我床上的被單整整三天都沒有換過。也就在那一週，他們讓我們吃熱狗麵包當午飯——我絕對忘不了那次航行，真他媽的糟透了。我想你們的吉普車裏有空調吧？」兩人互相看了看，哈哈大笑起來。

雷恩被安排在州長隨從人員樓上的套房內，實際上是由競選班底付錢的。這完全出乎他的意料。這倒使安全保衛工作容易了一些。現在福勒有一個班的特工保鏢負責他的安全。這種待遇他可以一直享受到十一月份。而且，如果他競選成功了，還可以再享受四年。這是個很漂亮、現代化的賓館，雖然腳底有厚厚的水泥地板，但是樓下招待會的熱鬧聲卻透過樓板傳到了他的房間裏。

雷恩剛剛洗完淋浴，就有人敲門。雷恩穿起掛在牆上一件印著一組字母的浴衣，過去開了門。門口站著一位四十幾歲的女人，穿著十分考究——穿著紅色，又是流行的「權勢」色彩。他不是一位婦女流行服裝專家。他納悶一個人服裝的顏色除了供人看之外，怎麼還會產生其他的東西。

「你是雷恩博士嗎？」她問道。雷恩很不喜歡她那種問問題的方式，好像他是個帶菌的人一樣。

「是的，你是誰呢？」

「我是伊麗莎白·艾略特。」她回答道。

「艾略特女士。」雷恩說。她看起來像位小姐。「你讓我有點為難了。我不知道你是做什麼的。」

「我是外交政策助理顧問。」

「啊，好。那麼請進。」雷恩把門開大，揮手請她進來。他應該記得。這就是「伊·艾」，本寧頓大學的政治學教授。雷恩想，她用地緣政治觀點把列寧描繪得很像西奧多·羅斯福一樣。他向前走了好幾步，才發現她並沒有跟著進來。「你進來還是不進來？」

「就這個樣子？」她站在那裏又過了十秒鐘後才說。雷恩繼續用毛巾擦頭髮，一言不發，他覺得更加奇怪了。

「我知道你是誰，」她挑戰似地說。她到底蔑視什麼，雷恩不知道。不管怎麼說，雷恩已經忙了一整天了，歐洲之行留下的時差反應尚未消除，現在到了中央時區時間又向後退了一個小時。他之所以那樣回答，也許與此有些關係。

「你看，博士，是你在我剛洗過淋浴時來找我的，我有妻子和兩個孩子。而且我妻子也畢業於本寧頓大學。我不是詹姆斯·龐德。我不會幹愚蠢的事情。如果你想對我說什麼，那就請直說吧。過去這一週我一直很忙，現在累了，需要睡覺。」

「你是否總是這樣沒有禮貌？」

真見鬼！「艾略特博士，如果你想和華盛頓的大人物打交道，第一課是公事公辦。你想告訴我什麼，那就說吧。你要問我什麼，請問吧。」

「你們在哥倫比亞到底在幹什麼？」她尖聲地說。

「你說的是什麼？」雷恩用緩和的口氣問。

「你知道我說的是什麼。我知道你是知道的。」

「如果是這樣，還是請你提醒我一下。」

「又一名毒梟被炸死了。」她說話時眼光緊張地看著走廊，彷彿從走廊上走過的人會懷疑她是否正在跟什麼人討價還價。在政黨的提名大會上討價還價太多了，而且「伊·艾」長得也有幾分姿色。

「據我所知，美國政府或其他國家的政府沒有進行這樣的行動。也就是說，對你所提的問題，我的情報是零。我不是無所不知的。不管你相信不相信，即使你被中央情報局僱用，你也無法自然地知道世界上每一塊岩石上，每一個坑洞內，每一個山頭上所發生的一切。新聞是怎麼說的？」

「可是你應該知道。」伊麗莎白不同意地說。現在她感到困惑不解。

「艾略特博士，兩年前你寫過一本書，說我們已如何如何無孔不入。它使我想起了一個古老的猶太故事。在沙皇俄國的一個猶太人小鎮有一位老人。他有兩隻雞和一匹衰弱到極點的馬。他正在讀反猶太主義者的一份可恨的雜誌——說猶太人正在做這個，猶太人正在做那個。一位鄰居問他為什麼要弄到這份雜誌呢？老人回答說，看看自己有多強該多好啊！如果你不在意的話，我認為你的書就是那個樣子。大約百分之一的事實，其他百分之九十九都是謾罵。如果你真的想知道我們能做什麼，不能做什麼，我可以告訴你一些事情。當然是在保密規定的範圍之內。我肯定你和我一樣通常會感到失望。我希望我們能有你想的那樣神通的一半。」

「可是你打死過人。」

「你指的是我個人？」

「是的！」

雷恩想，也許這說明她為什麼持這樣的態度。「是的。我是殺過人。有朝一日我會把那些可怕的事情告訴你。」雷恩稍停了一下。「我對它感到自豪嗎？不。我對於幹過這件事感到高興嗎？是的。你會問我為什麼？我的性命，我妻子和我女兒的性命，或者還有其他無辜的人們的性命在出事當時都處於危險之中。我是不得已而為之，為的是保護我的性命，和其他那些人的性命。你一定記得當時的情況，是吧？」

艾略特對此並不感興趣。「州長想在八點一刻見你。」

對雷恩來說，這意味著他可以睡六個鐘頭覺。「我準時到。」

「他要問你一些有關哥倫比亞的情況。」

「那麼你務必讓你的上司早些知道答案，那就是：我不知道。」

「如果他當選了，雷恩博士，你就——」

「滾蛋？」雷恩朝她溫和地笑了笑。「你知道這就像一部蹩腳的電影，艾略特博士。如果你的上司勝了，那你可能有權解僱我。讓我向你解釋一下，那對我意味著什麼吧！」

「那時候你有權剝奪我每天上下班乘車在路上花費兩個半鐘頭的時間，有權把我從一件困難的、緊張的、使我常常不得不離開家庭的工作中解脫出來；有權迫使我再去過一種與我十幾年前收入相稱的生活；有權迫使我回去寫我的歷史書，或許是重新執教，那就是為什麼我首先要取得博士學位。艾略特博士，我看到過裝滿子彈的機槍對著我的妻子和女兒，我總算成功地對付了那次威脅。如果你想以嚴厲的方式威脅我，你就得找出比解除我的職務更高明的辦法。我建議，我明天早晨再見你。但是，你應該明白，我的情況介紹只是讓福勒州長聽的。我得到的命令是，不得有任何別人在場。」雷恩關上門，插上門閂，並掛上了鐵鍊。他在飛機上啤酒喝得太多了，他也知道。但是過去還從來沒有人給雷恩來過這一套。

艾略特博士未搭電梯，而是走下樓梯。州長的主要助手不像隨從中的大多數人，他冷靜而頭腦清醒——他幾乎從不飲酒——他已經在制定計畫，要在一週後就開始競選活動，而不是像往常那樣等到勞工節之後。「怎麼樣？」他問「伊．艾」。

「他說不知道。我看他在撒謊。」

「還有什麼別的？」阿諾德．范．達姆問。

「他傲慢、蠻橫、無禮。」

「你也是一樣啊，貝絲。」他們兩人都笑了。他倆彼此對對方都沒好感，但是政治競選卻可以成為最奇妙的搭檔。競選主任正在讀一篇由國會議員艾倫·特倫特寫的關於雷恩的簡報。艾倫·特倫特是情報監督特別委員會的新主席。「伊·艾」沒有看到過那份報告。她已告訴他，雷恩在華盛頓的一個社交場合曾經和特倫特針鋒相對，並且稱特倫特為同性戀者，不過這個他已經知道（雖然他們兩人都不知道雷恩和特倫特講的是關於什麼問題）。特倫特從不原諒，也不會忘記他所遭受的任何侮辱。他也從不無故讚揚任何人。但是特倫特關於雷恩的報告中使用了像**聰明的**、**勇敢的**、**正直的**等等詞彙。范·達姆弄不懂這到底是什麼意思。

查維斯肯定，這將是他們第三個毫無所獲的夜晚。他們太陽一下山就出來了。他們剛剛從第二個加工廠經過——那裏有一些像加工廠的跡象。由於濺出的酸而變了色的土壤、踩踏過的泥土、亂扔的廢物、一切都表明曾經有人在這裏待過、或者定期到這裏來過——但今晚沒人來過，前兩個晚上也沒有人來過。查維斯知道他早就該預料到這一點。所有的教本，他所聽過的一切課程都強調指出：作戰行動是厭煩與恐怖的奇怪的混合體。說它厭煩是因為大多數時間什麼情況都不出現；說它恐怖是因為「情況」隨時可能發生。現在他了解為什麼人們在野外會變得懶散起來。在演習的時候，你總是知道會發生什麼，反正你知道會有情況發生。陸軍很少浪費時間去搞非接觸情況下的演習。訓練時間是非常難得的。因此，他必須面對討厭的事實：真正的作戰行動不如演習那樣刺激，但卻危險得多。事情的這一雙重性足以讓這位年輕人感到頭痛。

說到疼痛，他身上的疼痛已經夠多的了。他現在每隔四小時就要吞服兩片止痛藥，因為他肌肉痛和輕度扭傷——還有單純的精神過度緊張。作為一個年輕人，他慢慢瞭解過度的運動和真正的精神緊張會使一個人迅速衰老。實際上他的疲勞程度和一個辦公室工作人員在辦公桌前坐整整一天之後的疲勞情況相差無幾，但是他的任務和周圍環境結合在一起，使他感到一切都變了。喜悅或悲哀，得意或沮喪，恐懼或不能戰勝的心理，都變得特別明顯。總之，作戰可不是鬧著玩的。那麼，他為什麼——不喜歡它，實際上不是那樣，而是……什麼？查維斯不再去想它。這影響他集中注意力。

雖然他還不知道，但是那就是答案。丁·查維斯是個天生的戰鬥人員。就像一位外科醫生並不喜歡看見車禍中受傷者那殘缺不全的身體一樣，查維斯倒是更喜歡在酒吧裏緊挨著漂亮的姑娘坐在高腳凳上，或者和朋友們一起觀看足球比賽。但是外科醫生知道他的技術對病人的生命是相當重要的。查維斯也知道他的技術對完成任務是有決定意義的。這裏是他的崗位。在這次任務中，一切都是非常清楚的——除了在他思想糊塗的時候。但是即使在那時候也是同樣清楚的，只不過是一種不同的、奇怪的清楚罷了。他的感官能夠像雷達一樣穿透樹林，濾去飛鳥的啁啾聲和走獸的沙沙聲——除非這些聲音中有特殊的信息。他的頭腦把妄想和信心巧妙地結合在一起了。他是自己國家的武器。對此他是十分了解的。雖然他有些恐懼感，但是他正在克服厭煩情緒，竭力保持警惕，並且關心自己的戰友。查維斯現在是一部會呼吸能思考的機器。他的唯一目的就是消滅他國家的敵人。這件工作是十分困難的。但是他是幹這件工作的合適人選。

可是今天晚上仍然沒有發現什麼。小路上很冷。加工廠空無一人。查維斯在一處預先選定的會合點停下，等待小分隊的其他人趕上來。他關上夜視鏡，在任何情況下一般只用三分之一的時間使用它——

然後喝了口水。至少這裏的水是好的，是從清澈的山澗裏流出來的水。

「什麼也沒有，上尉。」拉米雷茲來到他身旁時，他告訴他。「沒有看見什麼，也沒有聽見什麼。」

「足跡？痕跡？」

「都是兩天以前的，也許三天以前的。」

拉米雷茲知道怎樣確認痕跡的時間長短，但是具體做起來他不如查維斯士官。他吸了一口氣，似乎是鬆了一口氣。

「好，我們往回走吧。再休息幾分鐘，就帶頭走吧！」

「可以嗎，長官？」

「沒問題，丁，你說呢？」

「這個地區對我們已沒有多少油水了。」

「你也許對的，但是我們還得再等幾天才能肯定。」拉米雷茲說。他有點高興，因為從羅查死後他們再沒有和對方交過手。但是這一高興使他未看到本應看到而予以警惕的東西。情感告訴他有些事情是不錯的，可是理智和分析也應該告訴他有一些事情是有問題的。

查維斯也沒有完全抓住這些不對的苗頭。在他意識的邊緣可以隱約聽到遙遠的隆隆聲，就像地震之前看到的奇怪的平靜一般，或者像地平線上即將出現雲彩的第一個徵候那樣。查維斯年紀太輕，又缺乏經驗，因而注意不到這些東西。他有天資。他是在合適的地方幹著合適的事情。但是，他初來乍到，對這一切仍毫無所知。

但是有事要做。五分鐘後他帶領小分隊離開，沿山坡往回爬，避開所有的小路，選擇了一條他們來時沒有走過的小徑，對可能發生的一切危險都保持警惕，唯獨忘記了雖然遙遠但卻同樣明顯的危險。

傑克遜認為，C—一四一B飛機降落得很不順利，不過士兵們並未注意。事實上，他們中的大多數人都在睡覺，必須由別人叫醒，傑克遜坐飛機很少睡覺。他認為駕駛員在飛機上睡覺是個壞習慣。這架運輸機像一架戰鬥機一樣，在航空母艦的甲板上放慢速度，一點一點地向前搖搖晃晃地滑行。最後停了下來，尾部的蛤形門打開了。

「跟我來，上校。」少校說。他站在那裏，拿起自己的帆布背包，看起來挺重。「我讓妻子把我的車子開到這兒來。」

「她怎麼回去呢？」

「搭別人的便車。」少校解釋說。「這樣營長和我在去奧德堡的路上可以多討論討論演習的事。我們載你到蒙特雷。」

「你們能否把我直接載到奧德堡？我要把我的小弟的門踢倒。」

「他可能在野外呢。」

「星期五晚上？我去碰碰運氣。」傑克遜這樣做的真正原因是，他和這位少校的談話是多年來他和陸軍軍官的第一次談話。現在他是海軍上校，下一步就要升為海軍將官。如果他想成為將軍——他和其他戰鬥機駕駛員一樣有信心，但是從海軍上校晉陞到海軍准將在海軍中是困難重重的——知識稍廣沒有壞處。這將使他成為一位更好的參謀軍官。如果他能當上艦載機大隊大隊長，當過之後他還得再去當參謀。

「好。」

從特拉維斯空軍基地到奧德堡的兩小時路程——奧德堡只有一個小型機場，不能降落運輸機——是很有趣的事，傑克遜也很幸運，經過兩小時用海上故事交換戰爭故事，他聽到了許多聞所未聞的事。他得知蒂米在城裏待了一整夜之後正在回營房的路上。這位大哥發現他所需要的就是長沙發。並不是說他習慣於睡長沙發，而是他認為他睡長沙發還能應付。

雷恩和他的保鏢準時來到州長的套房。他一點也不知道州長有特工保鏢這回事，但是保鏢們卻得到通知正等著他，他仍然持有中央情報局的安全通行證。那是一張薄片狀塑膠識別證，和撲克牌的大小差不多，上面有照片和證件號碼，但是沒有姓名。他通常用鍊子把它掛在脖子上，好像某種宗教飾物一樣。這次他讓特工人員看了看這東西，然後把它塞進了他的上衣口袋裏。

這次情況簡介被安排成政治機構最喜歡的形式，工作早餐。既不像午餐那樣具有社會的重要性，更不能和正餐相比了。由於某種原因，早餐被認為是非常重要的事。早餐是嚴肅的。

尊貴的喬（代表喬納森，他不喜歡這個名字）·羅伯特（叫我鮑勃）·福勒是俄亥俄州州長，現年五十五歲上下。像現任總統一樣，福勒原先是個司法部長，在執法方面有很好的表現。他以把克利夫蘭打掃得乾乾淨淨的名聲進入衆議院，成為連任六屆的衆議員。但是從衆議院進入白宮是不可能的。他的州裏參議員的位置又太穩固了。所以六年前他成為州長，幾乎所有的報導都說他是個強而有力的州長，他最終的政治目標二十多年前就已選定。他現在已進入最後一回角逐。

他的身高是標準的五英尺十一英寸，眼睛為棕色，鬢角已有幾絲灰白色頭髮。他感到疲倦。美國人對他們的總統候選人要求太多。相形之下，海軍陸戰隊的新兵訓練中心簡直就像個幽會的場所。雷恩望著一位幾乎比他年長二十歲的人。此人在過去的六個月中咖啡喝得太多，政治午餐的味道又太差，可是對他不喜歡的那些人所講的拙劣笑話還能夠勉強笑一笑。尤其值得稱讚的是，他每天能把一篇演說最少講四次，而且每次都能夠讓聽講的人感到新鮮而刺激。雷恩認為，此人對外交政策的理解就像自己對愛因斯坦的廣義相對論的理解一樣少得可憐。

「我想，你就是傑克·雷恩博士。」福勒正在看早報，他抬起頭來。

「是的，先生。」

「請原諒我沒有站起來。我上週扭傷了踝骨，痛得非常厲害。」福勒揮手指著身旁的一枝手杖。雷恩在早上的新聞廣播中沒有聽見這件事。州長剛剛發表過接受提名的演說，手舞足蹈地走過舞臺……踝骨扭傷。此人真夠堅強。雷恩走過去和他握手。

「他們告訴我你是情報局的代理副局長。」

「請原諒，州長。我的頭銜是情報副局長。也就是我目前領導中央情報局一個重要的部門，其他部門是外勤、科技和行政管理。行政管理部門名副其實地管理行政事務。外勤部門的人員用傳統方式蒐集情報資料，他們才是真正在外面神出鬼沒。科技部門的伙伴們負責衛星項目和其他科技方面的東西。我們情報部門分析研究並鑑別外勤部門和科技部門向我們提供的那些資料。那就是我做的事。真正的中央情報局情報副局長是詹姆士·葛萊將軍，他正——」

「我聽說了。太糟糕了。聽說他是個好人，就連他的敵人都說他是個正直的人。這大概是一個人能得到的最好的讚美之詞。吃點早餐怎麼樣？」福勒完成了政治生活中第一件任務。他令人愉快。且具有魅力。

「對我似乎沒有問題，先生。要我幫幫你嗎？」

「不必，我自己能走。」福勒扶著枴杖站了起來。「你以前當過海軍陸戰隊員，做過經紀人，還做過歷史教師。我知道你幾年以前與恐怖份子爭鬥的事。我的人——我該說提供消息給我的人，」他一邊坐下一邊笑了笑。「我的人說，你在中央情報局爬升得很快，但是不肯告訴我為什麼，報紙上也沒有提到過，我覺得有點納悶。」

「有些情況我們確實保密，先生。你想了解的有些情況我沒有權利和你討論。不管怎麼說，你還是應該依靠別人來了解我的情況。我看問題不客觀。」

州長欣然點點頭，「前不久你和艾爾·特倫特有過一場爭鬥。他說了一些應該使你臉紅的事情。怎麼回事？」

「那你只有去請教特倫特先生了。」

「我問過他。但是他不肯說。實際上他也不喜歡你。」

「我不能隨便討論這件事。對不起，先生。如果你十一月份當選，你會把這件事搞清楚的。」怎麼能向他解釋艾爾·特倫特曾經幫中央情報局安排KGB的一位頭頭變節呢！這是為了報復另一些人，因為這些人把他一名親密的俄國朋友送進了勞動營。即使他講出這件事來，又有誰會相信呢？

「你昨天晚上真的對貝絲·艾略特發了脾氣。」

「先生，你想讓我像政治家那樣講話嗎？我不是政治家，還是喜歡我現在這個樣子講話呢？」

「直截了當地說吧！孩子。那是處在我這個位置的人最難得的樂趣之一。」雷恩卻完全沒有抓住這一重要信息。

「我覺得艾略特博士傲慢矜持，出言不遜。我不習慣於別人對我說三道四。或許我應向她道歉，或許她也應向我道歉。」

「她想踢你的屁股，可是這場競選活動還沒有開始呢！」他說這句話的時候哈哈大笑。

「那歸別人管，州長。她可以踢幾腳，但是她拿不走。」

「千萬別競選公職，雷恩博士。」

「別誤解了我，先生。我不可能做到完全像你這種的人能忍受的樣子。」

「你想不想成為一位政府雇員？這個問題，不是威脅。」福勒解釋道。

「先生，我之所以做現在正在做的事情是因為我認為它很重要，也因為我擅長於此。」

「國家需要你嗎？」總統候選人輕鬆地問。這問題使這位代理情報副局長為之震驚，他的身體在椅子上向後移動了一下。「這是個很難回答的問題，不是嗎？如果你說不需要，那麼你就不該做這件工作，因為別人會比你做得更好。如果你說需要，那麼你就是非常驕傲的傢伙，以為自己比任何人都行。雷恩博士，從中學點東西吧！這是我今天給你上的一課。現在該我聽你的了。告訴我關於世界的事情——當然，都是你個人的看法囉。」

雷恩拿出筆記本，講了不到一個小時，也就是喝兩杯咖啡的功夫。福勒很有耐心地聽他把話說完。他提的問題都很尖銳。

「如果我沒聽錯的話，你說你不知道蘇聯人想要幹什麼。你見過他們的總書記，是吧？」

「嗯——」雷恩突然停住。「先生，我不能——也就是說，我和他在外交場合握過兩次手。」

「你會見他不僅僅是握了握手，只不過你不能談吧？這才是最有意思的。你根本不是政治家，雷恩博士。你想要說謊之前已經把實情說出來了。似乎你認為當前世界各方面的情況都不錯。」

「我記得以前有許多時候比現在糟糕得多，州長。」雷恩說，他對州長沒有抓住他不放表示謝意。

「那麼為什麼不重新緩和，裁減軍備，就像我建議的那樣呢？」

「我想現在那樣做還太早。」

「我不敢恭維。」

「那麼，我們看法不同，州長。」

「現在南美正在發生什麼事？」

「不知道。」

「你是說你不知道我們正在做什麼，還是說你不知道我們是不是在做什麼，還是你知道，只是受命不要討論它？」

他說起話來就像個律師。「正如我昨晚告訴艾略特女士那樣，對這個問題我一無所知。實情就是這樣。至於那些我雖然知道，但不得討論的領域，我剛才已經做過說明。」

「我覺得身處在你的位置上，這就有點奇怪了。」

「當所有這一切開始的時候，我正在歐洲參加北大西洋公約組織的情報工作會議，而且我是個歐洲問題和蘇聯問題專家。」

「你認為殺害胡克博局長一事，我們應該怎麼辦？」

「籠統地說，對殺害我國任何公民的事，我們都應做出強而有力的反應，在這樣的情況下更該如此。不過我是管情報的，不是管外勤的。」

「包括慘無人道的謀殺？」福勒步步進逼。

「如果政府殺人是維護國家利益的正確行動，那麼這種殺人就不屬於法律規定的謀殺範圍之內，對吧？」

「這個觀點挺有趣，說下去。」

「由於我國政府的運作方式，作出這種決定必須經過……必須反映出美國人所希望的解決方式，或者說他們想要採取的方式，如果他們想讓決策的人知道的話。這就是為什麼我們的國會要對秘密行動進行監督，既是為了保證這些行動適當，也是為了使他們非政治化。」

「那麼你的意思是說，這要依賴理智的人作出理智的決定——從事謀殺。」

「這樣說過於簡單化了。不過是這麼回事。」

「我不同意。美國人支持死刑，這也是錯誤的。我們要是那樣做的話，那是貶低自己，是背叛我國的理想。你怎麼想？」

「我認為你錯了，州長。不過我不是制定政府政策的人。我向制定政策的人提供情報。」

鮑勃．福勒的聲音變成了另一個樣子。他今天早晨還沒有聽到過他用這樣的語氣講話。「正因為這樣，我們知道我們的處境。你所說的一切都符合你的身分，雷恩博士。你確實很正直。可是我得說，你雖然年輕，你的觀點卻反映了過去的時代。像你這樣的人確實在制定政府政策，透過你自己選擇的方向進行分析——繼續幹吧！」福勒把手抬起來。「我毫不懷疑你的人品。我也不懷疑你在盡力辦事，但是你告訴我說，像你這樣的人不制定政府政策則是徹頭徹尾的謬論。」

雷恩聽了這些話，臉都紅了。他感覺想要控制自己，可是顯得更加尷尬。福勒沒有有懷疑他的正直，可是懷疑的是他個人星座中第二顆最亮的星——他的情報。他想要用想到的話大聲回敬他幾句，但是他不能。

「現在你準備告訴我，如果我能知道你所知道的一切，我會改變自己的想法，對吧？」

「不，先生。我不那樣和你爭辯。這種辦法簡直就是鬼扯淡。你要嘛就相信我，不然就不要相信我。我所能做的只是讓人相信，而不是讓人信服。也許我有時是錯的。」雷恩冷靜下來之後說。「我能做的只是向你提供我現有的最好的東西。我是否也可以給你一點點說教？」

「請吧！」

「世界並不總是我們所希望的那個樣子。希望並不能改變它。」

福勒感到挺有趣。「所以即使你錯了，我也應當聽你的？如果我知道你錯了，那怎麼辦呢？」

本來接著可以有一場精彩關於哲學問題的討論，但是雷恩知道他已經被打敗了。他只是浪費了九十分鐘時間。也許還可以最後再試一次。

「州長。這個世界上還有老虎。上一次我發現我女兒躺在醫院裏快要死了，有人因為恨我就想要殺死她。我不喜歡這樣。我真希望它能沒事過去，但是我沒有成功。也許我好不容易才學了一課。我希望你不必學這一課。」

「謝謝你，再見，雷恩博士。」

雷恩收拾起文件，走了出去。他模糊地記得這就像聖經上的一段故事。他受到了可能成為他們國家下一任總統的那個人的檢測，而且那人發現他不大夠格。他對自己剛才的反應更加心煩意亂。去他的吧！他自己只是證實了福勒的看法。他真是幹了一件蠢事。

「別睡啦，大哥！」蒂米·傑克遜說。羅比·傑克遜吃力地睜開了一隻眼睛，看到蒂米穿著迷彩服和皮靴。「我們早晨跑步的時候到了。」

「我還記得為你換尿布的時候呢。」

「你得先趕上我。快來吧！給你五分鐘時間準備。」

傑克遜海軍上校對他的弟弟笑了笑。他身體健壯，而且擅長劍術。「我要讓你跑得趴在地上。」

驕兵必敗。這是一分鐘以後傑克遜海軍上校的想法。還不如剛才就認輸算了。如果他倒了，他還可以休息幾秒鐘。當他開始搖搖晃晃前進時蒂米放慢了腳步。

「你贏了啦。」羅比氣喘吁吁地說。「我再不幫你換尿布了。」

「嘿，我們跑了還不到兩英里。」

「一艘航空母艦的長度只有一千英尺！」

「是的。我敢說在鋼鐵甲板上跑對人的膝關節有害處。繼續跑，跑回去準備早飯，長官。我還要多跑兩英里。」

「是的。長官。」*我的劍跑到哪兒去了呢？*羅比想。*我可以在這方面勝過他！*

羅比花了五分鐘時間才找到了單身軍官宿舍大樓。路上他碰到一些軍官出去跑步，有些已往回跑。這時羅比．傑克遜第一次感到自己老了。這很難說是公平的。他是最年輕的海軍上校之一，而且仍然是戰鬥機駕駛員。他也知道怎樣準備早餐。蒂米回來的時候，早飯已經擺在桌子上了。

「別覺得太難受了，羅比。我是靠這個吃飯的。我不會駕駛飛機。」

「閉上嘴，少說廢話！」

「你說你到哪兒去過？」

「**突擊兵號**——是一艘航空母艦，小伙子，是去參觀巴拿馬附近海域的作戰行動的。我的上司今天下午到達蒙特雷，他要我在那裏見他。」

「你到炸彈爆炸的地方去了。」蒂米一邊在烤麵包片上塗奶油，一邊說。

「昨天晚上又爆炸了一次？」羅比問。「是啊，應該這樣，不是嗎？」

「似乎又替我們除掉了一名毒梟。看到中央情報局，或者別的什麼人，玩了兩次新花樣真讓人高興。我倒想知道這些老兄們是怎樣把炸彈弄到那個地方去的。」

「你是什麼意思？」羅比問，他覺得有點不大對勁。

「羅比，我知道那兒發生了什麼事。我們有人在那裏幹這事呢！」

「蒂米，你把我搞糊塗了。」

蒂莫西·傑克遜步兵少尉把身子朝飯桌上湊了湊，用初級軍官玩弄陰謀的口氣說：「聽著，我知道這是秘密，可是你們得神秘到什麼程度呢？我的一位最好的士兵不見了，他也不在應該去的地方——可是，天哪！陸軍還認為他在那裏。他會說西班牙語。其他幾個通過檢測的人也會說西班牙：萊昂、偵察部隊的穆尼奧斯，還有我聽說過的另外兩個人。他們都會說西班牙語，知道嗎？然後，突然在南面盛產香蕉的國家幹出了名堂。你們得要多麼聰明才行！」

「你有沒有和別人談起過？」

「為什麼要告訴別人呢？我有點替查維斯擔心——他是我的部下，我對他有點擔心。不過他是個優秀的士兵。據我所知，他能打死他想打死的所有毒品犯。我只是想知道他們是怎麼去放炸彈的。有朝一日也許對我們有用處。我正在考慮參加特種作戰部隊呢。」

是海軍放的炸彈，蒂米。羅比在心裏對自己說。

「有多少人談論這件事？」

「關於第一次爆炸，人人都認為幹得漂亮。但是談到我們的人正在牽涉進去?可能有人和我的看法相同。但誰也不那樣講。保密，對吧?」

「對，蒂米。」

「你認識中央情報局的一位高級官員，是吧?」

「是的，小傑克的教父。」

「替我們轉告他，把你們想殺的人通通殺死。」

「好的。」羅比平靜地說。這一定是中央情報局幹的。一次非常隱密的情報局行動，但是還沒有隱密到他們設想的程度。如果是一位有作為的人，從軍校畢業一年後就能看得出來……突擊兵號上的軍械兵，陸軍的人事軍官和士官——許許多多的人現在一定把這些事都聯想在一起了。絕不可能所有聽到這一消息的人都猜對的。

「我給你指點一下。你聽人們談論這件事。你告訴人們要保密。你引起大家談論這樣的行動，某些人便會開始消失。」

「嘿，羅比。誰都願意與查維斯和穆尼奧斯等人一塊幹。」

「聽我說，小弟。我到那裏去過。機關槍曾經向我射擊過，我的雄貓式飛機還挨過一枚飛彈，差一點打死了我最好的一位雷達操作員。那裏很危險。議論會使那邊的人送命的。你記住，這裡不再是大學了，蒂米。」

蒂米考慮了一會兒。他哥哥說得對。他哥哥也在考慮自己應當對此做些什麼。羅比又想不聞不問，可是他是個雄貓式戰鬥機駕駛員，是一個行動型的人，不是那種什麼也不做的人。他想，如果他不能做別的，他得提醒傑克·雷恩這次行動的保密工作沒達到應該做到的程度。

第二十二章 天機

海軍將官與空軍和陸軍將官不同，他們沒有個人專用飛機，所以外出遠行大多乘坐商業班機。不過在機場出口處會有副官和司機來接機，自然也有助於消消他們心中的怨氣。羅比·傑克遜到達聖荷西機場時，波音七二七剛在跑道上停穩。他恨不能立即把事情跟上司說清楚，可是他必須等頭等艙的旅客下光，因為即使是海軍將官也只能乘坐二等艙。

喬舒亞·佩因特海軍中將現任海軍作戰部助理部長，主管海上空戰，內部的人都知道他「代號」OP—〇五，或者稱其為五號首長。他佩戴著三顆星，這的確是個奇蹟。他為人誠實坦率。他認為真正的海軍應該活動在大洋上，而不是波托馬克河上。他還寫過一本書，這在海軍軍官中並不多見，而且對他也很不利。海軍不鼓勵其軍官潛心於著作，不過寫點關於熱力學或核反應爐裏中子特別反應之類的文章倒也未嘗不可。佩因特是個知識份子，無黨無派，是一個反對知識因循守舊、官僚化日趨嚴重的軍種裏的一位將軍。他認為海軍正變成一種社團式的軍種，而他則是其中一個象徵性的例外。他是個身材瘦小、性格粗獷、厲害的佛蒙特人，一雙藍眼睛淺得幾乎沒有顏色了，說起話來犀利得像把刀。在飛行方面，他簡直是個神話式的人物。他曾駕駛幾種不同型號的F—四幽靈戰鬥機在北越上空飛過四百餘次，並且擊落過兩架米格機——從他的飛機側面取下漆著兩顆紅星的鋁板，就掛在五角大廈辦公室裏，下方還有一行說明文字：**響尾蛇飛彈意味著你無須說感到遺憾**。他追求盡善盡美，要求部下十分嚴格。他從來不認為他的飛行員和空勤人員，尤其是後者的工作完美無缺。

「看來你收到我的電報了。」喬舒亞．佩因特說。他伸出一個手指敲了敲傑克遜嶄新的肩章。

「是的，長官。」

「我也聽說你的新戰術——雞飛蛋打了。」

「本來還不至於這麼糟糕，」上校承認道。

「是啊，要是航艦還在就好辦多了。也許你還在考慮艦載機大隊的事。我批准給你。」五號首長鄭重其事地說。「把第六航空聯隊給你。**安迪號**去大修，聯隊就在**林肯號**上起降。恭喜你，羅比。在今後十八個月裏，盡量不要出大紕漏。呃，艦隊演習是怎麼回事？」他們向停候著的汽車走過去時，他又問了一句。

「『俄國佬』搞了鬼，」羅比答道。「他們很狡猾。」這話把他的上司也逗樂了。佩因特雖說脾氣乖戾，但也不乏生動的幽默感。在驅車前往座落在加州海岸蒙特雷的海軍進修學院將官宿舍區途中，兩人一直交談著。

「關於那幫販毒份子還有什麼消息？」佩因特問。這時副官已拎著他的包包進了宿舍大樓。

「我們狠狠地打擊了他們，那還用說嗎？」傑克遜說了一句。

「你這話什麼意思？」將軍猛然停住了腳步。

「長官，這事我本不應該知道的。只是我當時就在現場，親眼目睹。」

佩因特打了個手勢，讓傑克遜進屋裏。「我先去一下洗手間。你打開冰箱看看能不能調點馬丁尼。你想喝什麼，儘管自己動手。」

傑克遜盡力而為。安排將官宿舍的人知道佩因特喜歡喝什麼。傑克遜自己開了一罐礦泉飲料。

佩因特出來時已把制服襯衫換掉了。他先喝了一口酒，繼而把副官打發出去，接著兩眼緊盯著傑克遜。

「上校，我要你把剛才在門口的話再說一遍。」

「將軍，我知道我對這事還不太明白，但我也不是瞎子。我在雷達上看見那架A—六向海岸飛去，覺得有點蹊蹺。長官，誰制定作業安全措施都不至於弄得這麼糟。」

「傑克遜，我剛坐了五個半鐘頭飛機，而且坐得離那個破發動機太近，所以我說的話你還要擔待著點兒。你說炸死販毒份子的那兩枚炸彈是從我的一架A—六上扔下去的？」

「是的，將軍。這你還不知道？」

「我連個影子也不知道，羅比。」佩因特將杯中的酒一飲而盡，然後把杯子放下。「他娘的，是哪個混帳東西搞的鬼名堂？」

「可是那種新式炸彈——我是說命令和每件事——見鬼，在這種事情上，命令應當透過五號首長下達嘛。」

「什麼新式炸彈？」佩因特幾乎吼了起來，不過還是克制住了。

「一種塑膠、玻璃纖維之類的新型彈殼。它看起來像一枚普通低阻力的兩千磅炸彈，上面有雷射導引炸彈上通常附加的那種裝置。它不是鋼的、也不是其他金屬的，外面漆成藍色，像教練彈。」

「哦，對了，現在正在研製一種隱形炸彈，用以裝備先進戰術飛機。」——佩因特指的是海軍正在研製的新型隱形攻擊機——「可是我們才他媽做了些初步試驗，也許只投過十來枚。整個計畫還處於初期階段，他們連常規的炸彈炸藥也沒有用；何況我也可能取消這個計畫，因為我覺得花那麼多錢不值得。再說他們還沒有讓這些東西走出中國湖海軍軍械試驗站。」

「將軍，在**突擊兵號**的彈藥庫裏有好幾枚呢，是我親眼所見，而且還親手摸過。我看見有一架A—六也掛帶了一枚。我為艦隊演習飛E—二時，在雷達上看見了那架A—六，它朝海岸方向飛去，但卻從另一個方向返回。從時間上看這也許是巧合，但我不願草率地作這種結論。我返航回來後的當晚，看見那架A—六又掛帶了一枚。第二天我就聽說又一個毒梟的巢穴給炸平了。其實只要半噸高爆炸藥就夠了，而且由於彈殼是可燃的，最後連他媽半點證據也留不下。」

「九百八十五磅奧克托炸藥——炸彈裏裝填的就是這種炸藥。」佩因特對此嗤之以鼻。「用它來炸毀一幢房子自然不在話下，你知道執行飛行任務的是誰？」

「羅伊·詹森，他是隊長——」

「我認識，我們在同一艘艦上共過事——羅比，這到底是怎麼回事？你給我從頭講起，把你看見的都告訴我。」

傑克遜上校一五一十地一口氣講了十分鐘。

「那個『技術代表』是哪兒來的?」佩因特問。

「這我沒打聽,長官。」

「你有多大把握說他現在已不在艦上?夥計,我們受騙了。我受騙上當了。他奶奶的!那些命令一定是我的辦公室簽發的。他媽的,有人在利用我的飛機卻又瞞著我。」

傑克遜知道這遠非扔幾枚炸彈的問題,它關係到規章制度,關係到安全。倘若此事由海軍來安排,絕不會弄到這種地步。佩因特和他的A—六資深專家們會安排得滴水不漏,神不知鬼不覺——像被駕駛E—二的傑克遜發現這種事是必然不會出現的。佩因特擔心的是,他手下的人可能不明真象,受騙上當,而這一行動又是上面沒有透過正常指揮管道下達的任務。

「要不要把詹森找來?」傑克遜問。

「我曾經考慮過。那樣太明顯,會給詹森惹許多麻煩。但我得弄清楚他接到的究竟是哪兒來的命令。**突擊兵號**在外面還要十幾天,是吧?」

「我想是的,長官。」

「一定是中央情報局幹的,」佩因特的語氣很平靜。「而且得到了更高層的認可,但幹是情報局幹的。」

「我有個好朋友在那裏官當得不小,不知有沒有用,長官,我是他家一個孩子的教父。」

「誰呀?」

「傑克·雷恩。」

「哦，我見過。甘迺迪號返航時他和我在那艘艦上待過一兩天——你一定記得那次航行的，羅比。」佩因特微微一笑。「就在你遭到飛彈攻擊之前那次。當時他在英艦無敵號上。」

「什麼?傑克當時也在上面?可是他他媽的怎麼不下來看看我?」

「你從來也沒弄清楚那次行動的目的是什麼，對吧?」佩因特搖搖頭。他想到了紅色十月號事件。

「也許他能告訴你，我是無能為力了。」

傑克遜對此毫無疑義，於是話題又轉到剛才那個問題上。「將軍，在這次行動中，發現地面上也有異常情況。」他進行了一兩分鐘說明。

聽了傑克遜的說明，佩因特先說了聲「查理—福克斯」。那是海軍的密語代號，最初只在海軍陸戰隊中使用，意思是指一次混亂不堪、自我毀滅式的軍事行動。「羅比，你趕快搭頭班飛機去華盛頓，告訴你朋友，說他的行動很快就要完蛋了。媽的，難道情報局這些小丑不知道?這事一旦傳出去，對我們則大大的不利。從你剛才談的情況看，一定會傳出去的。它還會傷害整個國家。我們不能出這種鬼事，再說今年還是福勒那個白癡參加競選的大選之年。你再告訴他，如果情報局下次再玩這套把戲，最好先請教一下內行人，那樣也許有所幫助。」

卡特爾裏有一大羣善於玩弄槍枝的人，僅僅數小時的功夫就把他們召集來了。科特茲被選派去負責這次行動。他將坐鎮地處該地區中心的安塞爾馬村進行指揮，而那支「傭兵」似乎就在附近活動。當然，他並沒有把他所瞭解的情況全都告訴上司，而且也沒有透露他的全部秘密。卡特爾是個聯合體。這次總共來了近三百人，有搭小汽車或卡車來的、也有搭公共汽車來的。這些人都是各路梟雄的貼身保鏢，個個身強力壯、槍擊械鬥無所不能。他們一調走，剩下的幾個毒梟的警衛力量就削弱了。埃斯科韋多想看看同行之中誰在「集中攻勢」，各路人馬這一抽調，倒使他佔了相當的優勢。科特茲去對付那些「傭兵」，他埃斯科韋多何嘗不想去追殺那些美國兵，把他們趕盡殺絕，可是他不宜操之過急。科特茲很清楚，他所面臨的是一支精銳部隊，甚至可能是美國的綠扁帽。對這支勁敵他懷有幾分敬意。他知道己方的傷亡是意料之中的事。他想不知還要再殺多少人，才能使卡特爾內部的力量平衡變得對自己有利。

科特茲心想，跟這羣人沒什麼好多說的。他們個個心狠手辣，就像他們推崇備至的那些電影裏壞的日本武士一樣，他們個個慣於舞槍弄刀，而且都把那些飾演殺手的演員奉為楷模。當他們扛著AK—四七自動步槍在村裏的街上耀武揚威地走過時，人們對這羣「萬能無敵」的卡特爾武士側目而視，他們卻覺得十分心安理得。一幫跳樑小丑。

這一切的確滑稽可笑，可是科特茲並不在乎。這將是一次別有風味和情趣的遊戲。其實五百年前就有過：兇殘的人們把一隻熊栓在坑裏，然後放狗去咬。雖然這對狗來說是項艱巨的任務，最後熊還是死了，而且再找幾條狗也不困難。對這些新找來的狗以不同的方式加以訓練，讓牠們效忠新主人……這簡直妙不可言，科特茲很快就悟出一點道理。他玩的這場遊戲用的不是熊和狗而是人。從凱撒大帝以來還沒有人這麼玩過呢。現在他明白了那些毒梟何以變成那種樣子。那種像上帝般的權力會毀掉一個人的靈魂。他必須記住這一點。不過他得先幹工作。

指揮系統確定之後，他把這些人分成五個組，每組五十人左右，專門負責一個行動區。他們用無線電進行聯絡，由科特茲在村外一幢比較安全的房子裏統一協調指揮。只要哥倫比亞政府軍不進行干預，問題就不會複雜化，埃斯科韋多會負責對付這方面的問題。M—十九游擊隊和法爾克游擊隊將會在其他地方製造事端，以牽制哥倫比亞軍隊，使之無暇他顧。

這些人很快就自詡起「戰士」來。在他們乘卡車進山之前，科特茲跟各路人馬的頭頭說：「祝你們馬到成功」，當然他是有口無心，說說而已。運氣對先前那位古巴情報機關的上校來說也許適用，但這一次已是時過境遷。在一次精心策劃的軍事行動中，運氣絕對不是什麼成功的因素。

這天山裏十分寧靜。查維斯聽見教堂的鐘聲在山谷迴盪，它召喚著虔誠的教徒去做禮拜。今天是星期天嗎？查維斯在想，他已經過糊塗了。管它是哪一天，聽見汽車的聲音總不太正常。除了損失羅查一個人，一切都很順利。他們連彈藥消耗都很少，而且過幾天就會有支援這次行動的直升機空投補給品給他們。彈藥是多多益善，這是查維斯的經驗之談。只要把子彈帶裝滿、水壺灌滿、有頓熱飯吃，他就心滿意足了。

人處在山谷中，什麼聲音都聽得很清楚。聲音沿山坡向上傳播，衰減極少，雖然空氣略微稀薄，聲音聽起來仍有若鐘磬。查維斯聽見遠處的卡車聲，就把望遠鏡對準幾英里外一條道路的拐彎處，想看看是怎麼回事。他並不擔心，而且也沒什麼可擔心的，卡車就是目標。他把望遠鏡鏡距調至最佳位置。他的視力很好。約莫過了一兩分鐘，他看見三輛卡車，就像農民用的車邊可以卸下的平板車。車上很多人，似乎個個荷槍實彈。停車後，那些人紛紛跳了下來。查維斯推了推已經睡著的夥伴。

「大熊，快把上尉叫來！」

拉米雷茲很快就帶著望遠鏡過來了。

「長官，你還站在那兒！快他媽蹲下！」查維斯壓低嗓門吼了一聲。

「哦，對不起！」

「看見他們了？」

「嗯。」

這些人在原地忙碌著，肩上扛著的槍清晰可見。接著他們分成四個小組向道路兩側移動，很快就消失在樹叢之中。

「上尉，三個鐘頭之後他們才能到這兒，」查維斯估計道。

「那時我們已向北移動了六公里了，準備出發。」

拉米雷茲拿出衛星通話機。

「**變星**，我是**尖刀**，請回話。」

他一叫就叫通了：「**尖刀**，我是**變星**。你的聲音很清楚，完畢。」

「**尖刀**報告，在我東南東五英里發現武裝人員進入叢林，約一個加強排，正向我移動。」

「是不是士兵?完畢。」

「不是——重複一遍:不是,有武器,沒穿軍裝。重複一遍,沒穿軍裝。我們準備離開。」

「尖刀,同意離開,迅速離開。隨時保持聯繫。我們要查明情況。」

「知道了,尖刀通話完畢。」

「這是怎麼回事?」一位情報參謀的聲音。

「不得而知,要是克拉克在就好了!」另一位情報參謀的聲音。「我們跟蘭格利聯繫一下看看。」

羅比·傑克遜趕上一架聯合航空公司凌晨的班機由舊金山直飛達拉斯國際機場。由於佩因特中將事先打了電話,所以一輛海軍轎車把他送到了華盛頓國家機場。他的雪佛蘭牌轎車還停在那裏,居然沒被人偷走。飛行途中他左思右想:從理論上說,中央情報局的種種行動是很有意思;間諜們偷偷摸摸到處亂鑽,幹著那些個勾當。至於在這個問題上他們在幹什麼,他並不特別感興趣。可是有人在他媽的利用海軍。若要人不知、除非己莫為。他準備先回家換套衣服,然後再打電話。

雷恩回到家裏,心裡很高興。今天星期五,他到家幾分鐘後,妻子才從霍普金斯大學下班回來。星期六早上他睡了個懶覺,消除了旅途上的疲勞。白天他陪孩子們玩,晚上又帶他們參加周末彌撒。回家後還可以再好好地睡上一覺,並跟妻子溫存一番。此刻他正坐在約翰迪爾牌割草機上。在中央情報局裏他也算個人物了,但在家裏他卻自己動手修整草坪。他不像別人那樣去播種、施肥;他把修草坪當成消除繁忙的工作帶來的疲勞的一種方式。每兩個星期他都修整一回，一做就是三小時——春季裏間隔時間短些，現在草坪已不像春天長得那麼快了。他喜歡聞割下來的草發出的清香，因為這個原因，他也喜歡割草機的油味以及馬達的震動。當然他無法完全逃避現實。在割草機的隆隆聲中，他聽見掛在腰邊的行動電話的呼叫聲。傑克按下通話鍵，叫聲隨之消失。

「喂！」

「傑克?我是羅比。」

「過得好嗎，羅比？」

「最近陞了級。」

「恭喜啦，傑克遜海軍上校！你當上校太年輕了吧？」

「就算是吧，讓那些人坐飛機來追趕我這個笨蛋吧。西希和我要去安納波利斯，順便拜訪一下，可以嗎？」

「嗨，沒問題，請都還來不及呢！來吃午飯吧！」

「不會添麻煩吧？」傑克遜問。

「羅比，你饒了我吧！你什麼時候學會跟我客套起來的？」

「自從你當了大官之後。」

雷恩也不相讓，回敬了他一句。

「我們過個把鐘頭就來，行嗎？」

「行。再個把鐘頭，我草坪也修整完了。一會兒見，老夥計。」接著雷恩給家裏打了個電話。他家有三線電話，一線是工作需要直通華盛頓的，凱西有一條直通巴爾的摩的線，此外還有一條常用電話線。荒唐的是，他竟然打了個長途電話。

「喂？」凱西拿起電話。

「羅比和西希要來吃午飯，」雷恩告訴妻子。「烤點熱狗怎麼樣？」

「我的頭髮還亂糟糟的呢！」卡洛琳·雷恩鄭重其事地說。

「好吧，我來烤。你把炭火生起來好嗎？我還有二十幾分鐘就結束了。」

實際上他半個多小時才做完。他把割草機放進車庫，放在他那輛積架旁邊。然後進屋洗一洗，刮刮臉。他的鬍子才刮了一半，傑克遜的車已到了家門口。

「這麼快就到了？」雷恩問道。他身上那條髒兮兮的褲子還沒有來得及換。

「你是希望我遲到啊。雷恩博士？」傑克遜打趣地說著，並和妻子一起下了車。凱西在門口迎候著。自上次見面以來，各人都忙於自己的事務，這次見面握手、親吻就不必說了。凱西和西希進了起居室，傑克和羅比拿著熱狗一同走到陽臺上。炭火還沒有升起來。

「當上校感覺如何？」

「要是既陞官又發財就更好了。」羅比指的是他穿四道槓的海軍上校服，但拿的還是中校薪水。

「還給我在艦載機大隊掛了個頭銜。這是佩因特中將昨晚告訴我的。」

「真來勁！」傑克拍了拍羅比肩膀。「重要的晉陞之階，是吧？」

「只要我他媽的不犯大錯就行。海軍可以賜予你，但海軍也可能收回去的。一年半載不指望離開了。也就是說沒有這麼多機會跑五角大廈了，真他媽的。」羅比停了一下，語氣變得嚴肅起來。「我今天可是無事不登三寶殿。」

「哦？」

「傑克，你們的人在哥倫比亞搞什麼鬼名堂？」

「我一無所知啊，羅比。」

「傑克，這是正經事，你聽我說好嗎？我知道你們這次行動嚴格保密。哎呀，我知道你們有規章制度。我的頂頭上司很惱火，因為你們背著他動用了他的裝備。」

「誰呀？」

「喬舒亞·佩因特，」傑克遜答道。「你在甘酒迪號上見過他，記得嗎？」

「誰告訴你的？」

「可靠消息。我一直在思考這個問題。事情追溯至當時俄國佬丟了一艘潛艇，我們都出動幫他去找。有一度事情變得很糟糕。我的無線電報話務員後來去做了腦外科手術，我的雄貓式飛機三個星期後才重返藍天。我覺得事情比這些表面現象要複雜得多，而且從來也沒登過報。真可惜沒聽到關於它的報導。好吧，先不談這個。我就是為這事來找你的。」

「被炸毀的那兩幢販毒集團的房子——炸彈是從一架海軍A—六E闖入者中型攻擊轟炸機上扔下去的。知道這個情況的並非只有我一個。傑克，這次行動不管是誰組織的，從安全上看都是他媽胡鬧，因為當時在那周圍還有輕步兵在活動。他們在幹什麼，我不清楚，但他們在下面，這是大家都知道的。也許你不能告訴我究竟是怎麼回事。行啊，你得守口如瓶，不能向我透露。但我得告訴你，沒有不透風的牆。如果傳出去，五角大廈有人就會大發雷霆，這事無論是哪個混蛋幹的，都是他媽昏了頭。上面發了話，說我們這些當官的，這一次不能再說幾句受騙上當的話就想蒙混過關。」

「冷靜點兒，羅比。」雷恩拉開一罐啤酒遞給羅比，自己也開了一罐。

「傑克，我們是老交情了，而且還比較深。我知道你不會幹這種蠢事，可是——」

「我不明白你的意思，我真的一點也不知道，你信嗎？上星期我在比利時就說我不知道。星期五上午我在芝加哥，跟福勒那傢伙在一起，我告訴他和他的助手說我不瞭解情況。對你，我還是要說我不知道。」

傑克遜沈默了片刻之後說：「你知道，要是別人，我就會說他在撒謊。你傑克現在幹的什麼工作，我又不是不知道。你當真一點也不知道？老實跟你說吧，傑克，這事非同小可。」

「我對天發誓，上校，我真的不知道。」

傑克遜把罐中的啤酒一飲而盡，然後一拳把它砸得扁扁的。「難道事情向來如此嗎？我們派了人在那裏殺人，也許我們也有人受了傷。可是大家都被蒙在鼓裏。受人差遣我他媽並不在乎，冒險玩命我也不在乎，可是我得知道是為了什麼。」

「我盡力而為去把它弄清楚。」

「那好，他們真的什麼消息也沒透露給你？」

「透個屁，我非他媽弄它個水落石出不可。跟你的上司先透個信。」

「透什麼信？」

「告訴他，在我找你之前不要有大的動作。」

不管帕特森兄弟對於應該怎麼辦是否感到過茫然，到星期天下午他們心裏都有了底。那天格雷森姐妹來探監，兩對夫妻相對而坐——誰也不會把對方搞錯——她們對自己的情人表白了一番永恒的愛，因為是他們幫著這姐妹倆跳出了火坑。現在已不只是個出獄的問題了。在返回牢房的路上，他們作出了最後決定。

把亨利和哈維同囚一室主要是基於安全方面的考量。如果把他們倆分開囚禁，只要他們倆把囚衣一換就能互換牢房，弄不好還會攪得雞犬不寧——看守們都知道這弟兄倆難對付——再說，打架鬥毆在監獄犯人間是家常便飯，把他們同囚一室，他們總不至於相煎太急吧。只要他倆不惹事生非，看守們的日子就好過得多。

監獄的設計理所當然地應當使它能經得起破壞。如果舖地毯或地磚，這些東西不是會被撕碎後點上火，就是會被胡亂糟蹋，所以地面是厚厚一層光溜溜的水泥。在這樣堅硬光溜的地面上磨東西是再好不過的了。還沒有人為監獄設計出不用金屬的床呢，而金屬則是製作武器的好材料。他們倆每人從鐵床上弄下一截粗鋼絲。監獄中把暗中磨製的利器稱之為「攮子」，這個名字跟它的罪惡目的一樣刺耳。法律條文上規定，監獄不能像動物園那樣把犯人關進去了事，所以這所監獄裏也有一個勞作車間。幾十年來法官們一直認為人閒著就會萌生壞主意，但實際上一旦犯人腦子裏早就存心不良時，這些車間正好給他們提供了工具和材料，使攮子一類兇器的製作有了方便之門。亨利和哈維每人都有一個帶凹槽的暗筍和電工用的膠帶。他倆輪流著，一個人在地上磨鋼絲，另一個人就負責把風。由於鋼絲很硬，他們磨了好幾個時辰，不過蹲監獄的人不愁沒有時間。攮子磨好後，他們就把它們放進暗筍的凹槽內——槽是車間裏一個犯人幫助刻的，不大不小正合適——然後用膠帶加以固定。現在他倆每人都有一把六英寸長的攮子，可以在人身上戳一個很深的窟窿。

他們把攮子藏了起來——囚犯們都極善於此道——接著就討論如何下手。他們想出的辦法連受過訓練的游擊隊員和恐怖份子也會佩服得五體投地。雖然他們滿口污言穢語，也沒有受過訓練的巷戰專家那樣的術語，但是他們對任務一詞的含義相當清楚。他們懂得隱蔽接敵、懂得移動和牽制的重要性，也知道得手之後如何清理現場，他們還期待獄中的夥伴給予戰術支援。監獄是暴力和邪惡的滋生地，但它畢竟是有人輩的地方。那兩個海盜自然是不討人喜歡的，而帕特森兄弟則被囚犯們看成又厲害又「可敬」的無賴，此外，每個人都知道他們是惹不起也得罪不起的。這就是為什麼有人願意合作而沒有敢去告密的原因。

監獄裏還有一套衛生制度。由於犯人們不願意洗澡，連牙也懶得刷、懶得剔，這就容易引起疾病流行，所以洗淋浴成了強制性的規定。這弟兄倆就盼著這一天。

「我不明白你的意思，」帶西班牙語口音的人對斯圖爾特先生說。

「我是說八年以後他們就可以出獄了。他們殺了一家四口人，又是在搞毒品交易時被當場抓獲的，罪可不小哇。」律師回答道。他不喜歡在星期天談工作，尤其不願在自家的書房接待這個人，因為這時家人都在後院。不過他對涉及毒品的案子倒頗有興趣。每次接手一樁涉毒案他心裏都不停地嘀咕，認為自己從接第一樁毒品案起就是個傻瓜——當然他也感到非常得意，因為毒品管制處的人把事情搞糟了，證據被弄得面目全非，使這個案子成了典型的「法律技術問題」。他在四天之中掙了五萬美金，而且這次成功地使他在販毒集團中「一舉成名」——這些集團有的是錢，可以聘請到一流辯護律師。對這些人很難加以拒絕。他們曾經殺掉過得罪了他們的律師，這就足以令人毛骨悚然。但他們付給的酬金很高，高得使他可以為那些付不起訴訟費用的窮當事人施展他的部份聰明才智而分文不取。這至少是他在想到替販毒集團辯護而輾轉不能成眠的夜晚，可以藉以自慰的地方。「你看，這些傢伙眼看就要被送上電椅了——他們是死定了的——我的辯護使他們減刑為二十年，而且八年就可以出獄。老天有眼，這個交易太他媽便宜了。」

「我覺得你還能幹得更漂亮些。」來人臉上毫無表情、語氣冰冷而機械化。對於一個沒有槍或從未摸過槍的律師來說，聽到這話確實感到心驚肉跳。

這個問題還有另一面。他們除了僱請他之外，還找了一位律師，但此人只是出謀劃策，並不直接插手此案。很簡單，這樣做是為了增加保險係數，從職業角度來看，多聽一個人的意見當然是有益的。這還意味著，販毒集團可以不必擔心他們僱來的律師在某些案子上與國家達成某種交易，因為這類事在他們自己的國家是有先例的。有人也許會說，在這個國家也不會例外。斯圖爾特本來可以盡量利用他從海岸防衛隊那邊來的消息，冒險把這個案子拒絕掉。他估計有百分之五十可能性。斯圖爾特在法庭上能言善辯，甚至可以說是口若懸河。可是達維多夫也絕非等閒之輩。何況世界上還沒有哪個律師能預言陪審團會對這類案件作出什麼裁決，更不用說是南阿拉巴馬州一個主張法治和秩序的陪審團了。替坐在他書房裏的這個人在幕後出謀劃策的無論是什麼人，在法庭上都不是他斯圖爾特的對手。他想，這個幕後軍師也許是個學究式的人物或者是個教書先生，給別人提供一些非正式諮詢，掙點外快。不論他或者她是誰，斯圖爾特都恨之入骨。

「如果我按你們的要求做，那我們就可能整個翻船。他們的確夠資格坐上電椅了。」那樣也意味著把海岸防衛隊裏那些犯了錯誤的水手們的飯碗給砸了，當然他們的過失與斯圖爾特的當事人相比是小巫見大巫。從道義上說，他作為律師有責任在法律以及職業道德規範允許的範圍內，盡量為自己的當事人辯護，尤其是在自己的學識和經驗——或者直覺——的範圍內替他們辯護。這種直覺非常重要，它雖然無法量化，但卻確實存在著。一個律師在法律這架天平上究竟應該怎樣進行平衡，這是法律學院花大量課程時間研討的課題。但在課堂上像演戲般地得到的答案，遠比在綠草如茵的校園外、實際生活中的案件的答案清楚得多。

「他們也可以被無罪釋放。」

斯圖爾特意識到，來人想請求撤銷起訴。在幕後出這個主意的肯定是個學究式的律師。

「我建議我的當事人接受我替他們爭來的這種結局。」

「你的當事人不會接受的。他們明天上午將會告訴你——是個什麼詞來著？準備破產？」來人陰險地笑了笑。「這就是給你的指示，再見，斯圖爾特先生，請留步。」他說罷便揚長而去。

斯圖爾特愣愣地看著書架，許久才拿起電話。現在打也好，讓達維多夫等著是沒有意義的。雖然外面有不少謠傳，但畢竟現在還沒有向公衆宣佈。他不知道達維多夫將作何反應。不過，不難預料他開始時肯定會怒氣沖沖地說：「我以為我們已經談好了的。」繼而他一定會斬釘截鐵地說：「好吧，我們來聽聽陪審團的意見！」達維多夫一定會使出渾身解數，所以在聯邦地方法院的這場較量將是一場重大的決鬥。當然法庭就是決鬥場，難道不是嗎？這將是一場運用法律、扣人心弦的唇槍舌戰。不過它也將像大多數類似的交鋒一樣，與是非曲直沒有多少關係，與實際發生在**帝國建設者號**遊艇上的事更沒有多少關係，與審判本身簡直風馬牛不相及了。

摩瑞現在在辦公室裏。回都市裡不過是個形式而已。他大部分時間睡在那兒，但他對它的瞭解遠不如他當年在地處倫敦格羅斯文納廣場的美國大使館當法律事務專員時，對在坎辛頓區的那幢官方公寓的瞭解。這很不公平。他花了很大力氣回到了美國政府的所在地華盛頓——可是在這裏政府機關任職的人都沒有什麼像樣的房子——外人會以為他從政府得到什麼好處呢。

星期天秘書不上班，所以摩瑞就得親自接電話。這個電話是透過他的私人專線打進來的。

「喂，我是摩瑞。」

「我是馬克·布萊特。海盜案情有發展，必須向你簡報。目標的律師剛才給達維多夫打了電話。他想改變他倆達成的交易，說要在法庭上見分曉；他要把那幾個海岸防衛隊的人送上被告席，還要在他們已經達成交易的基礎上把整個事情推翻。達維多夫很擔心。」

「你有什麼看法？」摩瑞問道。

「唔，他將恢復此案的本來面目；與毒品有關的蓄意謀殺。如果海岸防衛隊跟著倒楣，那就是公正裁決的代價。這是他的話，不是我說的。」布萊特最後特別補充了這一句。聯邦調查局的人很多都在司法部門工作，布萊特也是。「丹尼爾，不是根據他的，而是根據我的經驗來看，我覺得事情有點不妙。我並不是說達維多夫不行——在陪審團面前他的表現極其出色——可是被告律師斯圖爾特也不是等閒之輩。當地毒品管制處對他恨之入骨，可是這傢伙頗有幾分能耐。法律是一本糊塗賬。法官會怎麼說？取決於法官。陪審團會怎麼說？也取決於法官怎麼說和怎麼做。現在就像在賽季之前就要對下一輪超級杯橄欖球賽押賭一樣，根本無法考慮在地方法院審理後，到上訴法院裡會出現什麼局面。不管出現什麼情況，海岸防衛隊的人是在劫難逃了。太糟糕了，不管怎樣，達維多夫都會給這幫使他陷入如此糟糕境地的人一點顏色看看。」

「警告他們一下，」摩瑞說。他自忖這也許是一時衝動說出的話，但實際並不是。他相信法律，但他更相信正義。

「要重複一遍嗎，長官？」

「他們給了我們**海鰱行動**的契機。」

「摩瑞先生，」——親暱的「丹尼爾」的稱呼一下子變了——「我也許得把他們抓起來。達維多夫可以就本案組成一個大陪審團，而且——」

「先給他們個警告。布萊特先生，這是命令。我想當地警方會替他們找個好律師。把那個律師推荐給韋格納艇長和他手下的人。」

布萊特猶豫一會兒後答道：「長官，你讓我去辦的事可以被看成是——」

「馬克，我在局裏不是一天兩天了，也許幹的時間太他媽長了。」摩瑞的疲勞感——以及其他一些東西——使他說出這樣的話。「我不能眼睜睜地看著這些人遭到伏擊而坐視不救，他們是為我們做事的。就看他們在法律面前運氣如何了——不過他們所具有的有利因素的確是和那幫混蛋海盜一樣！我們有負於他們。這是我的命令，你把它記錄下來。去執行吧！」

「是，長官。」不過摩瑞知道布萊特還有幾個字沒說出口，那就是「他媽的！」

「那這個案子還需要我這方面給你什麼幫助？」

「不用了。法律證據都已齊備。從這方面看已是鐵證如山。去氧核醣核酸與被檢測者的精液化驗相符，去氧核醣核酸血樣化驗與兩名受害者的相符。妻子是個捐血者，我們在紅十字會的血庫裏找到了她捐的一夸爾血。另一個則是女兒的。達維多夫可能根據這一條就把它獨立出來。」去氧核醣核酸測定比較法是一項新技術，它正在成為聯邦調查局取證的絕招。加州有兩個男人因強姦謀殺罪將被送進毒氣室，而取證靠的就是由局裏兩位生化專家發明的這種經濟簡便的實驗室測定法。

「有事就直接給我打電話。這一案件與伊邁謀殺案直接有關，我要全力以赴把它搞清楚。」

「是的，先生。真對不起，星期天還來打擾你。」

「沒關係，」他笑著說，並隨之掛上了電話。他把轉椅轉向窗戶，看著賓夕法尼亞大道。這是個令人愉快的星期天下午。人們像朝聖者一樣在歷屆總統都走過的大道上漫步，並時而在沿街的小販攤子上買些冰淇淋或T恤之類的東西。在大道那一頭，國會山莊那一邊是旅遊觀光的人們望而卻步、極力迴避的地方。但也有人經常光顧，他們也像朝聖者，也時而停下來買點東西。

「該死的毒品啊！」他輕聲詛咒著。這些毒品還要造成多大的破壞呢？

中央情報局外勤副局長此刻也在辦公室。**變星**在兩個小時內連續發出了三次信號。對方會作出反應，這本在意料之中，但看來他們的行動比他料想的更迅速，組織得更嚴密。當然他事先也考慮到了，他之所以動用這部份軍隊，也完全是考慮到他們的野戰技能……以及誰也不知道他們的身分這一點上。他如果從北卡羅萊納州布拉格堡的約翰·甘迺迪特種作戰中心挑選綠扁帽特種部隊，或者從喬治亞州斯圖爾特堡選調突擊隊，或者從麥克迪爾的特種作戰司令部抽調人員——從一個小單位調出人就顯得太多，會引起別人的注意。輕步兵有四個整編師，駐防地區廣，從紐約州到夏威夷共有四萬餘人，而且都具備精銳部隊的作戰技能；從四萬人當中調走四十個人，相形之下要隱蔽得多。有些人是會犧牲的。他知道這不可避免，而且他相信士兵們自己也明白。他們是寶貴財富，但財富有時也是會消耗掉的。這是殘酷的，但也是很現實的。想平平安安的人就不會選擇當步兵了。這四十個人至少都是第二次應召入伍了，而且都是自願選擇徵兵廣告上明明白白寫著的這種具有潛在危險的兵種。這些人不是被隨便投入叢林地帶，然後讓他們進行自衛的政府雇員。他們是職業軍人，知道該怎麼辦。

至少，這是賴特的想法。可是，他又自問道：*連你都不知道怎麼辦，他們又何嘗能夠知道呢？*

這次行動正在完全按預定方案進行著，而且是在實地進行，太精彩了。看來克拉克利用幾個孤立的暴力事件挑起卡特爾內部火併這一招正在奏效，否則埃斯科韋多遭到伏擊作何解釋呢？科特茲和他的上司死裏逃生的事使他很高興。隨之而來的將是報復，混戰的局面，而聯邦調查局就可以不動聲色地坐山觀虎鬥了。

賴特知道，明天記者們就會開始提出各種問題。面對這些問題，局裏肯定會反問說：是誰幹的？我們？使他驚奇的是，他們竟然到現在都沒有提過這些問題。現在這塊拼圖板不是正在往上拼，而是已經開始向下拆了。**突擊兵號**率領的艦羣將回師北上，在駛回聖地牙哥的緩慢航行中繼續進行其艦隊演習。中央情報局的代表已離艦，帶著第二盒也是最後一盒卡帶踏上了歸途。其餘「演習用」的炸彈將全部投向漂浮在海上作為浮靶的救生筏。加州海軍武器試驗基地從未正式發表過有關情況，可是誰也不會注意到這一事實。萬一有人注意到了呢？那就糊裏糊塗地搪塞過去——就說這類事是經常有的，不足為奇。不過，最難辦的就是在實地執行任務的部隊。他完全可以安排立即把他們空運出來，但他覺得最好再暫緩幾天，因為也許還用得著他們。只要他們小心些，就不會有大問題。他們的對手不可能有他們這麼良好的素質。

「怎麼辦呢？」約翰斯上校問齊默爾。

「得換發動機。這部已被打壞。氣缸還好，主要是壓縮機不行了。也許家裡的孩子們能把它修好，憑我們手頭這點東西，上校，那是修不起來的。」

「要多久？」

「如果現在就開始要六個鐘頭，上校。」

「好吧，巴克。」

他們帶了兩部備用發動機。機庫裏放了這架舖低三型直升機，再放那架提供空中加油和零備件的MC一三〇飛機就有些擠了。齊默爾揮手讓另一名士官按電鈕把庫門打開。他們要有一輛專用手推車和一臺起重絞盤才搬得動T—六四型渦輪軸發動機。

裝在金屬軌道上的庫門打開了，這時一輛卡車開進保養工作區，隨即從車上跳下一些人來。這是個大熱天——在運河地區，人們只有在電視上才能看見下雪——到了喝冷飲的時候了。卡車司機是巴拿馬人，大家都認識他。誰也不瞭解他什麼時候幹這一行的，不過他的收入倒滿不錯的。

他特別愛好飛機，經過多年的觀察，加上平素與維修人員隨便閒談，他對美國空軍的各項裝備已比較熟悉。如果有人僱用他，他會是一名出色的情報人員。他在任何情況下都不會做對不起他們的事。雖然他有些自傲自滿，他的車卻不止一次地出過毛病，他還得請這裡穿綠衣服的機械師替他修。他們當場就替他修好，而且分文不取——他們都知道他有孩子——每到聖誕節他們都給他和他的孩子們送點禮物。他還曾帶著兩個兒子坐過幾次直升機飛上天空，並指著基地外面他們家的房子給孩子們看。並不是每一位父親都能為孩子做到這一點的哦！他知道這些美國人並非十全十美，但還是比較公正的。如果你對他們以誠相待，他們還是很慷慨的，因為他們在同「當地人」打交道時並不指望他們有多誠實。現在他們跟統治這個國家的鳳梨臉狒狒樣的人之間有了麻煩，他們就更不指望什麼了。

他把可口可樂和點心分給大家吃的時候，看見了機庫裏橫著的那架舖低三型直升機。這是一架龐大的而且外觀造型非常好看的飛機。怪不得那兒有一架戰爪加油運輸機，還有幾個帶槍的哨兵擋住了他平日的行車路線。他對這兩種飛機都很熟悉。他絕不會洩露他所瞭解的這兩種飛機的性能，不過跟別人談起這裏有這兩架飛機該不算犯罪吧？

可是，當他下次收了別人錢的時候，對方就要他把這兩架飛機進出的時間記下來了。

在第一個鐘頭內，他們行進速度很快，隨後就恢復到平常那種緩慢、小心謹慎、十分警惕的行進方式。儘管如此，他們也不希望像這樣在光天化日下移動。雖然夜晚屬於輕步兵，白天卻屬於大家，而且若要教別人學狩獵，白天比夜晚的效果好得多。這些輕步兵在野戰方面的能力要超過那些可能前來襲擊他們的人——甚至要超過其他當兵的——但他們的優勢在白天行動中也受到很大的限制。他們就像賭徒一樣，桌上所有的牌都要加以利用。他們這樣做就下意識地避免了被有些運動員稱之為「公平」交手那種接觸。自從一個叫斯巴達克斯的鬥士認為既開殺戒就不要受任何限制，戰鬥就沒有「公平」可言了——羅馬人是過了幾代之後才接受了這種思想。

他們都像土著人一樣畫了臉，而且儘管天氣不冷，大家都戴上了手套。他們知道**演藝船行動**其他分隊至少在離他們十五公里的南邊，所以他們看見的不是無關的人，就是敵方的人，不會是自己人。對於設法隱蔽自己的軍人來說，「無關的人」是個十分模糊的概念。他們必須避免任何接觸，如果發生接觸，就要立即報告。

有些具體規定現在也不同了。他們改變了一字長蛇的行進方式，因為很多人走一條路線就可能留下痕跡。雖然查維斯仍是尖兵，大熊卻在他身後二十米處，而班裏其他人則呈一字排開，齊頭並進，而且像足球後衛那樣不斷地變換自己的位置，不過他們的活動範圍比足球場大得多了。很快地他們就要進行迂迴，看後面是否有人跟蹤。如果有，那跟蹤者遭到突然襲擊自然是咎由自取。目前的任務是轉移到預定地點，估計對手的動向並在那兒待命。

警官平常很少去格雷斯浸信會教堂去做晚禮拜，但這次卻去了。他去遲了，不過他的不守時已是遠近聞名的。他無論到什麼地方，總是開著他那輛沒有警察標記的裝著報話機的車。他把車停靠在排得滿滿的停車場的邊緣，然後走進教堂，坐在後排一個他確信別人能聽見他那副破鑼嗓子唱聖歌的位子上。十五分鐘後，一輛外觀很普通的汽車緊靠著他的警車停下，接著從車上跳下一個人來。他手執鐵棍，猛地朝警車右側前車門砸下去，然後拿走了警用報話機、儀表板下面的槍，還有那只放在車裏的公事皮包——皮包是上了鎖的，裏面裝滿了法律證據。轉眼之間，此人回到自己的車裏，開著車逃之夭夭了。只要帕特森兄弟寧死也不承認，這個案子就會不了了之的。警察總是老實人嘛。

第二十三章　遊戲開始

雖然雷恩外出已一個星期，上午的一些活動依然按部就班地進行。他的司機很早醒來，開著自己的車去蘭格利，從那兒把局裏的別克牌轎車開出來，並順便替雷恩取回一些文件。文件放在一個有密碼鎖和自毀裝置的金屬箱內。還沒有人找過這輛車或車裏人的麻煩，不過也難說今後不會出這類事。司機是中央情報局的保安人員，隨身帶著一把九公厘口徑的貝瑞塔九二－F型手槍，此外在汽車儀表板下面還放了一枝烏茲衝鋒槍。他受過特工訓練，在保衛自己的「首長」方面是個行家。他想到這位副局長，真希望這位上司住得離市區近些，或者能夠考慮他開這麼遠的路程而給他一點補貼。他開車上了首都環形公路的內環線，從公路立體交叉點上馬里蘭州的五十號公路。

傑克·雷恩六點一刻就起床了。將近四十歲的人，他覺得這個時間起床實在早了點兒。他早晨的生活和大多數上班幹活的人一樣。他妻子是醫生，所以他的早餐吃的並非是他喜歡的東西，而是健康食品。吃點脂肪、糖和食品防腐劑究竟有何不可？

七點還差五分。這時他已吃完早餐、穿戴完畢，報紙也看了將近一半。忙著打發孩子上學是凱西的事。他出門前吻了吻女兒，可是兒子小傑克卻認為自己已經長大，大人不必跟自己再來這一套了。局裏的別克牌轎車到了，到得比飛機和火車還準時、可靠。

「早安，雷恩博士！」

「早，菲爾！」雷恩總是自己打開車門，然後坐在後面右手的座位上。他先看**華盛頓郵報**、而且總要看看上面的漫畫，加里·拉森的漫畫連載總是最後看。**月球背面**漫畫欄是最受蘭格利人歡迎的，他們是每期必看。其原因不難瞭解。這時他們已上了五十號公路，加入了往華盛頓方向移動的車流。雷恩轉動著文件箱上的密碼鎖把箱子打開，然後用自己的識別證把自毀裝置鎖死。箱子裏都是機密文件，不過如果有人現在襲擊這輛車，那就不是衝著這些文件，而可能是衝著他來的了。在局裏，誰也不懷疑雷恩——或者其他人——在吸取信息方面的能力。現在雷恩有四十分鐘時間來瞭解從昨天晚上到現在（今天則是從上周末以來）的最新動態。到局裏後，在部門負責人和夜班人員向他作情況簡報時，他就可以向他們提一些敏銳的問題。

雷恩覺得先看報紙再看局裏的報告有點令人暈頭轉向。他對記者們寫的東西向來半信半疑——他們的分析往往靠不住——不過他們實際所做的工作與中央情報局的工作極其相似：蒐集與傳播信息。除了在一些技術性很強的——還有像武器控制這類極重要的——領域之外，他們和這些向局裏簡報的受過專業培訓的政府雇員相比，工作非但不遜色，有時還更加出色。當然，一名優秀的駐外記者的薪水要高於情報局裏一個相當於聯邦政府十二級雇員的工作人員的薪水。有錢就可以吸引一些有才幹的人。再說，記者還能寫書。這就是一條生財之道。這些年來，不少駐莫斯科記者就靠寫書發了一筆財。這些年來，雷恩懂得了所謂允許接觸保密資料，實際就是瞭解資料的來源。在局裏，他這一級所看到的資料和那些辦得較好的報紙上報導的情況實際上大同小異。所不同的是，他知道訊息來源，從而可以判斷其可靠程度。這種區別很微妙，但往往又很重要。

頭幾份是有關蘇聯的簡報。那兒發生了許多有趣的事，可是誰也不知道究竟是怎麼回事，也不知道將來又會如何。好嘛。他雷恩和中央情報局早就作過這類分析，連他也記不清什麼時候他們就開始這樣做過。人們總希望更好的。雷恩想到那個叫艾略特的女人，她對中央情報局的所作所為切齒痛恨——其實那些事它早就不幹了——而且還認為它是佯裝不知。要情報分析家去預測未來，就像要一名優秀體育專欄記者預測誰將能參加下一次聯賽一樣，談何容易。可是人們什麼時候才能清醒地認識這一點呢？就在全美明星棒球隊大賽開賽後，美國東部聯隊還有三個隊離領先分數還差幾個百分點呢。當然那是主持賭賽的人所關心的問題。雷恩心裏嘟囔著：可惜拉斯維加斯在關於蘇共政治局委員、公開性或「民族問題」將產生什麼後果之類的問題上沒設賭，否則倒是可以給他一些啓發。汽車開上環形道路時，他正在看一則有關拉丁美洲的報告。毫無疑問地，有個叫富恩特斯的毒梟被一顆炸彈炸死了。

哎，這豈不太糟了嘛？雷恩最初是這麼想的，可是他很快地從抽象思維回到現實之中。不，這種人死幾個沒關係。討厭的是，他是被美國飛機的炸彈炸死的。雷恩提醒自己：貝絲·艾略特就是因為這種事才恨中央情報局的。法官—陪審團—行刑者這東西，與是非毫不相干。在她看來，這個問題是政治權術，也許是美學。政治家所關注的是「問題」而不是「原則」，可是這兩個詞到了他們嘴裏似乎又成了一回事。

天啊，你當真有點星期一早晨那種玩世不恭的味道，是吧？

羅比·傑克遜究竟怎麼會悟出這件事的？這次行動誰安排的？萬一走漏了風聲會有什麼後果？

從好處去想：這事與我有什麼相干？如果有，那是為什麼？如果沒有，那又是為什麼？

傑克啊，這就是政治啊。政治怎麼進到你的工作中來了？政治應當進入你的工作嗎？

這也像許多其他事情一樣，本來都是極好的哲學討論題。雷恩所受的耶穌教的教育不僅使他能就這類問題展開討論，而且也使他對此發生興趣。他現在要辦的這件事並不是對某個原理或假說進行抽象檢驗。他必須拿出答案來。假如國會特別委員會裏有人向他提一個他無法迴避的問題怎麼辦？隨時都有這種可能。他能拖延回答的時間只有驅車從蘭格利到國會山莊這一段時間。

如果雷恩撒謊，他就得蹲監獄，晉陞就沒有指望了。

如果他老老實實地說自己對此一無所知，也許誰也不會相信、也許委員會的成員就不相信、也許陪審團的人也不相信。即使說老實話也難以自保。有這種想法不是很有意思嗎？

快到康乃狄克大道時，雷恩透過車窗看著環形道路邊上的摩門教的教堂。這座教堂風格獨特，富麗堂皇，既有大理石柱又有鍍金的塔尖。在信奉天主教的雷恩眼裏，這座壯觀的建築所代表的信仰似乎很奇怪，可是信仰摩門教的人也都是誠實勤勞、對國家極端忠誠，他們相信美國所支持的東西。這就很能說明問題了，難道不是嗎？他覺得一個人對某一件事不是支持，就是反對。任何傻瓜都可能反對某個東西，就像一個脾氣很壞的小孩雖然從未吃過某種蔬菜，卻硬說他不喜歡這種蔬菜一樣。這些摩門教徒支持什麼也不難看出。他們的收入要納教區稅，這就使他們把教堂建成了這座信仰的豐碑。中世紀的農民把生活中省吃儉用的錢拿來修建當時的大教堂也是出於同樣的目的。除了他們所信仰的上帝外，人們已把這些農民給忘了。那些大教堂是他們信仰的見證，現在依然那麼宏偉壯觀，依然被用於和當年一樣的目的。當年的政治問題有誰還記得呢？當年的貴族已連同他們的城堡一起不復存在，當年的皇家血統如今大多也斷了香火，當年所留下來的只有這座信仰的豐碑。人們所信仰的是在他們今生今世之外某些更加美好的東西，他們用自己的雙手把它鐫刻在這些豐碑之上了。還有什麼東西能更好地證明這一點呢？雷恩知道他絕非是想到這一事實的第一個人，確實不是。但能像雷恩這樣在這個星期一的早晨把這個問題看得如此入木三分的人恐怕是寥若晨星了。相形之下，權術竟顯得那樣的淺薄、短暫，猶如過眼雲煙，曇花一現而已。他得考慮下一步怎麼辦。他知道自己的行動可能會由其他人來決定。他知道該用什麼作指南、以什麼方式來決定自己的行動。他想目前這樣做已經夠了。

十五分鐘後，他的車進了總部大門，繞行到總部大樓前開進了車庫。雷恩把資料塞進箱子，搭電梯上到七樓。他走進辦公室時，南西已把咖啡機安排妥當。他的人五分鐘後就到齊，向他進行上午的情況簡報。現在他還有時間考慮一些問題。

剛才在環行路上不著邊際的幻想，一到辦公室這塊小天地，那些想法就淡薄了。現在該怎麼辦？雖然原則可以作他的指導，他在行動上還要講究點策略。問題是他一點線索都還沒有呢。

各部門負責人準時到會向他作簡要彙報。他們發現副局長今天上午寡言少語，心事重重的樣子，都覺得有些奇怪。往常他總要提幾個問題，講兩句幽默風趣一下，可是今天他只是點點頭，有時嗯兩聲，什麼也沒說。也許是因為他周末過得不甚愉快。

對別人來說，星期一上午有的要去法院，有的要見律師，有的則要面對陪審團。對莫比爾監獄的犯人來說，星期一上午是洗淋浴的時間，因為被告在上刑事法庭、在面對陪審團之前有權修飾一下自己的儀容。

監獄中的首要問題是安全。牢門打開後，犯人們圍著浴巾、穿著拖鞋，在三名有經驗的看守戒備的目光下走到過道的盡頭。因犯們起床之後抱怨幾句玩笑或者冒出幾句怪里怪氣的咒罵都是屢見不鮮的事。犯人們自己在一起時，或是在運動、吃飯的時候，往往形成種族上差別很大的羣體。但監獄裏有規定，不允許這類羣體存在——看守們都知道這往往是釀成暴力事件的根源。不過制定這些規定的法官只是根據一般原則而沒有從實際出發。再說，如果有人被弄死了，那是看守們失職，不是嗎？在執法人員中，最玩世不恭的是看守，連街上的警察見了他們也得退讓三分。犯人對他們咬牙切齒。平民百姓對他們也不以為然。他們對自己的工作缺乏熱情，首先考慮的是自身的安全。在獄中工作的危險性並非是聳人聽聞。死個把犯人當然肯定不是一樁小事——看守和警方都會來進行認真的刑事調查，有時聯邦官員也會來調查——但在看守們眼裏，死個犯人和死個看守相比，事情要小得多。

因此看守們個個都十分警惕。他們經驗豐富，知道哪些東西不能放過。當然犯人也很精明。在獄中發生的事，原則上跟在戰場上或者跟間諜之間的影子戰很像，當然雙方採取的辦法和對抗辦法因時而異。有些犯人更精明些，有些簡直是他媽的天才。不過還有一些犯人，尤其是年輕人就比較膽小怕事。他們的想法跟看守們的一致：在危險環境中怎樣活下去。對待不同類型的犯人要略微有所區別，對看守們的要求是相當嚴厲的。出些差錯也在所難免。

毛巾都掛在編了號碼的鈎子上。犯人們在看守們的監視下，拿著自己的肥皂赤條條地走進淋浴間。裏面共有二十個蓮蓬頭。看守的任務是防止有人把兇器帶進去。這個看守太年輕了，還不知道一個決心要幹某件事的人總能找到藏東西的地方。

亨利和哈維佔了兩個相鄰的淋浴蓮蓬頭，而且就在兩個海盜使用的蓮蓬頭對面。兩個海盜鬼使神差地找了個看守看不見的死角。帕特森兄弟相互遞了個眼色，覺得真是正中下懷。這兩個人狂妄是狂妄，但腦子卻不笨。此時兩人心裏都有點不自在。黏在那兩根四分之三英寸寬的暗筍上的膠帶很平滑，但也有稜角。他們鼓足了勇氣才裝得若無其事走進淋浴間。好不容易啊。熱水突如其來地噴出，浴室裏很快就霧氣騰騰。他倆把肥皂放在一個明顯的地方，為的是便於取攮子。而這兩把攮子稍微留心的人都能看出來，但他們知道看守是個新手。哈維朝浴室那頭的兩個人點了一下頭，於是一場無端的口角開始了。

「把他媽的那塊肥皂還給我，幹你娘！」

「幹你娘！」另一個若無其事地回敬了一句，他是經過考慮的。

接著對方一拳打過來，這邊則又一拳打過去。

「你們他媽的給我住手——給我他媽的滾出來！」看守吼道。這時又有兩個人捲入，其中一個知道其中緣由，而另一個則是個第一次進來的年輕人，所以心裏很害怕，不過也還手以保護自己。一場連鎖反應幾乎立即席捲了淋浴室。那名看守見鎮不住，就大喊快來人。

亨利和哈維轉身把攮子偷偷抓在手裏。拉蒙和赫蘇斯在看打架，並沒有向這邊看。他們知道自己不會捲入，但卻不知道這一切都是有預謀的。

哈維撲向赫蘇斯，亨利則去抓拉蒙。

赫蘇斯什麼也沒看見，只覺得一個褐色的影子撲了上來，胸口上已挨了一下，接著又是一下。他低下頭，看見鮮血像泉水似地從那個已刺中他的心臟的洞裏噴了出來——每一次心跳都使那兩個洞不斷擴大——接著那隻褐色的手又扎了一下，第三股鮮血與先前兩股合為一股。赫蘇斯驚恐萬狀，想用手捂住傷口把血止住。他不知道大量血液已流進了心包囊，造成了充血性心臟衰竭，命在旦夕了。他向後倒在牆上，然後像泥一樣攤了下去。他連自己怎麼死的都不明白。

亨利知道自己手段厲害，想儘快解決問題。拉蒙更好對付，因為他見大禍臨頭，轉身就想溜。亨利把他逼到貼有瓷磚的牆邊，一攮子戳進了他的太陽穴。他知道那兒的顱骨薄得像蛋殼。攮子戳進去後，他還在裏面攪了幾下。拉蒙像被抓住的魚一樣掙扎了幾秒鐘就斷了氣。

兄弟倆分別把攮子放在對方的手裏——淋浴蓮蓬頭裏的水向下沖，所以不必擔心會留下指紋——然後把兩具屍體推在一起。他們站到噴頭下趕緊把渾身上下沖洗了一遍，同時還互相幫忙把濺在身上的血跡沖洗乾淨。這時亂哄哄的局面已經收場。那個因一塊肥皂而爭吵打架的人已握手言歡，同時還向看守表示道歉，然後還把澡也洗完了。浴室的霧氣越來越大。帕特森兄弟繼續徹底擦洗全身。在考慮證據時，清潔是僅次於聖潔的東西。五分鐘後水停了，犯人們魚貫地走出浴室。

看守清點人數後發現少了兩個——清點人數是獄中看守的本領。出來的十八個人邊擦乾身上的水，邊互相你摸我戳的，這在全是男犯人的監獄裏是常有的事。看守把頭伸進浴室，剛想用在高中學的那點西班牙語喊幾聲，卻看見霧氣的下層好像有人躺著。

「哦，我操！」他轉過身就高喊著，叫其他看守快過來，接著對犯人吼道：「你們誰他媽的都別動！」

「怎麼回事啊？」不知是誰問了一句。

「嘿，我說，還有一個鐘頭我就要出庭了，」另一個聲音說道。

帕特森兄弟把身上擦乾，穿上拖鞋，一聲不吭地站著。那些同謀的人相互遞著眼色，都感到很得意——他們剛才輕而易舉地殺了兩個人，而一個看守就在十五英尺外的地方站著——他們兄弟倆已沒有必要交換眼色了，因為雙方都知道對方在想什麼：自由。他們又殺了兩個人反倒可以逃避上一次殺人的罪責。他們心裏有數，警察是會合作的。那個警官是個好警察，好警察是會信守諾言的。

兩名海盜死亡的消息不脛而走，其傳播速度之快連新聞媒體也望塵莫及。消息傳到警官那兒時，他正坐在辦公桌面前填寫意外報告。他聽到這一消息後點了點頭，接著繼續寫那份使他很尷尬的報告。他必須說明他那輛帶無線報話機的警車如何被砸，一具價格很貴的無線報話機、一個公文包，還有一枝槍是如何丟失的。丟失武器是最嚴重的事故，為此要寫出各種報告。

「也許上帝以這種方式告訴你應該待在家裏看電視，」另一位警官說。

「你這個不信神的臭小子，你知道我最後決定——哦，該死！」

「怎麼啦？」

「帕特森兄弟案。那些資料全在公文包裏，我忘了拿出來了，現在全都丟了。杜安，資料全丟啦！檢驗報告，照片全都丟啦！」

「地方檢察官會喜歡你的，夥計。你等於是把這兩兄弟放虎歸山啦。」

值得啊，不過這話警官是不會說出口的。

在四段街區外的斯圖爾特辦公室，他拿起電話後大大地鬆了口氣。當然，他知道自己應該感到羞恥，不過這一次他不會為自己的當事人感到惋惜。使他感到惋惜的倒是這個沒有能救他們命的制度。但他覺得他們死不足惜，因為他們活著對誰也沒有好處。再說，律師費他已提前拿了，跟販毒集團打交道的律師都是這麼精明。

十五分鐘後達維多夫檢察官發表了一項聲明，憤怒譴責聯邦監獄裏發生的這種犯人死亡事件，並說要由聯邦當局派出適當的人員對死因進行調查。他還說他本來準備讓他們受到法律的制裁，根據法律判處他們死刑和像這樣不明不白地死在獄中完全是兩碼事，總之，這是一份措辭絕妙的聲明。它將成為午間和晚間新聞廣播的內容，這比這兩個囚犯的死更讓他高興。如果這場官司打輸，他當選參議員的美夢也就隨之破滅。現在人們會說真是善有善報，惡有惡報哇，而且他們會把他的聲明、他的形象和這件事聯想在一起。這簡直就是判決。

•

•

•

帕特森兄弟的律師在場，這自不必說。律師不在場時他們從來不跟警察說什麼——至少這位律師是這麼想的。

「嘿，」哈維說，「別人沒打我，我也沒打人。我聽見有人亂打，好像是。沒別的。這地方像這種事，不看最聰明，是不是？不知道最好。」

「看來我的當事人對你們的調查提供不了什麼情況，」律師對前來調查的偵探說。「有沒有可能像是他倆互相殘殺呢？」

「我們還不知道。我們正在向當時在場的人進行調查。」

「我明白。那麼你們不會考慮指控我的當事人與這件令人遺憾的事有牽連吧？」

「目前還沒有，律師，」年長的那個偵探說。

「那好，我想把它記錄在案。我的當事人對與你們調查的有關情況並不瞭解，這我也要記錄在案。此外還要記錄在案的是，我不在場時你們不可以向我的當事人提出問題。」

「好的，先生。」

「謝謝你們。好了，請二位原諒。現在我想和我的當事人單獨談談。」

他們談了大約十五分鐘時間。這時律師一切都明白了。從形而上學的角度、從法律或者任何與法律道德有關的角度來說他不「知道」——但實際上他已經知道了真相。根據職業道德規範，他要進行這種投機，就不可能不違背作為一名司法人員所立下的誓言。於是他做了他所能做的事。他在自己當事人的謀殺案中增加了一份先悉權請求，當晚又增加了一份他所不瞭解的情況的證詞。（編者按：discovery

先悉權：在法律上，指有關訴訟各方在審判前交換材料的程序。）

「早安，法官！」雷恩說道。

「早安，傑克。這事得快，再過幾分鐘我就要到外地去了。」

「局長，如果有人問我在哥倫比亞究竟發生了什麼事，我怎麼跟他說？」

「我們沒讓你插手此事，對吧？」穆爾說。

「是的，局長，你們沒有。」

「我是奉命行事。命令的來頭你是可想而知的。我能告訴你的是，我們情報局沒炸死過任何人，行了吧？我們是在那兒組織了一個行動，但並沒有放汽車炸彈。」

「這我就有底了，法官。我本來就認為我們不會去搞什麼汽車炸彈的。」雷恩的話說得很輕鬆。哦，見鬼！法官他也？「那麼如果國會召見我，我就這麼說行不行？」

穆爾笑著站起身。「傑克，你要學會跟他們打交道。不容易呀，而且也很沒意思。不過從我今天上午聽到的情況來看，我想你會發現他們辦事很認真，比福勒他們那幫人要好。」

「也許要好些，局長，」雷恩承認。「我想上次是那位海軍中將處理的。我當時飛往外地之前真該多向他瞭解一些情況。」

「傑克，我們並不苛求你十全十美。」

「謝謝你，局長。」

「我得趕搭往加州的班機。」

「一路平安，法官。」雷恩說著出了門。他走進自己的辦公室，關上門後，剛才那副不露聲色的樣子才放鬆下來。

「哦，我的天呀，」他自言自語道。如果穆爾也在一本正經地撒謊，那就很能容易使人信以為真。好在還沒有信它。這謊是精心設計的，而且肯定是預先策劃、進行過預演的。還說並沒有放汽車炸彈。是沒有，你們是讓海軍替你們扔的。

好吧，傑克，下一步你怎麼辦？

他不得而知。他這一整天都會為此愁眉不展。

到星期一拂曉，他們心中的疑團已經解開。進到山裏來的那幫人沒有離開，而是在南邊幾公里處，他們自己的營地帳篷裏過的夜。現在查維斯可以聽見他們在四處亂闖。他還聽見一聲槍響。不管這一槍是打的什麼目標，反正不是他班裏的人。也許是隻鹿或者其他動物。也許是其中有個人滑倒後槍走火。這顯然是不祥之兆。

他把全班收編到一個密集型防禦陣地上，有比較理想的可利用的地形地物，比較容易發揮火力的林間射界。最理想的是陣地較隱蔽。他們離水源較遠，好在他們在途中已把水壺灌滿。誰想來追殺這些當兵的，那是找死。他們還將找一個制高點，不過眼前這塊陣地也挺好。陣地前的山坡上樹木叢生，有人上來不可能不發出響聲。背面的山坡地勢較險。從班陣地上可以看見通向那個制高點的幾條小路，所以他們可以在這裏伺機而動，必要時還可以轉移出去。拉米雷茲看地形的確有一副好眼力。目前他們要盡量避免接觸；如果迫不得已，那就打了就走。在這片叢林山地中，查維斯和他的戰友們不是唯一的獵手。他們誰都不會承認自己害怕，但他們都倍感疲勞。

查維斯處於陣地外圍一個觀察哨位上，從那兒他可以看清通向班陣地幾條明顯的通道，還能看見一條必要時可以回到那邊去的隱蔽小道。格拉和他在一起。拉米雷茲把兩枝班用機槍都留在自己附近。

「也許他們會走開的。」查維斯小聲地自言自語道。

格拉不以為然地說：「老兄，我想也許我們拽他們尾巴的次數太多了，現在我們需要有個深深的洞。」

「聽聲音他們好像停下來吃午飯了。不知要多長時間？」

「也好像是在到處亂掃一通，好像他們覺得自己是掃帚一樣。如果我判斷不錯的話，他們會從那個地方爬上來，然後沿那個小山坡下來，再朝我們這邊一直過來。」

「帕科，也許你說得對。」

「我們應當轉移。」

「最好在晚上。我們既然已經知道他們在幹什麼了，就可以設法避開他們。」

「也許吧。看樣子要下雨。他們也許不會待在這裡，像我們這些傻瓜一樣等著挨雨淋，你覺得呢，丁？」

「再過個把鐘頭自有分曉。」

「那能見度也就他媽完了。」

「是啊！」

「你看那兒！」格拉用手指著。

「看見了。」查維斯把望遠鏡對著遠處的一排樹木，一下就看見兩個，不到一分鐘又看見了六個。即使從幾英里外，他也看出他們顯然有些上氣不接下氣。有個人停下來，喝了一口——是啤酒？查維斯心裏嘀咕——這傢伙站在那兒是想當活靶？這幫人是幹什麼的？他們穿著便衣，一點都不懂得如何隱蔽自己。他們也有查維斯那樣的子彈帶。他們的槍明顯的都是有折疊式槍托的AK—四七式。

「六號，我是**尖刀**，請回話。」

「我是六號。」

「發現八個——不，是十個帶AK式步槍的人。我在二—〇—一高地東南方大約半公里的山坡上。現在沒多大動靜，只是站在那兒。完畢。」

「他們朝哪個方向看？完畢。」

「只是東張西望，長官。完畢。」

「有情況即刻向我報告！」拉米雷茲下達命令。

「是。通話結束。」查維斯再次拿起望遠鏡。他看見有個人向山頂方向揮了揮手，另外三個人開始朝那個方向移動，但顯然很不情願的樣子。

「怎麼回事？這些龜兒子想他娘的上山？」查維斯問道。格拉一時答不上來，不過他不知道查維斯是在學一個從韓國回來的士官講話呢。「帕科，我想他們開始感到疲勞了。」

「好，也許他們就要回去了。」

這三個人的確感到很疲勞。他們慢吞吞地向上爬著。到了山頂後他們朝山下喊著，說他們什麼人也沒看見。山下那羣人大多數都站在那塊林間小空地上，查維斯有點驚訝，哪有這樣像傻瓜似地站在那種地方的？對軍人來說自信是好事，可是這哪裏是什麼自信？這些人不是當兵的。在這三個人大約下至半山腰時，雲層已遮住了太陽，接著就下起雨來。在山的西側下了一場熱帶大雷雨。兩分鐘後，第一道閃電劃破長空，一道閃電就打在剛才那三個人爬上去的那座山頂上。那閃電擊在那兒滯留的時間雖然只有幾分之一秒，但已長得令人瞠目。它像一個憤怒的天神把手指戳在那兒一樣。頃刻之間到處電閃雷鳴，傾盆大雨直瀉而下。剛才還是無限的能見度，現在最多只有四百米半徑的可視範圍。半透明的雨簾位置在不斷移動變化著。查維斯和格拉不安地相互看了看。他們的任務是監視和監聽，可是現在他們既看不清也聽不清。更糟糕的是，等暴雨過後，周圍的一切都將是濕漉漉的。即使有人踩在上面，植物的枝葉也不會折斷而發出聲音，潮濕的空氣對聲音有吸收作用。這羣一直處於他們監視之下的笨蛋可能因此而接近離前哨陣地很近的地方不被發現，當然，在這種情況下如果他們班進行轉移，也能做到很快地離開而不被對方發現。自然環境一般總是不偏不倚的，誰善於利用它，它就會對誰有利。有時環境也對雙方都不利。

暴風雨持續了一個下午，雨量達好幾英寸。閃電不停地在查維斯他倆周圍一百碼內肆虐。突如其來的電閃雷鳴他倆都是第一次見識，那陣勢就像遭砲擊一樣令人心驚肉跳。暴風雨過後，氣溫降到華氏五十多度。一切都是冰涼潮濕，顯得格外陰沉。

「丁，快看左前方！」格拉急忙小聲說。

「哦喲，他奶奶的！」查維斯也沒必要再問他們怎麼靠得這麼近的。由於雷鳴的緣故，他倆的聽力尚未完全恢復。滿山遍野都是濕漉漉的。在不到二百米的地方有兩個人。

「六號，我是尖刀。在我東南二百米發現兩個人，」格拉向上尉報告說。「我們在待命中。完畢。」

「瞭解，隨時待命，」拉米雷茲回答道。「要沉住氣，帕科。」

格拉把報話機開關撥到回答位置。

查維斯小心翼翼地把槍慢慢移到射擊位置。他摸了摸槍保險是關著的，便把拇指按在保險上。他知道，由於地形和樹木的掩蔽，別人幾乎是看不見他們的。他倆都用油彩把自己塗成土著武士的模樣，即使從五十英尺開外，也看不出他們與周圍環境有何不協調。他們必須文風不動。人的眼睛能很快發現移動目標，只要他們不動就不易被發現。從這裏也可以看出來，為什麼軍隊訓練士兵要嚴守紀律了。他倆都希望自己身上穿的是迷彩服，不過現在再想已是馬後砲了。好在卡其布本身是褐色，何況上面又沾了泥水。他倆每人觀察一個扇面，配合默契，因為這樣一來，頭就無須來回轉動。他們知道低聲耳語也可以，但沒有十分重要的情況，他們是不會這樣做的。

「我聽見背後有動靜，」十分鐘後查維斯說。

「最好看一看，」格拉回答道。

查維斯的動作很小心，三十多秒鐘才轉了個身。

「噢哦，」他看見有幾個人正把鋪蓋放在地上。「要過夜呢。」

情況已十分明顯：他們所監視的這些人仍在執行搜索任務，現在要在他們的哨位附近紮營過夜了。他們可以看見或聽見有二十幾個人。

「今晚有好戲看囉，」格拉耳語道。

「是啊，我也該撒泡尿啦。」這也算一句小小的玩笑話。查維斯抬頭看看天：依然是濃雲密佈，而且還下著小雨。天黑會提前，也許會提前兩小時。

敵人分成三個組，這種做法並不笨。但每個組都生火做飯就太笨了。他們吵吵嚷嚷，就像在鄉間酒吧裏一樣聊起天來。查維斯和格拉抓住這個機會打開了報話機。

「六號，我是**尖刀**，請回話。」

「我是六號。」

「六號，呃……」查維斯有點猶豫。「這些壞傢伙在我們附近立起了帳篷。他們還不知道我們在這兒。」

「告訴我，你們打算怎麼辦。」

「還沒有什麼打算。我想等天黑以後我們就出來，到時候再向你報告。」

「瞭解。通話結束。」

「出去？」格拉小聲問。

「讓他擔心沒什麼意思，帕科。」

「嘿，朋友，我可真他媽的擔心呢。」

「擔心不能解決問題。」

雷恩仍然沒找到答案。他在經過一天似乎很正常地忙忙碌碌地處理信件和報告之後離開了辦公室。其實他並沒有完成幾件事。干擾太多，趕也趕不散。

他告訴司機去貝塞斯達海軍醫院。他事先沒打電話，不過去那兒似乎並不反常。警衛這間重要人物套房的保安人員還是那麼健壯。他們都認識雷恩。他走近門口時，警衛很難過地向他搖了搖頭。雷恩很清楚這種暗示的含義。他先停住腳步，鎮靜一下才進去。不能讓葛萊看出來探望他的人臉上有震驚的表情。不過雷恩的確感到很震驚。

葛萊現在瘦得只剩皮包骨，連一百磅都不足。他曾經是指揮艦艇、率領海軍將士為國家衝鋒陷陣的職業海軍軍官。他為國家效力了五十個春秋，現在卻在醫院病房裏臥床不起。這將不只是一個人生命的終止，也是一個時代的終止，一種行為規範的終止。五十年的經驗、智慧和判斷力都將悄然逝去。雷恩在病榻前的椅子坐下，並揮手示意保安人員暫時迴避。

「嘿，頭兒。」

他睜開眼。

現在我該說什麼呢？你感覺好點兒嗎？還有些事要告訴這個將不久於人世的人呢！

「這一趟結果怎麼樣?」他的聲音微弱。

「比利時沒問題。大家都問候你。星期五我向福勒簡報,就像你上次一樣。」

「你覺得這個人怎麼樣?」

「我覺得在外交政策上得有人幫助他。」

他笑了笑:「我也這麼想。不過演講的口才還不錯。」

「他有個助手叫艾略特,是個本寧頓的娘們,很討厭。我跟她一點也談不攏。她說如果她的主人勝了,我就得捲鋪蓋。」他不該提這件事。葛萊想動一動,可是動彈不了。

「那你就去找她,親她一下表示和解。如果你想到本寧頓去討好她,那就去嘛。你什麼時候才會學會低下你那顆愛爾蘭人高貴的頭?有空的時候你可以去問問巴茲爾,看他喜歡不喜歡他不得不為之工作的人。傑克,你是在為國家服務,不是為你所喜歡的人服務。」這比挨職業拳擊手揍一下還厲害。

「是的,長官,你說得對。有很多東西我還得學。」

「要學就要快,夥計,我教不了幾課了。」

「別這麼說,將軍。」他像個孩子似地央求道。

「我已是苟延殘喘之人,傑克。和我一起當兵的人,有的五十年前就戰死在沙沃島了,有的死在萊特島,有的葬身於大海的其他地方。跟他們相比,我幸運多了。現在我也該去了。你應該來接替我。我要你接替我,傑克。」

「我的確需要人指點迷津啊,將軍。」

「哥倫比亞？」

「我本來可以問你是怎麼知道的，但我不問。」

「當亞瑟·穆爾這樣的人不敢正眼看著你的目光，你就知道有些事情不對勁了，他星期六來過，就不敢看著我的眼睛。」

「他今天還跟我當面撒謊。」雷恩作了五分鐘的說明，把他所知道的、懷疑的和擔心的事大概說了一遍。

「所以你想知道該怎麼辦？」葛萊問。

「我需要有人指點，將軍。」

「你不需要，傑克。你很精明。必要的關係你都有。而且你也知道是非事理。」

「可是關於——」

「政治？那種狗屁東西？」葛萊幾乎笑出了聲。「傑克，你知道，當你像我這樣躺著的時候，你知道自己會怎麼想嗎？你會想到那些如果還有一次機會你還會重做一次的事情，所有的錯誤，所有那些你本來不該那樣對待的人，你如果想到上帝那也不錯。傑克，永遠不要真正地後悔，即使它可能會傷害一些人。你當海軍陸戰隊少尉的時候就對上帝發過誓。現在我明白為什麼要那麼做了。它並不是一種威脅，而是一種幫助。它不斷提醒你，你的誓言是多麼重要。思想很重要，原則很重要，誓言也很重要，而且是最最重要的。你的諾言就反映了你是個什麼樣的人。這是我上的最後一課，傑克，從現在你必須繼續走下去。」他稍稍頓了頓。傑克可以看出雖然用了很大劑量的藥物，他仍然很痛苦。「你是有家有眷的人，傑克。回到他們身邊去，轉達我對他們的愛，告訴他們我認為他們的爸爸是個好人，他們應當為他而自豪。晚安，傑克。」說完他便昏昏睡去。

過了好幾分鐘雷恩才站起來。這時他已控制住自己，拭乾了淚水，走出房間。正巧醫生要進去，雷恩攔住他，說明了自己的身分。

「不會太久了，最多一個星期。我很遺憾，不過這種病從來就沒多大希望。」

「讓他舒服一些，」雷恩輕聲說，近乎哀求。

「我們已經這麼做了，」這位腫瘤醫生說。「正因為如此，他大多數時間才昏睡不醒的。醒著的時候他的思維仍然很清楚。我跟他有幾次談得很投機。我很喜歡他。」這位醫生對失去病人已感到司空見慣，但每次都覺得是很遺憾的事。「再過幾年我們也許就能挽救他的生命了。醫學的進步太慢了。」

「是不快。你已經盡力了。謝謝你，醫生！謝謝你對他的細心治療。」雷恩搭電梯下到底樓，讓司機把他送回家。途中他們再次經過摩門教教堂——泛光燈把這座大理石建築照得通明。他並不十分確定下步棋怎麼走，但對於一件將不得已而為之的事心中已打了個譜。他已對一個將不久於人世的人暗暗發了誓，而且是個非常重要的誓言。

雲層正在散開，很快就會透出月光。是時候了。敵人派出了崗哨。他們來回移動的樣子就跟守衛毒品加工廠的人的樣子如出一轍。火堆還燃燒著，但說話聲已漸漸停止。這些疲憊的傢伙已逐漸進入夢鄉。

「我們一起往外走，」查維斯說。「如果他們發現我們匍匐前進，就會知道我們是壞人。如果看見我們走動，還可能以為我們是自己人。」

「言之有理，」格拉表示同意。

兩人都把槍斜掛在胸前。如果敵人看見他們的樣子，肯定會發現問題，但他們身後的背景比較暗，而且他們隨時可以用上手中的武器，必要時查維斯可以用那把MP五 SD二型消音衝鋒槍，神不知鬼不覺地把敵人幹掉。格拉抽出了砍刀。這刀的刀面作過發藍陽極處理，只有鋒利的刀刃閃著寒光。格拉用刀是拿手好戲，而且總喜歡把它磨得鋒利。他還會左右開弓，左手持刀，右手則握著M十六步槍。

他們班已移動到離敵人營地一百米左右的地方，這樣他們倆在穿過敵營時如發生意外情況，他們就可以提供支援。當然最好是沒有這種必要，因為這種支援法很難做到萬無一失。

「好吧，丁，你開路。」論資格查維斯不如格拉，但現在不是憑資格而是憑本領。

查維斯朝下山的方向走，並盡可能利用地形地物作掩護。接著他向左一拐便朝北向安全地帶走去。他的微光夜視鏡放在班用掩體中他自己那只背包裏了，因為天黑之前本來是有人來接替他的。查維斯的夜間視界受到了限制。很大的限制。

他倆悄然無聲地向前移動。潮濕的地面對他們的移動極為有利，不過他們走的地方植物過於茂密。到安全地帶雖只有三四百米，可是卻顯得如此漫長。

他們沒有走山間的小道，但有時也無法完全避開。正當他們橫穿過一條蜿蜒曲折的小道時，十英尺開外出現了兩個人影。

「你們在那兒幹什麼？」其中一個人問。查維斯朝對方擺擺手，希望這個友善姿態能堵住對方的口，但那人卻想走過來看看是誰。他的同伴緊隨其身後。等那人大致看清查維斯攜帶的武器不對勁時，一切都來不及了。

查維斯雙手握住掛在雙環背帶上的衝鋒槍，把它轉到前面，噗地一發子彈鑽進了那人的下巴，而後從天靈蓋上穿了出去。格拉手持砍刀轉過身，就像電影裏的鏡頭一樣，另一個人的腦袋就搬了家。他和查維斯跳上去抓住那兩個死鬼，以防他們倒下時發出大的聲響。

糟糕！查維斯在想。現在他們就會發現這裏有人來過。把屍體拖到一個地方藏起來是來不及了——那就可能又遇上敵人。他心想如果那樣，還不如在兩具屍體上再做些文章。他把那個腦袋找了回來，讓被格拉殺掉的那傢伙用雙手捧著放在胸脯上。這就像一種警告：**別他媽跟我們過不去**。

格拉點了點頭，查維斯又繼續在前面開路。十分鐘之後他們聽見右邊有人吐唾沫。

「我已注意你們老半天了，」大熊的聲音。

「沒事吧？」拉米雷茲小聲問。

「碰上兩個傢伙，被我們收拾了，」格拉答道。

「趁他們還沒發現，我們馬上轉移。」

可是情況突然發生了變化。他們聽見有個人重重倒下的聲音，接著是一聲大吼、又一聲尖叫，一陣AK—四七猛烈的射擊——不過是對著別的方向——這聲音足以驚醒方圓一兩公里之內的任何一個人。全班人員都拿出了夜視鏡，為的是看清道路，儘快通過這塊林地。他們身後的營地上已是人聲鼎沸。他們馬不停蹄地走了兩個小時。衛星通訊網傳來消息：他們已成了被追捕獵殺的目標。

在離佛得角羣島一百英里的地方，一場強烈風暴正在迅速生成。幾天來，衛星攝影機一直在以幾路不同的光頻監測這場風暴。只要有相應的地面接收設備就能收到相關的衛星雲圖。為避開這場風暴，船隻紛紛改變航向。這風暴原先是西非沙漠地區在幾乎是有史以來最炎熱的夏季所產生的乾熱空氣，它被由東向西的信風吹動，夾帶著潮濕的海洋空氣，形成了強大的積亂雲，數百朵的積亂雲開始相互合併，雲幕低垂在溫暖的洋面上，吸收了大量的熱量，使雲層如虎添翼。只要遇上熱雲雨團，風暴就可以自然生成。國家颶風中心的人也不知道這場風暴是如何形成的——或者說為什麼以前有過類似情況卻很少生成這樣的風暴——但現在它正在形成。一位主任科學家正在電腦前以快進快退的方式搜索著衛星雲圖的照片。他看明白了。雲團在空中某一點上開始逆時針方向移動。它正在逐步形成一場大風暴，它的旋轉強化了其自身的內聚力和威力，它似乎知道這樣它就可以更加生龍活虎。它並不是今年最早生成的風暴，不過今年的氣候條件極其「有利於」風暴的生成。它們在衛星雲圖上顯得十分壯觀，就像某些現代派的藝術作品：蛛網狀的雲織成的羽狀彩色風車。這位科學家心想，**要不是會造成那麼多人傷亡，那從雲圖上看它們的確很壯觀**。仔細考究起來，既然它們造成上百乃至於上千的人們傷亡，那麼只給它們編上號就不夠味兒了，該給它們取名字。眼前這個風暴可能就屬於這一類型。這位氣象學家心想，目前他們還只稱它為熱帶低氣壓，但如果它規模不斷擴大、威力不斷增強，它就會形成熱帶風暴，那時他們就把它定名為**阿黛爾**颶風。

在克拉克看來，電影上的情節只有一點比較真實可信，那就是酒吧往往是間諜們接頭見面的地方。酒吧在文明國度裏有很大作用。男人們常光顧那兒喝點什麼，與其他人交往交往。在燈光昏暗、不引人注意的酒吧間聊聊天，說話的聲音傳不了多遠，因為音樂的吵鬧聲太大。拉森到得略微晚了些。他躡手躡腳來到克拉克身邊。這家酒吧裏沒有小圓凳，只有一個黃銅的櫃臺，可以把腳蹺在上面歇歇。拉森要了一杯當地產的啤酒。釀這種啤酒是哥倫比亞人的拿手絕活。克拉克心想，他們拿手的東西還不少呢。要是沒有毒品問題，這個國家倒真是個好去處。可是如今它正深受毒品之害——也像他自己的國家一樣？不，要厲害得多了。哥倫比亞政府所面臨的事實是：迄今為止它所進行的反毒品戰爭正在失敗……跟美國不一樣嗎？克拉克在琢磨這個問題。不像美國，哥倫比亞政府受到威脅了？毫無疑問地，我們那邊比這邊好得多了，克拉克暗自慶幸。

「怎麼樣？」等酒吧老闆走到櫃臺那一頭時克拉克問道。

拉森用西班牙語輕聲說：「確確實實，那些大人物派到大街上的軍隊數量大大減少了。」

「哪兒去了呢？」

「有個人告訴我說去了西南邊。他們說要去山裏進行一次搜捕行動。」

「哦，他媽的！」克拉克用英語低聲詛咒了一句。

「出了什麼事？」

「呃，有四十來個輕步兵……」他作了一番解釋。

「我們入侵了?」拉森眼睛向下看著櫃臺，把入侵兩個字說得很重。「媽的，哪個王八蛋想出的餿主意?」

「我覺得我們都在為他——或是他們在賣命。」

「他媽的，我們就是動不了那些人，拆他娘的臺!」

「好哇，你飛回華盛頓向外勤副局長報告。如果他賴特還有點頭腦，就該在還沒有人員傷亡之前立即把他們撤出。」克拉克說罷轉過身陷入了沉思。他並不欣賞自己剛才的一些想法。他想起在「眼睛」部隊執行的一次任務，當時……「我們兩人明天到南邊去看看，怎麼樣?」

「你當真要讓我暴露身分，是吧?」拉森說道。

「你有沒有狡兔之窟?」克拉克指的是特工人員為轉入秘密狀態而準備的藏身之地，萬一出現意外情況，就可以去避避風頭。

拉森不以為然地問:「教皇是波蘭人嗎?」

「你的女朋友怎麼樣?」

「我們根本也不關心她，而且我跟這個組織的緣份也盡了。」情報局鼓勵局裡的人對自己的情報員要忠誠，即使不再和他們發生關係時也一樣，拉森具有常人那種對多年情人的情感。

「我們可以假裝是去探金礦的。完成這事以後，我批准你揭下這張皮，你就回華盛頓等待重新分配工作。她也隨你一起去。這是正式命令。」

「我還不知道你有權——」

克拉克微微一笑。「我倒不一定真正有權，但你很快就會發現我和賴特先生之間有個默契。如果我在實地處理了問題，他也不會再放馬後砲。」

「誰能比得上你的能耐呢？」拉森沒有得到回答，他看見克拉克雙眉一揚，瞪了他一眼，那眼神裏的威脅是他以前所沒有見過的。

科特茲坐在一間比較像樣的房間裏。那是這幢房子的廚房，按當地的水準來看是夠大的了。一張桌子上放著他的無線電對講機和地圖，還有一本記事簿。到目前為止他已損失了十一個人——可是依然一無所獲。這些人都是在激烈的短兵相接中，而且多數是在無聲的遭遇戰中喪生的。他撒出去的「兵」現在個個火冒三丈，還沒有意識到什麼是害怕，這正是他求之不得的。那張主要作戰地圖上有一層透明醋酸纖維薄膜，他用一枝紅色油彩筆標出了活動地區。他本人就和美國人的小分隊遭遇過兩次——也許是三次——他決定要打一打，因為他已經損失了十一個人。他認為這十一個人都是傻瓜笨蛋。這點損失何足為慮？在戰場上運氣向來是個重要因素。但整個看來，歷史已經證明傻瓜總是先死，在戰場上也有一個達爾文適者生存的選擇過程。他打算再死五十幾個人。那時候再請求增援，以進一步削弱毒梟們的勢力。然後再向上司報告，說他發現有兩三位頭頭派來的人在戰場上表現反常——告誰的狀他心中早已有了譜——第二天他就向其中某個人發出警告——這也是預先選定好的——說他的頭頭表現很反常，並表明他自己對組織是忠心不二的，因為他領的錢是組織付給的，不是哪個個人付給的。他的計畫是除掉埃斯科韋多。這很有必要，也無須追悔。美國人已除掉了兩個毒梟，他要幫助除掉另外兩個。剩下的那幾個就用得著他科特茲了，而且他們肯定會意識到這一點。他這位保安和情報主任就會再度晉陞，就會成為董事會的成員，就可能按他的設想重振卡特爾，使它成為一個高效率安全的組織。一年之內他就能和他們平起平坐，再過有一年就可以穩坐第一把交椅了。他不必把他們趕盡殺絕。埃斯科韋多很有能耐，但也很好操縱。其餘的人就不在話下了，因為他們對金錢和吃喝玩樂比對公司的興旺發達更感興趣。在這一方面他還沒有很成熟的考慮。他並不是一個能看出後十步棋的人，能看上五步足矣。

他又仔細看了看地圖。對於他行動的危險性，美國人很快就會有所警覺並作出反應。他打開公文包，把航空照片和地圖作了比較。現在他知道了美國人已進入了該地區，他們也許還有一架擔任支援任務的直升機。這種大膽簡直有點傻了。難道美國人還不知道直升機在伊朗的平原上使用的情況嗎？他應當找出直升機的可能降落的地區……是不是？

科特茲閉上眼睛，要求自己回到第一原則上。在這類行動中，那是最危險的。一個人因為局部發生的事而忙得不可開交時，往往就看不清全局。也許還有別的辦法。美國人已經幫了他的大忙，也許會再幫他一次。怎樣才能促使這種事再發生一次呢？他能怎樣對待他們或為他們做點什麼？他們又能為他做點什麼呢？他這一夜輾轉難眠，心裏一直在思考這些問題。

由於天氣惡劣，新發動機的試車未能在前一天夜裏如期進行，所以就在這一天夜裏當地時間三點進行。沒有上級指示，那架舖低三型直升機是不准在白天亮相的。

一輛汽車把它拖出了機庫。在試車前要先把它的旋翼展開並加以固定。齊默爾中士坐到自己的儀表板前，約翰斯上校和威利斯上尉則啓動了發動機。他們先滑行到跑道上，然後進行直升機的起飛試車。這個金屬和燃料結合體是個幾噸重的龐然大物。它像小孩邁步爬第一級樓梯一樣，先搖搖晃晃地猶豫了一陣，然後很勉強地離開了地面。

很難說最先發生的是什麼情況，約翰斯上校聽見自己的飛行頭盔的保護性泡沫層裏傳來一陣刺耳的呼嘯聲。與此同時，也許還要早一毫秒，齊默爾在話筒上大喊了一聲「小心」。不論什麼原因，反正約翰斯掃視了一下儀表板，發現一號發動機的所有讀數都不正常。威利斯和齊默爾同時關閉了發動機，約翰斯控制著飛機在原地打轉。他慶幸自己飛離跑道只有五十英尺，三秒鐘後飛機著地，他使那臺仍然運轉的發動機停了下來。

「怎麼回事？」

「是那臺新發動機，長官。它硬要跟我們過不去——好像整個壓縮機的毛病，聽起來聲音不對勁。我得檢查一下，看它是否引起了其他零件的損壞，」齊默爾報告說。

「再裝回去沒有問題吧？」

「沒有。這跟教科書上講的一樣，長官。這已是第二次碰上這種事了。這種新型結構的渦輪葉片肯定在什麼地方有毛病。我們應當對發動機的運轉進行全面檢查，直至查出故障。每架使用這種發動機的飛機都應當停飛，包括我們的、海軍的、陸軍的以及所有其他人的。」這種新型發動機所使用的渦輪壓縮機葉片不是鋼的而是陶瓷的。它本身重量輕——這樣就可以多攜帶燃料——它的造價也比較低——這樣就可以有錢多買幾臺。廠商的試車證明說這種新材料性能可靠——可是等把它投入服役時就發現有問題。第一次故障被歸咎於異物進入，後來有兩架使用這種發動機的海軍直升機栽進了大海，便無影無蹤了。齊默爾所言極是，每架使用這種發動機的飛機都必須停飛，等把問題查清楚修理好再說。

「哦，太好了，巴克，」約翰斯說道。「另一臺備用的帶了嗎？」

「猜猜看，長官，」齊默爾說。「我可以讓他們黎明時給我們送一臺修好的舊發動機來。」

「把你的想法說說看。」

「我想我們還是用舊的，或者到赫爾伯特去從舊飛機上拆一臺下來。」

「你快去打電話，我設法把它冷卻下來。」上校命令道。「說我這兒要兩臺好的發動機，越快越好。」

「是，長官。」機組人員對另外一個問題都非常關心。等著他們去支援的那些人怎麼樣了？

他叫埃斯特韋斯，也是美國陸軍的一個參謀士官。在此之前，他也是駐守在夏威夷斯科菲爾德兵營第二十五「熱帶閃擊」步兵師第十四步兵團五營偵察連的成員。他年輕、堅毅，也像參加**演藝船行動**的其他人一樣感到很自豪。此刻他不僅極度疲乏，而且病得不輕。有時他也吃一點或者喝一點東西，必要時就向醫護兵拿幾片藥吃下去抵擋一下。他感到肚子裏很難受，兩隻手臂想抬也抬不動。他們比**尖刀**小分隊晚二十七分鐘才到達指定地點，不過自從搗毀那個機場後，他們還沒遇上過敵人。他們發現了六處加工廠，其中四處不久前還使用過，但現已空無一人。埃斯特韋斯很想立功受獎，他知道每個班都有一本功勞簿。他也像查維斯一樣，是在一個有流氓犯罪集團的地區長大的，與查維斯不同的是，他深深地陷入了其中一個集團。後來命運使他擺脫了那夥人，經過一段時間他當了兵。另外還有一點與查維斯不同，那就是他吸過毒。有一次他看見他姐姐注射了過量的海洛英，後來她就像被人拔去牆上的電源插頭一樣漸漸斷了氣。第二天夜裏他去找了那個毒品販子。為了避開那個殺人的魔鬼，他出來當了兵。他做夢也沒想到自己會成為一名職業軍人，也沒想到生活中還有比清洗汽車和領取家庭救濟金更好的機會。他迫不及待地抓住了這次機會，為的是和害死他姐姐、奴役他們同胞的那幫雜種算賬。可是他現在仍然寸功未建，還沒有親手消滅一個敵人呢。在敵人面前，任何疲勞情緒和失敗情緒都要不得。

他看見半公里外有一堆火。他心想機會終於來了。他把所看見的情況向隊長作了報告，等著班裏的人分成兩組，然後摸過去把那十幾個吸了毒之後正在像傻瓜似地狂舞亂跳的人幹掉。他十分疲乏而求戰心切，但他仍念念不忘遵守紀律。隊長負責率領突擊小組，而他則帶另外兩個人佔領一個可以發揮支援火力的陣地。他心想今夜肯定情況與前兩天不同。事實也是如此。

他沒有看見那裏有浴缸，也沒有看見裝滿古柯葉子的背包，但他看見了十五個帶槍的人。他敲擊報話器發出危險信號，但沒有回答。他還不知道他報話機上的天線在十分鐘前被一根大樹枝給弄斷了。他站起來朝四周觀察。他想找到某種徵兆或線索以便確定下一步如何動作。他身旁的兩位戰友也不知究竟是怎麼回事。這時他覺得腹痛難忍，就彎下腰去，可是卻被一根樹枝絆倒，槍摔到了地上。槍沒有走火，但槍托重重地砸在地上，槍栓因此咔嚓跳動了一下。就在這時他看見二十英尺開外有個人，可是他剛才並沒有看見。

這人是醒的著，正用手按摩自己脹痛的小腿肚子，因為這樣也許可以睡上一會兒。這人聽見響聲吃了一驚。他是喜歡狩獵的，不過起初他還有點不相信。那兒怎麼會有人呢？他已經告訴過同伴們不要超過他的哨位。但肯定是人弄出的聲音，而且肯定是某種武器的聲音。上面告訴他們說，在其他地方已發生過一些衝突——不知對方到底是什麼人，但知道這些人已經把被他們認為是要危害他們的人全都幹掉了。這人想到這話之後又驚又怕。聽到這個聲音他先是一驚，接著就是一陣恐懼。他端起槍對著左邊打了整整一排子彈。埃斯特韋斯身中四彈，臨死前大聲詛咒了自己倒楣的命運。他的兩個戰友吼叫著朝著槍響的方向狠狠地掃射，把那人打得稀爛。火堆四周的人紛紛驚醒，而且跑離火堆，這時突擊小組還沒有就位。隊長聽到槍聲後的反應很合乎邏輯：支援小組遭到了伏擊，所以他應當直衝目標給戰友解圍。火力支援小組把火力轉向了敵人營地，但很快發現周圍還有其他人。裏面向外逃散的人大部分撞在朝裏面移動的突擊隊員手上。

如果有人寫出一份實事求是的戰鬥報告，那麼他的第一句評語一定是：雙方都處於失控狀態。率領突擊小組的隊長過於魯莽。他只顧帶著人向裏衝，卻沒有停下來認真想一想。他在雙方交火後不久便被打死了，其餘的人雖已羣龍無首，但卻全然不知。雖然每個士兵都在英勇作戰，但是士兵首先是、而且最終也是一個集體的成員。每個集體都是一個活的有思想的有機整體，它的力量要遠遠超過這個羣體中的任何個體。在失去指揮的情況下，就要看他們平時的訓練素質了。然而在一片黑暗和一片混亂的嘈雜聲中，再好的訓練素質也難以發揮。雙方陷入一場混戰。哥倫比亞人雖然訓練素質差，而且也失去了指揮，此刻也已無關宏旨。現在的戰鬥一方是以單兵，而另一方則是以相互支援的二人小組為單位進行的。這場血腥的混戰持續了五分鐘。二人小組一方「獲勝」。他們殺得痛快，頗有戰績，然後就悄悄地匍匐著離開，最後跑向指定的集結地。那些沒有被打死的敵人仍在射擊著，不過現在他們是自己人打自己人了。

到達集結地點的只有五個人：三名突擊小組的隊員和埃斯特韋斯支援小組裏的兩個人。班裏的人死了一半，其中包括隊長，醫護兵和無線電兵。他們到現在也不知道自己碰上的是什麼人——由於通訊聯絡方面的混亂，他們沒有瞭解到卡特爾針對他們採取行動的消息。他們目前所瞭解的情況已夠糟的了。他們回到自己的營地取出背包，旋即轉移了。

哥倫比亞也掌握了一些情況。他們知道有五個敵人被打死——他們還沒有發現埃斯特韋斯的屍體——他們自己死了二十六個，其中有人也許是被自己人的火力殺傷的。他們不知道是否有人開了小差，也不知道襲擊他們的這部隊有多強的實力，甚至也不知道他們是被美國人攻擊——他們發現武器主要是美式的，但M一六在南美使用很普遍。他們也像那些被他們打跑的人一樣，意識到發生了可怕的事。他們把人員重新編組，然後坐在一起傾訴一下，也體會一下一場惡戰之後受驚的情緒。他們第一次認識到光憑手中的自動武器，他們還不能耀武揚威。在把死者往一處搬運的過程中，他們震驚的情緒逐漸變成了憤怒。

旗幟小分隊——只有幾個人了——並沒有坐下來談談的福氣。他們沒有時間去談誰勝誰負，但每個人都嚐到了戰鬥的滋味，而且都感到震驚。受過較好教育的人也許會說這世界不是宿命論的，但他們五個人用最簡單直率的軍人用語來安慰自己：活見鬼了。

第二十四章　地面規則

天還沒亮，克拉克和拉森就開著借來的那輛速霸陸牌四輪貨車再次動身向南。車的前面有個公文包，後邊放的是幾箱石頭。兩枝可以加裝消音器的貝瑞塔手槍就藏在石頭下面。把這麼好的槍放在石頭下面未免也太委屈它們了，不過他倆都不打算完成任務以後再把槍帶回去，而且都希望最好不使用這玩意兒。

「我們到底在找什麼呢？」拉森的問題打破了出發後一個多小時的沈默。

「我還以為你知道呢。很希罕的東西。」

「你注意到沒有，這兒有人帶著槍走來走去的，這並不希罕吧？」

「有組織的活動呢？」

「那也不希罕，不過倒是可以使我們想一想。我們不會看到很多軍事活動的，」拉森說道。

「為什麼？」

「昨天夜裏游擊隊再次襲擊一個軍事哨所——今天早晨電臺廣播了。M—一九游擊隊和法爾克游擊隊都很活躍。」

「是科特茲，」克拉克立即接了一句。

「是啊，有道理。想把官方的注意力引開。」

「我要跟這小子會一會，」克拉克看著窗外掠過的景色說道。

「然後呢？」

「你想想看，這小子參與了殺害我們一位大使、聯邦調查局局長以及毒品管制處處長、他的司機和幾名保鏢。他是個恐怖份子。」

「把他抓回去？」

「我像個警察嗎？」克拉克反問。

「我說，老夥計，我們不要——」

「我要。難道你忘了那兩枚炸彈的事？我想你當時也在場。」

「那是——」

「兩碼事？」克拉克笑了笑。「他們也一直說『那是兩碼事』。拉森，我比不上你，沒上過達特茅斯，所以也許兩碼事的說法影響不了我。」

「這不是他媽在演電影！」拉森生氣了。

「卡洛斯，如果我們是在演電影，那你就是個金髮女郎，穿著寬襯衫，挺著胸脯。你知道吧，我幹這一行的時候，你還在玩火柴盒小汽車呢。不過我可從來沒跟她們睡過覺呢。沒有，一次也沒有。似乎太不公平了。」他原本可以補充一句，說他已經結過婚了，在這種事上是嚴肅的，不過何必把這個小伙子弄糊塗呢？他的目的已經達到了。拉森笑了笑，氣氛隨之緩和下來。

「克拉克先生，我想也許我明白你的意思了。」

「她在哪兒？」

「去歐洲了，週末回來。我在三個地方留了言，是讓她快點離開。她一回來就會趕班機飛邁阿密的。」

「好。這件事很複雜。等辦完這件事。你就跟她結婚，成個家生兒育女吧。」

「我想過。那麼——我是說那樣是不是公平——」

「你現在所幹的事和在大城市裏開一家酒館相比，從統計方面來看，危險性還要小些。每個人都要有個家。一個人出門在外幹這樣的大買賣，他之所以能挺下來，是因為他知道他最終要回到某個人的身邊。小伙子，這一點你該相信我。」

「現在我們已經到了你想看看的地方，下一步怎麼辦？」

「上小路，開慢些。」克拉克搖下車窗，嗅了嗅外面的空氣。接著他打開公文包，取出一張地形圖。他靜靜地看著圖，想儘快熟悉周圍的環境。那山裏有我們的戰士，他們在印第安人區受過訓練，可是他們正在遭到追殺，正在力圖脫離接觸。他不時地看看地形再看看地圖，為的是使自己頭腦裏有個正確的印象。「天啊，現在要是有一臺報話機多好！」他心想，這就是你自己的疏忽了，約翰。你當時應該要一臺的。你應當告訴賴特派人和這些士兵取得聯繫，而不是透過衛星電話的方式聯繫，因為這不是什麼參謀訓練。

「為了跟他們通話？」

「我說，小伙子，到目前為止，你覺得他們有多少安全可言？」

「哎，沒有啊！」

「是啊，有一臺報話機在手上，就可以叫他們從山裏撤出來，我們就可以把他們接出去，讓他們洗個澡，然後送他們到機場，他們搭上飛機就可以回去了。」克拉克的聲音裏有幾分懊惱。

「是啊——我的老天爺，你說得對啊。這情勢還真夠刺激的。」拉森恍然大悟，也為自己對情勢完全錯誤的看法感到驚訝。

「要記住——當你離開了華盛頓但又不在現場時，在行動指揮上就會出這種事。要記住這種教訓。你以後也可能當個部門負責人。賴特脫離第一線工作的時間太長了，他考慮問題就不像我這種在第一線做具體工作的人。這也是蘭格利裏面最大的問題：在那兒坐鎮指揮某個行動的人不瞭解實地的具體情況，他們忘記了現在的一套方法跟過去大不相同了，哪像他們當年在布達佩斯投遞情報那麼簡單。再說，現在的實際情況跟他們所設想的有很大差異。這並不是在蒐集情報，而是在進行一場低強度戰爭。你必須知道到什麼時候就不必再隱蔽了。這是一種全新的遊戲。」

「在訓練學校他們並不掩飾這類事。」

「那並不奇怪。那兒的教官是一羣老——」克拉克突然停住，接著說了聲：「開慢一些。」

「怎麼啦？」

「停車。」

拉森把車停在石子路的外側空地上。克拉克抓起公文包跳下車，順手拔下了車鑰匙。拉森看了覺得奇怪。接著克拉克打開後車門，然後把鑰匙扔給拉森。他把手伸進一只箱子裏，從那些含金的礦石標本下面掏出那枝貝瑞塔手槍和消音器。由於他身上穿的是叢林工作服，所以那槍別在腰後，連消音器都被衣服遮住了。他擺擺手叫拉森別下車，開著車跟在他後面慢慢走。他拿著地圖和照片朝前走。前邊的路上有個彎道，剛拐過去就看見一輛卡車。卡車邊上有幾個帶槍的人。那幾個人看見他拿著地圖在看什麼，就朝他喊起來。他抬起頭，有點吃驚的樣子。其中有個人晃了晃手中的AK槍。這就無需多言了；快過來，不然我就開槍了。

拉森急得都快尿褲子了，可是克拉克仍然揮手讓他跟上，接著就大搖大擺朝卡車走去。卡車上蓋著防雨布，但他知道裏面是什麼，因為他已經聞出來了。他剛才在拐彎處讓拉森停車就是這個原因。

「你好哇！」他對離他最近的那個持槍的人說。

「朋友，你們出門可沒選上好日子啊！」

「他告訴我說你們會在這兒的。我是經過批准的，」克拉克說道。

「什麼？批准？誰的批准？」

「埃斯科韋多先生嘛，還會有誰？」拉森聽他這麼說。

我的天啊，別發生這種事，請告訴我這不是真的！

「那你是誰？」那人很火，但又顯得很疲憊。

「我是探礦的，在找金礦。你看，」克拉克說著晃了晃手中的照片。「我已經把這塊地方標出來了。我覺得這兒有金子。沒有埃斯科韋多點頭，我是自然不會到這兒來的。他要我告訴我碰到的人，說我在這裏是受到他的保護的。」

「金子——你在找金子？」另一個人走了過來。剛才那人對他很恭敬。克拉克猜測這人是他們的頭頭。

「是啊，你們過來，我給你們看看。」克拉克把他們帶到車後面，從箱子裏拿出兩塊標本。「那是我的司機拉森先生。是他把我引見給埃斯科韋多的——如果你們認識埃斯科韋多，那你們一定也認識他。什麼，不認識？」

這人不知所以，顯然也不知所措。克拉克的西班牙語很流利，當然味兒還不足。他一本正經地似乎是在向警察問路。

「你看，看這兒？」克拉克指著石頭說。「這就是金子。這也許是繼皮薩羅之後最大的發現。我想埃斯科韋多先生和他的朋友們會把這塊土地全買下來的。」

「他們可沒跟我說起過。」這人順著說了一句。

「當然啦，這還是個秘密呢，先生。我跟你說清楚。可別告訴任何人，否則埃斯科韋多先生將唯你是問！」

拉森幾乎要尿在褲子上了。

「我們什麼時候走啊？」卡車裏有人問道。

克拉克環顧了四周，兩個帶槍的傢伙還沒拿定主意。車裏有司機，也許還有一個人，除此之外再沒聽見或看見有其他人。他朝卡車走過去。才走了兩步，他就看見了想看又怕看的東西。防雨布邊緣下方露出了M一六A二型自動步槍的瞄準具。他必須當機立斷，連克拉克本人也感到奇怪，為什麼這種老習慣總是在起作用呢？

「站住！」那個小頭目喊了一聲。

「我能把標本裝在你們的車上嗎？」克拉克說這話時並沒有轉身。「帶給埃斯科韋多先生，他看到我的成果會很高興的。我可以向你們保證，」克拉克又補上了一句。

那兩個人拿著槍追上來。在他們離他還有十英尺的時候他轉過身。他的左手仍然晃動著那幅地圖和那張照片，可是右手已經把腰裏那把手槍拔了出來。其動作之神速是那兩個人做夢也沒想到的。拉森意識到了。他的動作如此嫻熟……

「這輛車不能帶，先生，我——」

那個小頭目話還沒說完，只見克拉克把手一提，在五英尺的距離朝他的腦門上開了一槍。還沒等這傢伙倒下，另一個人也被克拉克舉槍擊斃。克拉克迅速移動到卡車右側，跳上踏板，看見駕駛座裏只有個司機。一顆無聲手槍子彈穿透了這傢伙的腦袋。這時拉森跳下了車，到了克拉克身後。他差點也挨了克拉克一槍。

「你怎麼能這樣啊！」克拉克說著關上了保險。

「我的天，我只是——」

「在這種情況下，你應該打個招呼。你不打招呼差點把小命給送了。要記住啊！來吧！」克拉克跳上卡車，揭開了防雨布。

從穿著上看，大部份死者是本地人，但其中有兩張面孔，克拉克還隱隱約約認識。他很快就想起來了……

「羅哈斯上尉。很遺憾，年輕人，」他對死者輕輕說了一句。

「誰？」

「**旗幟**小分隊的隊長。自己人。這些王八蛋打死了我們一些人。」聽聲音他似乎很疲勞了。

「看來我們的人幹得不錯。」

「我跟你談點打仗的經驗吧，小伙子，戰場上有兩種人：自己人和非自己人。後者包括非交戰人員，在時間允許的情況下，要避免傷害他們。不過最重要的還是自己人。有手帕嗎？」

「有兩條。」

「拿來給我。把這兩個人也放到車上去。」

克拉克擰開掛在駕駛座下方的油箱蓋，把兩條打結在一起的手帕伸進油箱。油箱很滿，手帕上很快就蘸滿了汽油。

「走吧，回我們自己的車上去。」克拉克把手槍分解後放回標本箱子裏，然後關上後車門。回到前面座位上之後，他拍了拍打火機，向拉森說：「開過去。」

拉森把車開了過去。克拉克把打火機伸出窗外，靠近那兩條蘸滿汽油的手帕。兩條手帕一點著，拉森也不用任何指點，趕快加速離開。他們拐過一個彎，看見身後已燃起熊熊大火。

「回城裏去，越快越好！」克拉克下達命令。「去巴拿馬最快的路線怎麼走？」

「一兩個鐘頭可以把你送到，不過——」

「你有和某個空軍基地聯絡的無線電碼沒有？」

「有，不過——」

「這個國家你不能再待了。你的身分已經暴露。」克拉克說：「在你女朋友回來之前，給她通個消息，叫她開小差，或擅自離船或用別的什麼說法，別再回到這兒來了。她的身分也暴露了。你們倆處境都很危險——真正的危險。也許有人一直在監視著我們。也許有人看見你開車送我到這邊來的。也許有人注意到你兩次借用過這輛車。當然也許不是這樣。幹這一行的人不能冒任何不必要的險。你在這次行動中的任務已經完成，你趕快遠走高飛吧。」

「是的，先生。」車子上了大路後，拉森問道：「你所做的事……」

「什麼事？」

「你做得對，我們不能讓人那麼幹，而且——」

「你想錯了。你並不理解我為什麼那麼幹，是吧？」克拉克問道。他像老師在教一個班的學生，但他只給了一個答案。「你以為這是間諜活動，其實它早就超出了諜報活動的範圍。我們派了人，還派了士兵在山區活動，而且是隱蔽活動。我那麼做是故佈疑陣。如果他們認為是我們的人從山上下來替死者報仇的，那就可以促使這些壞傢伙從山裏抽調出部份兵力。讓他們去水中撈月吧，這樣也好減輕對我們人的壓力。我這種做法並不驚天動地，但卻是我能力所及的。」他頓了頓。「這事不能說做得不痛快。我不願看到自己人被殺害，我他媽的更不願意別人不讓我過問。多年以來事情一直是這個樣子——在中東，在其他地方都是如此——我們有人在犧牲，可是他媽的卻沒有人過問。這一次我就破了先例。我憋了很久了。你也知道一些情況——我的確感到痛快。」克拉克接著冷冷地說：「好了，別再問了。好好開車。我還要考慮一些問題。」

雷恩在自己的辦公室裏沈默著、沈思著。穆爾一直藉故在外，賴特也經常不在辦公室。由於他們不在，他既無法提出問題，也無法從中得到回答，而且他還成了目前的最高行政首長。他得處理各種文件報表，還要應付很多電話。也許他可以把這些事都承擔下來，但他有一點思想上很明確：他必須弄清究竟發生了什麼事。顯然穆爾和賴特犯了兩個同樣的錯誤：首先，他們都以為雷恩至今還蒙在鼓裏。其實他們本該聰明一點。他能在中央情報局裏陞到現在這個位置，主要原因就是他善於分析和判斷。其次，他們很可能會以為，即使他開始意識到一些問題不對勁，他的經驗也會告訴他不要逼人太甚。他們的思維方式基本上是官僚式的。在官僚機構裏工作太久的人最怕違犯清規戒律，因為他們擔心會被解職丟官、會因此斷送仕途前程。在這個問題上雷恩早已看破了。他不知道自己的職業是那一行。他幹過海軍陸戰隊，做過股票生意，當過歷史學助理教授，後來又到了中央情報局。他隨時都可以重操舊業去當他的教書先生。維吉尼亞大學早已跟凱西談過，要他到他們醫學院去當正教授。連傑夫．佩爾特也要他以客座學者的身分去活躍一下歷史系的空氣。雷恩心想能去重操舊業也不錯，那是輕車熟路，比現在這份差事省心多了。無論將來幹什麼，現在的工作也束縛不了他的手腳。詹姆士·葛萊已給了他必要的指點：你認為是正確的，你就去做。

「南西，」雷恩打開內部通話系統：「賴特先生什麼時候回來？」

「明天上午。他要在訓練學校會見一個人。」

「好的，謝謝。請你打個電話給我太太，告訴她我今晚要晚點回家。」

「放心吧，博士。」

「謝謝。我想調用一下關於介中程核武條約方面的核定資料和戰略武器研究處的初步報告。」

「莫利納博士和穆爾法官到森尼韋爾去了，」南西說。湯姆·莫利納是戰略武器研究處主任。該處對另外兩個部門在介中程核武條約的核定程序方面進行查驗。

「我知道。我只想看一下那份報告。這樣，等他回來後我就跟他討論一下。」

「大約十五分鐘之後才能調來。」

「不急，」雷恩說罷關掉了通話系統。看這份文件連所羅門國王也要花三天時間，這樣他就有了比較站得住腳的藉口加班了。由於雙方都在銷毀剩下的那些飛彈發射架，國會在一些技術問題上就忙得不亦樂乎。下星期雷恩和莫利納要去國會作證。雷恩把辦公桌一側的書寫板拉了出來，他知道在南西和其他辦事員下班後自己要幹的事。

科特茲是個善於觀察政治動向的人。這也是他這麼年輕就在古巴國家安全委員會這樣的官僚機構中晉陞為上校的原因之一。古巴的這個機構是根據蘇聯KGB的模式建立的。它的機關職員、督察人員和保安人員的規模使美國中央情報局也相形見絀——它的效率也令人驚嘆。美國人雖然在很多方面都佔優勢，但卻缺少政治意志，總是在本來應當很清楚的問題上糾纏不休。KGB學院的一位教官把他們比喻為舊日的波蘭國會，那是個有五百餘名貴族組成的機構，要做成任何事情都必須經全體的同意才行——因此一直無所作為、一事無成，結果使得任何能作出簡單決策的人都得以任意宰割波蘭。

然而，這一次美國人卻採取了行動，而且幹得果斷、幹得漂亮。這是什麼因素起了變化呢？

所變化的——在這件事上是不得不變——是美國人打破了自己定下的清規戒律。他們這一次的反應是有些激動了……不，這種說法不公正，科特茲思忖著。他們是對一種直接、傲慢的挑戰作出強有力的反應，正像蘇聯人在這類問題上也會作出類似的反應一樣，當然在某些具體方法上有所差別。所謂有點激動，是因為他們突破了，而且完全有理由突破他們自己定下的那些不可思議的情報謹慎法規。何況今年又是美國的大選之年……

「啊哈，」科特茲不由自主地發出了聲音。事情果然就這麼簡單，難道不是嗎？美國人早就幫了他的忙，而且這次還會再幫他的忙。他得找到適當的目標。這只花了他十分鐘時間。真是無巧不成書，他想，他也是上校軍銜。在拉丁美洲百年史中，幹這種事的都是上校。

*菲德爾·卡斯楚會怎麼說呢？*想到這兒，他幾乎啞然失笑了。只要這個大鬍子空頭理論家還活著，他就會像福音教派的信徒仇視罪惡一樣仇視美國佬。只要能小小地觸動一下美國，他都很得意。他把他的罪犯和瘋子卻都丟給那個沒有猜疑心的卡特身上——*任何人都可以欺負那個傻瓜*，科特茲想到這裏也

覺得好笑——並跟美國佬玩弄各種可能的游擊外交手腕。他肯定會自鳴得意的。現在科特茲得想辦法把這個消息送出去。從他的角度來看，這是個風險很大的遊戲，但他前幾次都赢了，這次骰子在他手上卻很難擲下去。

也許不該那麼做，查維斯心想。也許把那顆腦袋讓那人捧著的做法激怒了對方。哥倫比亞人現在更加緊了在叢林地區的搜索，但他們並沒有找到尖刀小分隊的蹤跡，因為小分隊的人沒有留下任何痕跡。查維斯心中有數：將有一場激烈的戰鬥，而且為期不會太遠。

拉米雷茲上尉心中卻沒有個數。他仍然命令避免接觸，而且他自己也是依此行事的。大多數人對此沒有疑義，可是查維斯有——他想提可是沒有提。士官是不能向上尉提出疑義的，至少不能經常提。如果是個上士，那還能有機會跟他說得上話。如果會發生戰鬥，而且看來已難以避免，那為何不抓住有利戰機呢？十個訓練有素的人，配備著自動武器和手榴彈，還有兩挺班用機槍，完全可以打一場漂亮的伏擊戰。要故意留下一點痕跡，把他們引進伏擊圈。他們還帶著兩顆蘇格蘭寬劍式地雷呢。運氣好的話，開火兩三秒鐘就可以擊倒十幾個——剩下幾個逃得快的就成不了氣候——他們會嚇得屁滾尿流。當然誰也不會窮追猛打。拉米雷茲為什麼看不清這一點呢？他現在的辦法弄得大家疲於奔命，人困馬乏的。為什麼不能找個地方休息一下，準備痛痛快快打一場大伏擊，打完之後再拔腿開路呢？有時候需要小心謹慎，但有時候也需要打它一下。軍事上有個常用的詞叫做「主動性」，說的就是由誰來確定什麼時間幹什麼。查維斯本能地瞭解這一點。他覺得拉米雷茲的顧慮太多。至於顧慮什麼，查維斯不知道，但他對上尉的這種顧慮感到擔心。

拉森把借來的車還了之後，用自己那輛BMW把克拉克送到機場。在和克拉克一起向飛機走去時，他還真有點捨不得自己那輛車呢。克拉克只把秘密或敏感的裝備都帶上了，其餘東西一樣也沒拿。他沒有帶行李箱，連刮鬍刀也沒拿，但卻把那把帶消音器的貝瑞塔手槍別在腰上。他走路時從容不迫、鎮定自若，但拉森知道他內心一定很緊張。他顯得比平時更放鬆、更隨便、更心不在焉、更像個安分守己的人，但拉森心想這才是個真正危險的人物呢。他的腦海裏又浮現出在卡車附近射擊的一幕幕情景：他讓那兩個帶槍的傢伙放鬆，用辦法迷惑他們，還裝成要他們幫忙的樣子。以前拉森從未想到中央情報局裏還有這樣的人，尤其是在教會委員會的聽證會之後。

克拉克爬上飛機，把東西往身後一丟。對拉森在起飛前的動作，他顯得很不耐煩。直到飛機起飛之後他才恢復了常態。

「到巴拿馬多長時間？」

「兩個鐘頭。」

「儘快飛過海去。」

「你很擔心？」

「現在嘛，只擔心你的飛行技術啦。」克拉克笑了笑並戴上了飛行頭盔。「我擔心的是那三十多個年輕人。他們很可能被晾在那兒，處境很危險。」

四十分鐘後，他們飛離了哥倫比亞領空。在飛越巴拿馬海灣時，克拉克轉身抓起那包東西，然後使勁拽開飛機的門，把那些東西扔進了大海。

「我能問問你……？」

「我們先來假設這次行動整個砸了鍋，你打算讓多少東西成為參議院進行調查時的證據？」克拉克稍稍頓了頓。「當然，那本身並沒有什麼危險。可是，如果他們知道我們帶著傢伙，就會懷疑是什麼東西，為什麼要帶，那怎麼辦？」

「哦，對對！」

「你再想想，拉森。亨利·季辛吉曾說過：即使偏執狂患者也有敵人，如果他們一意孤行，把這些當兵的甩在那兒不管，我們怎麼辦？」

「可是……賴特先生——」

「我認識鮑勃·賴特時間也不算短了。我有幾個問題要問問他，看他能不能答出個所以然來。他肯定沒有把該讓我們瞭解的情況及時告訴我們。也許這又是華盛頓的見解。當然，也許不是。」

「你真的認為……」

「我不知道認為什麼。進場呼叫。」克拉克命令道。讓拉森在這種事上花費腦筋毫無意義。他來局裏時間不長，還不懂這些東西。

拉森點頭執行命令。他把無線電調到一個平常不使用的頻率上呼叫道：「霍華德導航臺，我是XGWD班機，請求降落，請回話。」

「WD，我是霍華德，請稍等，」無線電裏傳來塔臺控制員的聲音。這人查驗了無線電密碼，這幾個字母都在「熱」名單上，但不知XGWD是何許人。他想也許是中央情報局或別的機關的人，反正無須去追根究底。「WD，請使用正常頻率一一三——一七。現在你可以直接目視進場。風力一——九——五，十節。」

「瞭解，謝謝，通話完畢。」今天至少這件事很順利，拉森心想。十分鐘後他的畢奇小客機安全著陸，他跟在一輛吉普車後面把飛機開上了停機坪。空軍的保安人員已經在等候他們，並把他倆用車送到基地調度中心。基地上正在進行安全警戒演習，每個人都穿著綠色工作服，多數人都帶著武器。調度室的人員也不例外。他們多數穿著飛行服，看上去英姿煥發。

「請問下一班回美國的飛機？」克拉克問一名女上尉。她的「防水潛水服」上佩戴著一雙銀翼。克拉克在猜測她飛的是什麼飛機。

「有一架一四一飛查爾斯頓，」她答道。「不過如果二位想搭乘——」

「小姐，請把這個跟你們的作戰命令核對一下。」克拉克把他那張「J．T．威廉斯」通行證遞了過去。「請查核特情部份，」他主動提供幫助。

女上尉站起身，打開了具有雙保險的機密文件櫃最上層抽屜，從裏面拿出一份紅邊紮著繩子的文件，翻到最後一頁。這一項是「特別情報工作」部份，上面明確規定有些事和有些人要受到比「最高機密」資料更嚴密的保護。她很快就回來了。

「謝謝您，威廉斯上校。飛機二十分鐘後起飛。長官，您和您的助手還需要什麼幫助？」

「通知查爾斯頓方面安排一架飛機送我們去華盛頓。謝謝了，上尉。我們也沒提前打個招呼，很抱歉。多謝你的幫助。」

「長官，請不必客氣，」她對這位彬彬有禮的上校笑著說。

等他們出了門，拉森問道：「上校？」

「特別行動，至少如此。替一個飽經風霜的老水手當夥計很不錯，是不是？」一輛吉普車五分鐘就把他們送到洛克希德公司製造的C一一四一舉星者式旁邊。飛機貨艙像個大隧道，裏面空空如也。負責運載的人說這是一架空軍後備部隊的飛機，卸完了貨就直飛本土。這對克拉克來說，真是求之不得。飛機一起飛，他就躺下迷迷糊糊地打起盹來。他心想這些同胞們幹得都挺不錯。在短短幾個小時裏，一個人可以從岌岌可危的處境中化險為夷，現在居然能高枕無憂，真是不可思議。同樣是這個國家，它把有些人派到那種鬼地方，又不提供他們適當的支援，而他們兩人卻被看成是大人物——只要有必要的證件，似乎一切都會更理想些。有些事我們可以做，而有些事則又不可以做，真怪呀。想著、想著也就呼呼酣睡起來。坐在他身邊的卡洛斯·拉森感到這也很不可思議。五個小時後，飛機要降落前，克拉克才醒。

中央情報局也像其他政府機關一樣，有正常上下班時間。到三點半鐘，那些根據「彈性」工作時間來上班較早的人已陸續下班，以趕在交通尖峯之前離開。到了五點半，連七樓也一片寂靜。雷恩辦公室的外間，南西·康敏把防塵罩蓋在ＩＢＭ打字機上——雖然她有一部電腦文字處理機，但卻很喜歡用打字機——然後按下通話系統的按鍵。

「雷恩博士，還有什麼事要我辦嗎？」

「沒有了，謝謝你。明天見。」

「好的，再見，雷恩博士。」

雷恩坐在椅子上轉了個身，眼睛凝視著窗外的樹木。這些樹木在大樓四周形成了一堵綠牆，擋住了外面人的視線。他正在苦苦思索，但腦子裏依然一片空白。他不知道自己究竟發現了什麼。他倒是希望自己什麼也別發現。他深知自己即將去做的事會影響他在局裏的前程，但他實際已把它置之度外了。如果這是他份內的事，那麼把這個工作丟了也沒啥可惜，不是嗎？

可是葛萊將軍會怎麼說呢？

雷恩不得而知。他從桌子抽屜裏拿出一本書，等幾百頁書讀下來，已經七點鐘了。是時候了。雷恩拿起電話，撥通了樓層警衛值班室。秘書下班後，跑腿的事就要保安人員去幹了。

「我是雷恩博士。我要從檔案中心調一些文件。」他讀了三個號碼。「這些文件數量不少，最好帶個人去，」雷恩提醒值班的保安人員。

「好的，長官，我們很快就拿下來。」

「不必太匆忙。」他說罷掛上了電話。在大家眼裏，他是個平易近人的上司。他掛上電話後隨即起身，打開他那臺專用全錄複印機。接著他走出自己的辦公室，來到南西的外間。他聽見那兩名保安人員的腳步聲沿走廊漸漸遠去。

這裏的辦公室門都不上鎖，因為實在沒有必要。要進到這裏，必須經過大約十道安全檢查區，每區都有武裝人員警衛。在一樓的中央保安監控室，有專人對每個樓層進行監控。此外還有不定數量的巡視崗哨。中央情報局嚴密的保安措施，比任何一座聯邦監獄都有過之而無不及，而且在裏面也像在監獄一樣感到壓抑。當然對高級領導人來說倒也未必如此。現在雷恩只要橫越走廊就可以進入鮑勃·賴特的辦公室。

賴特辦公室的保險箱——其實叫它保險櫃更合適——和雷恩那個一樣也裝在活動牆板背後。這主要是為了美觀而不是為了保密——有經驗的小偷一下子就能找到它。雷恩推開活動牆板，隨後撥了保險櫃上的一組數字。他懷疑賴特是否知道葛萊的這組數字。也許知道，但他一定不知道葛萊把它抄了下來。這在局裏也算得上罕見的，而且竟沒人想到過會有這種可能性。智者千慮，終有一失啊！

保險櫃門上裝著警報器。這種警報系統跟用於核子武器上的保險鎖一樣，安全無比——它是目前最先進的，不是嗎？如果撥錯號碼，警報器就會響。如果第一次撥錯號，撥盤上方一盞燈就會亮起來，這就是告訴撥號人必須在十秒鐘內撥對號碼，否則兩個保安人員桌子上的兩盞燈就會同時亮起來。第二次再撥錯就會引發更多的警報。第三次還撥錯，那麼保險櫃就自動鎖死。兩小時內無法再開。不少中央情報局的頭頭人物都詛咒這個系統，因為他們因此而遇上麻煩，並成為保安部門的笑料。雷恩很精明，他沒有被這種連環鎖嚇倒。監測電腦認定開保險櫃的人一定是賴特先生，於是萬事大吉。

雷恩的心怦怦直跳。保險櫃裏有二十多份卷宗。他的時間是以分鐘計算的。這一次又是局裏規定的工作程序助了他一臂之力。卷宗封面內側是關於「**某某**行動」的簡介。他對此毫無興趣，只想借助它們來找到自己要找的東西。不到兩分鐘他就翻看了標明**鷹眼、演藝船一號、演藝船二號、裝甲船和互惠**等資料的簡介。這堆資料堆起來近十八英寸高。他仔細記下每疊資料原來的位置，而後將櫃門虛掩上。回到自己辦公室後，他把文件放在辦公桌背後的地上。他先拿起「**鷹眼行動**」的資料。

「**神聖的基督啊！**」「偵察並阻止入境的販毒飛機，」等詞句躍入他的眼簾，這實際意味著……將其擊落。這時有人在敲門。

「進來！」兩名保安人員抱著他要的資料走進來。他讓他們把資料放在椅子上就打發他們出去了。

雷恩估計他得要花一個多小時，最多兩個小時來看資料，而且只能走馬看花，沒時間仔細研究。每個行動都有個較詳細的簡介，其中包括目的、方法以及一本記事日誌和每日工作進度報告。他的專用複印機很大，功能齊全，可以進行複印件的組合整理以及高速複印。他把資料放進進料口，在機器自動饋入時他可以邊複印邊閱讀。他花了九十分鐘時間複印出六百多頁資料，佔他拿出來的資料的四分之一。雖然這點印數還不夠，他也只好權且作罷。他把保安人員找來，讓他們把剛才拿來的資料送還回去——他不慌不忙地先把它們放整齊。等他們一走遠，他就把他……竊取？……的資料整理好。是竊取嗎？他自問道。他突然意識到自己違反了規定，可是他剛才並沒有意識到，而且真的沒有意識到。他把資料放回保險櫃的時候，心裏在想，其實他也沒有違反什麼規定。他是高級的主管，有權瞭解這些事，那些規則對他實際上沒有約束力。但念頭一轉，他也知道這種想法很危險。他是在為一個高尚的事業而工作，他所幹的是**正確的**，他是——

「見鬼！」他關上保險櫃門時不由地冒出了一句。「你知道自己究竟幹了什麼嗎？」一分鐘之後他回到了自己的辦公室。

該走了。他在複印計數單上登記一個數字。在這幢大樓裏，複印任何東西都要登記。不過這他在事先已考慮好了。他把數量大致相同的一疊資料放進了自己的保險櫃，南西拿來的那份戰略研究處的報告複印件放在最顯眼的地方。複印這類資料，高級領導是不受限制的。在保險櫃裏他看見有一份保險櫃使用手冊。他把剛才的複印資料放進自己的公文包，離開辦公室前把保險櫃的數字組合換成一組誰也想不到的數字。進電梯前他向值班室的保安人員點點頭。到了地下室車庫時，局裏的別克牌轎車還在等著他。

「很抱歉，弗萊德，讓你等這麼久，」雷恩上車後對替他開夜班車的司機說。

「這沒什麼，先生。回家嗎？」

「是的。」他真想上車就把那些資料拿出來看，但他還是忍住了。他靠在座位上，強制自己小睡片刻，因為他知道整個晚上他也只能睡上這麼一會兒。

克拉克抵達安德魯空軍基地時才剛過八點。他首先給賴特辦公室打電話，是別人接電話告訴他副局長明天上午才回來。克拉克和拉森兩人別無他事，於是就住進了五角大廈附近一家叫馬里奧特的汽車旅館。克拉克在旅館的禮品商店買了刮鬍刀和牙膏，回到房間裏倒頭就睡，年輕的拉森再度感到不可思議，因為他此刻異常興奮，全無睡意。

• • •

「情況怎麼個糟糕法？」總統問道。

「我們損失了九個人，」卡特答道。「這是難免的，總統先生。我們原本就估計到這次行動的危險性。他們也知道。我們目前能做的——」

「我們目前能做的是中止這次行動，馬上停下來。而且不許走漏半點風聲，就當從來不曾有過這回事。以前我沒有指望會出這種事，我們既不想傷害到平民百姓，但更沒有想讓我們的九個人去送死。活見你的鬼，將軍，你告訴我這些小伙子都是很能幹的——」

「總統先生，我可從來沒有——」

「見你的鬼你從來沒有！」總統的嗓門之大足以使辦公室外面的特工嚇一大跳。「你究竟是怎麼把我拖進這亂糟糟的局面的？」

卡特那張貴族似的臉變得死灰一樣白。他這三年中所做的一切，他所建議的行動……賴特正在取得成功。那是最瘋狂的部分。

「總統先生，我們的目的是打擊卡特爾。我們已經達到目的了。正在哥倫比亞負責**互惠行動**的中央情報局的特工人員說，他可以在卡特爾內部製造內訌和火拼——我們也做到了！他們正在試圖暗殺一個叫埃斯科韋多的。毒品的流入量已經減少。我們還沒有宣佈，但報紙上已報導說街上毒品價格如何如何上漲了。我們正在取得勝利。」

「很好。你可以去告訴福勒！」總統把一疊資料往桌上一扔。他個人作的民意測驗結果表明福勒比他領先十四個百分點。

「總統先生，等開過黨的全國大會之後，反對黨的候選人總是——」

「噢，你現在給我當起政治顧問來了？先生，我看你在自己的業務範圍內沒有多大本事嘛！」

「總統先生，我——」

「我要你把這個全都停下來。這事還不能讓別人知道。我要你去辦，馬上就辦。你把事情弄得亂七八糟，這個局面你去給我收拾！」

卡特一時之間不知如何是好。「總統先生，您要我從哪兒幹起？」

「這不關我的事。我只想知道你什麼時候可以把事情辦成。」

「總統先生，這麼說我可能要暫時離開一陣子。」

「那就離開好了！」

「那別人會注意到的。」

「你是去為總統執行一項特別的秘密使命。將軍，我要你把這件事徹底停下來。至於你應該怎樣去辦，我不感興趣。去執行吧！」

卡特顯得畢恭畢敬，因為他還沒有忘記自己的身分。「是，總統先生。」

「反舵！」海岸防衛隊快艇**潘納奇號**艇長韋格納下達命令。隨著舵輪的轉動和引擎的調整，快艇開始原地轉向，艇艏轉向了南方。

「正舵！」

「是，正舵，長官。現在已經正舵。」年輕的操舵手回答道。他身邊站著一級航信士官長領航助手奧雷亞，正看著他的每一個動作。

「很好。低速前進，航向一—九—五。」韋格納看著這個下級軍官說：「現在你操舵，把她帶出去。」

「是，長官，現在我操舵，」少尉回答。他有點不相信自己的耳朵。「把她帶出去」一般是指從離開碼頭起，但今天艇長是格外小心。少尉從現在起就可以操縱它了。韋格納點上煙斗後，朝駕駛室翼臺走去。奧雷亞也跟著他一起走了過去。

「這次出海我跟以前歷次出海一樣感到很高興，」韋格納說。

「我明白你的意思，艇長。」

過去的一天令人膽戰心驚。僅此一天亦已足矣。聯邦調查局那位特工打的那聲招呼猶如晴天霹靂。韋格納對手下人逐一嚴加詢問——他也是不得已而為之——但結果並沒有問出是誰走漏了風聲。奧雷亞覺得自己心中有八九分把握，卻也不敢十分肯定。他慶幸沒有問到他。由於兩名海盜已死在莫比爾監獄，一場危機也隨之煙消雲散。他和艇長不經一事不長一智，今後都將循規蹈矩、不越雷池。

「艇長，你為什麼覺得聯邦調查局的那個人像是來跟我們打招呼的呢？」

「問得很好，波泰奇。看來我們從那兩個混蛋口中逼問出來的情況，對他們凍結沒收那筆錢幫了大忙。我想他們大概是覺得欠了我們的情。另外那個人還說：他是奉華盛頓他的上司之命而行事的。」

「我覺得我們也欠他的情呢，」奧雷亞說。

「言之有理。」兩人在外面一直待到日落。**潘納奇號**航向一一八一一，駛向猶加敦海峽的巡邏站。

查維斯只剩下最後一組電池了。形勢變得更加嚴峻，由於身後有人追蹤，所以就必須派出後衛。他現在是尖兵，無暇顧及殿後的事，但這是個實際問題，著實令人煩惱，就像他肌內痠痛每隔幾個鐘頭就要來一點止痛藥一樣討厭極了。也許是有人在尾隨他們，也許這只是偶然巧合，也許是拉米雷茲的迴避戰術反映了他有先見之明。查維斯覺得都不是，可是他實在太累了，連思維也無法前後連貫。這一點他自己知道，而且他知道拉米雷茲也面臨著與類似這種令人擔憂的現象。士官們的任務是作戰，而尉官就應當多動動腦筋。如果拉米雷茲過度疲勞，影響他的正常思維，那麼不要他指揮也無妨。

響聲。是樹枝發出的唏嗦聲。可是眼前並沒有颱風。或許是野獸也未可知。或許不是。

查維斯停下腳步，隨後舉起一隻手。在他身後五十米處的維加像接力一樣把這個手勢信號傳了下去。查維斯沿著一棵樹幹慢慢地移動到視野最佳的位置，然後靠在樹幹上。他發現自己有點迷迷糊糊想睡覺，便趕緊搖搖頭以驅散睡意。他現在是真的疲憊不堪了。

就在那邊有個東西在動。是個人！查維斯看見右前方兩百米左右有個幽靈般的綠色影子，在夜視鏡裏頂多只有火柴棒大小。這個人正在向山上移動——他身後二十幾米處還有一個人。他們的動作像……當兵的。外人看來他們的腳步移動方式簡直有點像神經病……

有個方法可以用來檢驗一下對方。在他的PVS—七型夜視鏡下方有個用來看地圖的小紅外線燈。它的光是肉眼看不見的，但對於任何一個戴著PVS—七夜視鏡的人來說，這燈就猶如燈塔一般。所以他不必發出一點聲音，對方就可能作出反應。

當然，這種做法很冒險。

查維斯向樹旁邊挪出一步。如果他們頭上也戴著夜視鏡，這距離還遠了點，不易看清。如果他們……

果然。走在前面那個人開始東張西望起來，接著便盯住查維斯所站的地方一動也不動。查維斯把夜視鏡向上抬起。露出紅外線燈連續閃了三次，接著又把夜視鏡戴好。這時他正好看見對方也像他一樣做了同樣的動作。

「我認為是自己人，」查維斯對著報話機小聲說道。

「這麼說他們是迷了路，」報話機裏傳來拉米雷茲的聲音。「小心點，中士。」

答答兩聲敲擊。瞭解。

等大熊把班用機槍在適當的地方架起來之後，查維斯便開始向那個人走過去，選擇了一條維加能提供他掩護的路線。這條路顯得真長啊，而且在無法把自己的槍口瞄準目標的情況下移動，這段路就顯得更長。但他畢竟是無法進行瞄準，這也是事實。他又看見了一個人，那邊可能還有其他人，也在透過槍上的瞄準具看著他。如果對方不是自己人，那麼他活著見到日出的機會不是完全沒有，也是微乎其微了。

「丁，是你嗎？」在還相距十米的時候，對方輕輕地喊道。「我是萊昂。」

查維斯點了點頭。兩人都深深地吸了一口氣，走到一起相互擁抱起來。在這種情形下相逢，只是握握手就太不夠意思了。

「你們迷路了嗎，伯托？」

「不是的，夥計。我們知道自己在哪兒，可是就是迷路了。」

「羅哈斯上尉呢？」

「死了。還有埃斯特維斯和德爾加多。小分隊的人死了一半。」

「好了，先別說了。」查維斯按下報話機鍵。「六號，我是尖刀。我們遇上了旗幟小分隊。他們遇上了一些麻煩。你最好上來一下。」

答答兩聲。

萊昂揮手讓他們的人都過來。查維斯也沒考慮清點人數的事，因為知道還剩下一半人就夠了。他倆在一棵倒在地上的樹幹上坐下。

「怎麼回事呢？」

「老兄啊，我們摸了進去，以為是個加工廠呢，其實不是。裏面差不多有三四十個人。是埃斯特維斯暴露了目標，結果功虧一簣全砸了。就像在酒吧間裏的一場槍戰。後來羅哈斯上尉倒下了，接著就更糟糕，一場混戰，後來就這樣一直東躲西藏的。」

「我們的後面也有人緊緊咬著。」

「有什麼好消息？」萊昂問道。

「最近沒有聽到什麼，」查維斯答道。「我想我們該從這鬼地方撤出去了。」

「是啊，」萊昂下士正說著，拉米雷茲到了。他向上尉報告了情況。他說完後查維斯說了一句：「上尉，我們都累死了，得找個地方躺一躺。」

「是啊。」格拉表示同意。

「那我們身後那些傢伙呢？」

「兩個鐘頭沒有什麼動靜了，長官，」格拉提醒他。「那邊那個土丘就不錯。」這是他能對長官施加的最大影響了，而且總算起了作用。

「把人帶過去，劃出警戒線，派兩個人擔任警戒。我們休息到太陽下山。也許我能和他們通上話，請求支援。」

「這太好了，上尉。」格拉說著就著手安排佈置。查維斯立即到四周搜索察看，班裏其餘人員開始往新的宿營地移動——查維斯想，可是這是供白天睡覺的宿營地——這種想法算不上什麼幽默，不過在這種時候也只能有這點幽默了。

「我的天哪，」雷恩深深地吸了口氣。已是凌晨四時了，他是靠咖啡和憂慮支撐著熬了這一夜，他發現自己在局裏究竟能管多少事。他以前從來沒幹過這種事。接著最要緊的是……什麼呢？

先睡它一覺，哪怕是兩三個鐘頭也好，他拿起電話，撥通了他的辦公室。那兒總有人值班。

「我是雷恩博士。我要晚點兒來。吃的東西不大好，吐了一夜……不，不，我覺得現在好多了。我想睡一會兒，明天——哦，不，今天上班我自己開車去。行，行啊。謝謝了。再見。」

他在電冰箱門上留了張條子。為了不打擾凱西，他睡到了一張空床上。

要發一份這樣的電報對科特茲來說易如反掌，換其他人來幹又談何容易？他加入卡特爾所建的首功就是搞了一份華盛頓地區有關人員的電話號碼。這種事並不難辦。要想瞭解什麼情況，只要找到知情人就行。幹什麼都得這樣。科特茲在這方面是個行家，只要拿到電話號碼——他為此花了一萬美元，也算是把錢用在刀刃上了，不過用的是別人的錢而已——剩下的就是熟悉這些號碼的問題了。當然這種事幹起來比較玄。倘若要找的人不在，就可能留下一些蛛絲馬跡。不過如果註明某某人親啓的字樣，也許會讓那些想隨便看一眼的人打消好奇心。這些人的秘書都受過良好的教育和訓練，如果對什麼事都好奇就會砸了自己的飯碗。

由於有了電傳打字機這種新玩意兒，幹這種事變得更方便了。電傳打字機表明一個人的身分。就像大人物都有不經過秘書的私人專線電話一樣，每個人都應有電傳打字機。它與傳真機配合使用。科特茲開車來到麥德林，他自己的私人辦公室親自發這份電報。他懂得美國政府的正式電文的格式，所以想盡量把電文編得像那麼回事。電報抬頭是**雨雲親啟**。**發電人**一欄的名字是虛構的，**收電人**的名字則是真實的。這可以引起收件人的注意。電文簡潔明瞭，還附有用密碼寫的覆電地址。收到這份電報的人將作何反應尚難以預料，但科特茲覺得這本身就是一次很好的賭博。他把擬好的電文紙放進傳真機，撥了他所要的號碼，然後就在一旁等著，因為剩下的工作機器全包了。它一聽到對方那臺電傳機發出動聽的備便接收信號，就迅速地把電文發了出去。科特茲將電文紙取出，疊好後放進了皮夾。

· · ·

當收件人聽見自己的電傳機叭答叭答地打出一份電報時，他驚異地轉過身。肯定是官方電文，因為知道這條私人專線的只有五六個人——他從來沒想到電話公司的電腦也知道這個號碼。他把正在做的工作完成，然後過來取出這份電傳電報。

雨雲究竟是什麼？百思不得其解。管它是什麼，反正是給他的親啓電報，所以就看了起來。這時他正在喝上午的第三杯咖啡，幸好他的咳嗽只濺了一些咖啡在辦公桌上，並沒有濺到他的褲子上。

凱西·雷恩的時間觀念極強。客廳裏的電話鈴準時在八點半響起來。傑克·雷恩的頭像受了電擊似地在枕頭上抽搐了一下，接著他伸過手去抓起這個討厭的東西。

「喂？」

「早安，傑克，」妻子興致勃勃地說。「你是怎麼啦？」

「昨晚因為一點工作不得不熬了點夜。還有一樣東西你也帶了嗎？」

「帶了，不是什麼——」

「我知道上面說的是什麼，親愛的，」雷恩打斷了她的話。「你能打個電話嗎？這事很要緊。」卡洛琳·雷恩醫生早聽出了他的弦外之音。

「好的，傑克。現在感覺怎麼樣？」

「不太舒服，不過我還得去上班。」

「我也得去上班啦，親愛的。再見！」

「好吧。」雷恩掛上電話。他強迫自己下了床。先洗個澡，他自言自語道。

凱西向外科辦公室走去，她的步履很快。她拿起辦公室的電話，從醫院的華盛頓專線上打了一個電話。對方電話鈴響了一下。

「我是丹・摩瑞。」

「丹，我是凱西・雷恩。」

「早安！在如此晴朗的早晨，我能為你做點什麼，醫生？」

「傑克讓我告訴你，他十點一過就來見你。他要你允許他在通道上停車，還說不能讓大廳裏的人知道。我不明白他這些話的意思，我只是當個傳聲筒。」凱西也不知道這是否很可笑，因為傑克的確喜歡跟那些跟他差不多的人開一點小玩笑，但她總覺得是些傻裏傻氣的玩笑。她也弄不清這是不是什麼玩笑，因為傑克尤其喜歡跟他聯邦調查局的朋友開玩笑。

「好吧，凱西，由我來安排吧。」

「我得趕快去給病人做眼科手術了。代我向莉絲問好。」

「一定照辦。祝你手術成功。」

摩瑞掛上電話，覺得有點——丈二和尚摸不著頭腦。不能讓大廳裏的人知道。「大廳裏的人」是他倆第一次在倫敦聖湯馬斯醫院時。他使用過的詞句，當時他還是在格羅夫納廣場美國大使館的法律專員。「大廳裏的人」指的是中央情報局的人。

可是雷恩本人就是中央情報局六位要員之一，而且無疑是三巨頭之一。

這話到底有什麼含義呢？

「唔。」他讓秘書通知保安人員准許雷恩把車停在胡佛大廈正門下面的車道上。無論是什麼事他都可以耐心等待。

那天上午九時，克拉克到達蘭格利。他沒有保安部門的通行證——在外執行任務是不能帶的——所以只好使用暗語才進了大門。這太像陰謀活動了。他把車停在來賓停車場——中央情報局有這樣一個停車場——然後走進大門。他在大門左面領了一個像來訪者佩戴的通行證，有了它，他才可以自由進出那扇由電子控制的門。他向右一轉，經過一組壁畫。這些畫就像一個巨人用泥巴胡亂塗成的。克拉克心想搞這個裝飾的人肯定是個KGB潛伏份子，要不就是因為他們選中了一個開價最低的投標者。他搭電梯上到七樓，沿走廊走到通往主管辦公區的走廊。他來到外勤副局長的秘書跟前。

「克拉克先生求見賴特先生。」他自報了姓名。

「事先約定了嗎？」

「沒有，不過我想他正在等著要見我。」克拉克很客氣，因為在這兒沒有必要冒犯她，何況他所受到的教育就是對婦女要彬彬有禮。她拿起電話向賴特報告，然後說：「你可以進去了，克拉克先生。」

「謝謝你。」他進去之後隨手關上了門。這扇門很沈重，而且能隔音。太好了。

「你來見我有何貴幹？」副局長問道。

「你應當停止**演藝船行動**，」克拉克單刀直入。「它失敗了。那幫壞蛋正在追殺我們的小伙子們，而且——」

「我知道。我昨天晚上聽說了。跟你說吧，我從來就沒有認為這次行動不會有損失。三十六個小時以前有一個小分隊損失很大，但從我們聽到的情況來看，對方的損失更大，而且我們的人還進行了報復，是和——」

「那是我幹的，」克拉克插嘴說。

「什麼？」賴特不勝驚訝。

「昨天大約這個時候，我和拉森開著車子出去，我發現了三個人——管他是什麼人。他們剛剛把屍體裝上了卡車。我覺得沒有必要留著這些人。」克拉克語氣十分平靜。在中央情報局裏已經很長時間沒有講這類事情了。

「天哪，約翰！」儘管克拉克多管閒事插手了另一個行動，甚至冒著生命危險去幹，賴特也沒有衝著他發火，因為他太感到驚訝了。

「我認出了其中一個死者，」克拉克繼續往下說道。「陸軍上尉艾米利奧·羅哈斯。一個很好的小伙子。」

「我很難過。誰也沒說過這次行動沒有危險。」

「我敢肯定他的家人，如果他有家人的話，是能理解這一點的。這一行動現在已經暴露。要減少我方的損失，我們怎樣把他們營救出來？」克拉克問道。

「我正在考慮這個問題，我得跟有關的人進行協調。他會不會同意，我還沒有把握。」

「如果是這樣，長官，」克拉克對上司說，「我建議你強烈地申述自己的理由。」

「你是在威脅我嗎？」賴特心平氣和地問道。

「不，長官，但願你不要把我想得那麼壞。我是根據自己的經驗在說話。這次行動必須儘快中止。你有責任把這種必要性明明白白地告訴批准這次行動的人。即使得不到批准，我也勸你想盡辦法將它停下來。」

「為此我可能會丟官，」副局長指出。

「我認出羅哈斯上尉的遺體後就一把火燒了那輛卡車。有兩個理由，我想吸引敵人部份注意力，當然我也想讓些屍體無法辨認。我以前還從來沒有焚燒過自己人的屍體呢。我並非願意那麼幹。拉森至今也不知道我為什麼那麼幹。他太年輕，還不懂。可是先生你並不年輕了。你把這些人派出去，你應該對他們負責。如果你認為你的官職比他們的生命更重要，那我就告訴你，你錯了，長官。」克拉克提高了嗓門，但仍然在據理力爭。這是多年來的第一次。鮑勃·賴特對自身的安全感到擔心。

「你為了轉移敵人注意力而採取的行動是成功的，對方現在有四十個人在緣木求魚呢。」

「很好，這將更有利於我們把人員撤出。」

「約翰，你不能這樣對我發號施令。」

「長官，我沒有發號施令。我是在跟你說應當做什麼。你曾經說過，這個行動交給我負責的。」

「那是**互惠行動**，不是**演藝船行動**。」

「長官，現在不是咬文嚼字的時候。如果你不把這些人撤出，那就會有更多的人死於非命，也許是所有的人。長官，這就是你的責任了。你不能只管派人而不管支援。這你是明白的。」

「當然，你說得對。」賴特思索了片刻後承認道。「可是我一個人是不能這麼做的，我必須告訴——反正你也知道。我來辦吧。我們儘快把他們撤出來就是了。」

「好吧。」克拉克如釋重負。賴特是個很有能力的組織者，往往對下級過於嚴厲。但他卻是個說一不二的人，而且他也很聰明，不會在這種事上把克拉克惹火。克拉克對此也有數。他已經把自己的看法講得清清楚楚，而且賴特也聽得明明白白。

「拉森和替他傳遞消息的人怎麼樣了？」

「我把他們都帶出來了。他的飛機在巴拿馬。他現在住在馬路那邊的馬里奧特旅館。對了，他很好。也許他在哥倫比亞身分已經暴露。我想他倆都應去休幾星期假。」

「可以，那你呢？」

「如果你要我明天回去都可以。在撤退任務中你也許能用得著我。」

「我們可能已經掌握了科特茲的線索。」

「真的？」

「你還是第一個拍到他的照片的人。」

「哦?在哪兒——在溫蒂貝羅斯家裏，差點被我們抓住的那個混蛋?」

「就是他。被他勾引的那個女人也指認了他。他現在正在安塞爾馬附近一幢房子裏坐鎮指揮他的人馬的實地行動。」

「那我就得帶拉森再走一趟。」

「值得冒這種險嗎?」

「抓科特茲?」克拉克略加思索。「要看情況。值得去看一下。我們瞭解他的保安情況嗎?」

「一點也不知道，」賴特說道。「只知道那幢房子的大概方位。是從監聽中瞭解到的。能把他活捉就好了。我們想弄清的許多問題他都知道。把他抓到這兒來就可以給他定謀殺罪，判個死刑之類。」

克拉克若有所思地點點頭。間諜小說還有一處也是大謬不然，它們往往把搞間諜活動的人描寫成如何心甘情願地吞下氰化物膠囊或是如何從容鎮定地面對行刑隊員。實際情況與之相去甚遠。人們有時之所以能勇敢地面對死亡，是因為沒有什麼對他們更有吸引力的選擇。能給他們另一個選擇也許就能奏效。現在有一種流行的時髦話說，這樣做並不需要具備飛彈科學家的頭腦。如果能抓住科特茲，就可以透過正常程序對他進行審判並判處他死刑——只不過要有個合適的法官，在有關國家安全的問題上總有很多靈活的餘地——就算是這樣吧。科特茲到時候會不打自招，甚至在開庭審判前就會，因為他一點也不傻，知道什麼時候如何討價還價最合適。他以前出賣過自己的國家，出賣卡特爾更是小事一樁了。

克拉克點點頭。「給我幾個鐘頭好好考慮一下。」

雷恩向左拐離開第十大街，開上了去聯邦調查局的通道。路上的警衛人員有穿制服的、也有穿便衣的，其中有個人拿著一個活頁本走上前來。

「我是傑克·雷恩，要見丹·摩瑞。」

「能看一下證件嗎？」

雷恩掏出中央情報局的證件。這個警衛在查驗證件後朝另一名警衛揮了揮手。那人按下電鈕，移開了所設置的鋼製路障。這個障礙是為了防止有人把放有炸彈的汽車開到總部大樓下面去而設置的。雷恩把車開上車道，找了個地方停下。在進門的大廳裏一位年輕的特工迎上來，遞給他一張通行證。有了它就可以打開那扇電子控制的門。雷恩心想，要是有人發明一種電腦病毒，那麼有一半的政府機關就無法進去上班，而只有等問題解決之後國家才會安全。

胡佛大廈的平面設計很明顯地有其獨特風格。它簡直像座迷宮：它的走廊是對角線和四邊形的交叉。對那些不熟悉其內部結構的人來說，它比五角大廈裏的路更難找。等他們來到摩瑞辦公室時，雷恩真有點暈頭轉向了。摩瑞正在等著他，並把他領進自己的辦公室。雷恩進去之後順手關上了門。

「出了什麼事？」摩瑞問道。

雷恩把公文包放在摩瑞辦公桌上，然後把它打開。

「我需要有個人指點一下迷津。」

「哪方面？」

「什麼可以算得上非法行動——實際涉及到好幾件事。」

「怎麼個非法？」

「謀殺。」雷恩盡量不帶任何個人感情色彩。

「哥倫比亞的汽車炸彈事件？」摩瑞已坐在自己的轉椅上了。

「猜得不錯，丹。不過並非什麼汽車炸彈。」

哦？摩瑞沒有急於說話，而是考慮了一會兒。他沒有忘記，現在所做的一切都是為了懲罰謀殺伊邁和其他人的兇手。「不管是不是汽車炸彈，法律在這個問題上是含糊不清的，這你也知道。保護從事情報活動的人，使其免遭殺害乃是總統頒發的法令。如果他在這個法令下面寫上了此案例外，那麼它就合法了——有點合法吧。在這個問題上的法律也真怪。何況這又是個立憲方面的問題。憲法在必要的地方也是含糊其辭的。」

「是啊，這我知道。有人要我向國會提供錯誤信息，這就使事情變得非法了。如果督察部門的人也參與了此事，那它就不會是謀殺，它將成為政府制定的適當政策。實際上，根據我對法律的理解，即使我們在這件事上對國會先斬後奏，也不會是謀殺，因為如果督察部門的人不在首都，我們在開始一項秘密行動之前還有一段準備時間。但如果局長要我向國會提供假情況，那我們也在犯謀殺罪，因為我們是有法不遵守。就是這麼個好消息，丹。」

「說下去。」

「糟糕的是，知道這件事的人太多。一旦走漏了風聲，我們派去的人就可能受到極大的傷害。暫且不談它的政治方面。我只想說一點，它不只是個政治問題。我如今是一籌莫展，丹。」雷恩的分析跟以往一樣精闢，可惜他沒有說對，因為他還不知道真正糟糕的是什麼。

摩瑞笑了一下。這倒並非他想笑，而是因為他覺得自己的朋友現在需要看見一點笑容。「你怎麼知道我就會有什麼錦囊妙計呢？」

雷恩略微放鬆了下來。「是啊，我本可以去請牧師給我指點指點，可是他們並不是適合做秘密工作的特工人員。既然他們那裏去不成，我就只好來找你，找你們聯邦調查局了，是不是？」這是他們倆之間的內部玩笑。他倆都畢業於波士頓學院。

「這次行動是由哪家組織實施的？」

「猜猜看，不是蘭格利，實際不是。控制這次行動的是往這條街前面六個街區的地方。」

「也就是說我連司法部長也不能找了。」

「是啊，他可能會告訴他的上司，是吧？」

「所以我是跟自己的官僚機構過不去了，」摩瑞輕蔑地說道。

「在政府機關任職有什麼好處呢？」雷恩又開始傷感了。「媽的，也許我們可以告老還鄉了，你還有誰能信任的？」

「比爾·蕭，」摩瑞脫口而出，隨即站起身。「走，我們去找他。」

「循環」一詞是進入社會生活的電腦術語之一。它的引伸意義是指獨立於周圍事物而存在的行動圈或決策圈，它是鑑別所發生的事和促使這些事發生的人的臨時調查機構。實際上，每個政府都有很多這樣的機構。這些機構都有自身的一套規則，而每個成員都懂得這些規則。在幾小時後又成立了一個新的臨時調查機構，其成員包括聯邦調查局一些經過挑選的成員，但不包括主管調查局的司法部長。其成員還包括特工部門的一些成員，但不包括他們的頂頭上司財政部長。這類調查主要是紙上談兵式的，負責這個臨時機構的摩瑞驚訝地發現他的一個「目標」很快就有了動作。他只知道目標驅車去安德魯空軍基地，但僅知道這一點情況是無濟於事的。

此時雷恩正坐在自己的辦公桌前。大家都看得出他面帶倦容，不過他們都知道他昨天夜裏稍稍欠安，而且還知道是因為吃了什麼東西的緣故。現在他知道自己該怎麼辦了：什麼也別做，因為賴特外出了，穆爾也不在。像這樣無所事事真令人難熬，可是現在去做一些隔靴搔癢的事就更令人難辦。他的確心情好了些，因為現在問題已經不是他一個人的了。不過他還不知道那樣做並不能使他感到多少寬慰。

第二十五章　奧德賽檔案

摩瑞派了一名資深的特工火速前往安德魯空軍基地。他趕到那兒時，看見那架小型噴射式飛機已經滑行到一號左側跑道的盡頭。他出示了自己的證件，走進負責第八十九軍事空運聯隊的上校辦公室。他查明剛剛起飛的那架飛機的飛行計畫後，就借用上校的電話向摩瑞作了報告。接著他告誡上校不要說他來過，也不要提有人來調查過，因為這涉及對一項重大犯罪案件的調查工作，事關機密。這個案件代號**奧德賽**。

摩瑞和蕭二人接到電話後立即碰了頭。蕭覺得自己能擔負起代理局長的責任。他知道這不過是臨時代替而已，一旦找到合適的政治傀儡，他還得回去當他的執行（負責調查工作的）助理局長。他對此有些耿耿於懷，讓一位職業警察主管調查局工作有什麼不好？當然，那是政治而不是警察業務。在三十餘年的警察生涯中，他覺得自己討厭政治那玩意兒。

「得派個人去，」蕭說。「可是，老天爺，怎麼派呢？」

「為什麼不派那個駐巴拿馬法律專員去呢？」摩瑞問。「我瞭解他，人很可靠。」

「他隨毒品管制處在外出差，要一兩天才能回來。他的副手幹不了這事。經驗不足，一個人對付不了。」

「莫拉萊斯現在在波哥大，可是派他去會引起別人注意……我們又要玩追蹤遊戲了，比爾。那傢伙現在正以每小時五百英里的速度向南飛呢……派馬克·布萊特去如何？也許他能從航空防衛隊弄到一架噴射式飛機。」

「就這麼辦！」

「我是特工布萊特，」他拿起電話說。

「馬克，我是丹·摩瑞。我要你辦件事。你準備記錄。」摩瑞接著說了下去。兩分鐘後布萊特咒罵地拿出電話號碼本。第一通電話打到埃格林空軍基地，第二通打給當地海岸防衛隊，第三通打回自己家裡。他知道一定不可能回家吃晚飯了。出門的時候他隨手拿了幾樣東西，而後讓另一名特工開車送他到海岸防衛隊停機坪，有一架直升機已在那裏等著。他剛上去飛機就起飛朝東向埃格林空軍基地飛去。

整個空軍只有三架F—一五E打擊鷲戰鬥機，而且三架都是原型機。這是一種進行地面攻擊的大型雙發動機戰鬥機，其中兩架在埃格林進行技術測定，因為國會要決定是否把它們投入系列生產。除了一些訓練機，這是空軍中僅有的具有空中實戰優勢的雙座戰鬥機。布萊特走下直升機時，負責把他送往目的地的空軍少校已在飛機旁等著。兩名士官幫他穿上飛行服，背上降落傘，套上救生衣。飛行帽放在後面那張彈射式座椅上面。十分鐘之後飛機的起飛前準備工作都已就緒。

「出了什麼事？」少校問道。

「我要去巴拿馬，越快越好。」

「哎呀，你是想讓我快點飛呀？」少校說完大笑起來。「別著急嘛。」

「你再說一遍？」

「加油機三分鐘前才起飛。我們要等它爬升到三千英尺時再起飛。它將飛到我們上方替我們加油，然後我們就全速飛行。另一架飛機將從巴拿馬起飛替我們再加一次油——我們才有足夠的燃料降落，長官。這樣我們的大部份飛行都將是超音速的。你的確說了你很急嗎？」

「喔唷。」布萊特那頂飛行帽不太合適，他想盡量把它戴好。雖然空調系統已經打開，座艙裏的溫度還沒完全降下來。「萬一那架加油機到不了怎麼辦？」

「這種鷙式戰鬥機滑翔性能很好。我們不會滑得太遠的，」少校想使他放心。

布萊特聽見耳機裏傳來了指令。少校作出回答後對他的乘客說：「長官，請注意，馬上就要起飛了。」飛機滑行到跑道頂端後停了一下，這時少校使發動機呼嘯著，震動著全速運轉起來，然後把煞車鬆開。十秒鐘後，布萊特心想不知在航艦上的彈射起飛會不會有這麼精彩。F—一五E進行四十度爬升並不斷加速，把佛羅里達海岸線遠遠甩在後邊。在離海岸線一百英里處，飛機進行了空中加油——雖然可以感到明顯的撞擊，但布萊特絲毫沒有感到害怕，而是覺得大飽了眼福——脫離之後，打擊鷙爬昇至四千英尺，少校按下加力燃燒室的按鈕。後座艙裏也有不少儀表，主要與向目標投擲炸彈和發射飛彈有關。布萊特從其中一只儀表上發現他們的速度已超過每小時一千英里。

「什麼事這麼急？」駕駛員問道。

「我想趕在一個人前面到達巴拿馬。」

「能跟我說得清楚點兒嗎？也許會有幫助，知道吧。」

「是一架商務噴射機，我想大概是灣流三式，八十五分鐘前離開了安德魯。」

駕駛員笑起來。「就這樣？見鬼，他著陸之前，你就可以住進旅館了。我們已經超過他啦。飛這麼快很費燃料的。」

「那就讓它浪費吧，」布萊特說。

「我倒無所謂，先生。飛兩馬赫也罷，坐著不動也罷，他們都給我那麼多錢。好吧，我想我們會比那傢伙提前九十分鐘到。喜歡這次飛行嗎？」

「飲料在什麼地方？」

「你右膝下方就有一瓶。自製佳釀，很香，但一點也不摻假。」

布萊特好奇地拿起來喝了一口。

過了幾秒鐘少校解釋道：「裏面有鹽和電解質，喝了提神。你是聯邦調查局的，對吧？」

「是的。」

「出了什麼事？」

「不好說。什麼聲音？」他聽見耳機裡一陣嘟嘟聲。

「地對空飛彈雷達，」少校答道。

「什麼?」

「那邊是古巴。那裏有個地對空飛彈發射場。他們不喜歡美國軍用飛機,我也不知道為什麼。我們處於它的射程之外。別緊張,這很正常。我們也利用它們來校準我們的雷達系統。像鬧著玩一樣。」

摩瑞和蕭兩人翻閱著雷恩送來的資料。他們有幾個問題有待立即解決:首先,要弄清楚本來應該是怎樣進行的;其次,要弄清楚實際上又是怎樣進行的;然後再看它合法不合法;倘若不合法,那麼就要在適當的時候,採用他們認為適當的行動。雷恩倒在摩瑞辦公桌上的並不是一罐蠕蟲,而是一罐毒蛇。

「你知道這事會是個什麼結果嗎?」

蕭抬起頭。「國家不能再出這種事了。」不能透過我的手,不過這半句他沒說出口。

「不管能不能出,現在我們就面臨著一個。對於他們為什麼這麼做,我承認我有點想說『幹得好!』可是以傑克告訴我的情況來看,我們至少違反了監督法;而且肯定違反了總統的行政命令。」

「除非還有我們不知道的附加條文。如果司法部長知道怎麼辦?」

「如果他是參與者呢?伊邁遭襲擊那天,司法部長不是和其他人一起飛往大衛營了嗎?記得嗎?」

「我現在只想知道我們的朋友到巴拿馬去有何貴幹。」

「我們也許會發現的。他單槍匹馬去。沒有保安部隊。大家都起誓要守口如瓶。你派誰到安德魯去問明情況呢?」

「帕特·奧戴。」摩瑞答道。這就很明白了。「我仍然要他跟情報局的人保持聯繫。他跟他們多次聯手合作過。當然，要到時機成熟。我們隨時都可以那樣做。」

「的確如此。我們現在在**奧德賽案件**上投入了十八個人。人手還不夠啊。」

「暫時只能控制在這個範圍，比爾。我認為下一步要從司法部找個人替我們掩飾掩飾。找誰呢？」

「天哪，我想不出來。」蕭真有點惱火。「進行一項司法部長知道，但又把他排除在外的調查還前所未有過，我也不記得曾經有哪一件案子是他全然無知的。」

「我們先慢慢來。現在主要是弄清這個計畫的內容，然後再根據這個展開。」從摩瑞的角度看，這個見解合乎邏輯，可惜它也大謬不然。這一天簡直錯誤百出。

F—一五E準時在霍華德機場降落，比從安德魯起飛的那架飛機預定到達時間早八十分鐘。布萊特向少校表示謝意。飛機補充油料之後立即飛返回埃格林，返航途中少校覺得輕鬆多了。迎候布萊特的是基地情報主任，另一位是巴拿馬市法律事務處的最高代表。此人年輕精幹，但對這種敏感案件他還太嫩了點。布萊特把他瞭解的那點情況向他倆作了簡單說明，並要他們保證嚴守秘密。這樣工作就可以開始了。他的第一件事就是去基地販賣部買些衣服。情報主任替他準備了一輛有當地牌照，普普通通的小汽車。這車停在機場大門外，在基地裏他們就用空軍的藍色普利茅茨牌轎車，因為這樣不會引人注意。那架VC—二〇A降落時，他們的車停在機場保養工作區附近。布萊特從包裹拿出尼康照相機，再裝上一千公厘的攝遠鏡頭。那架飛機滑行到一個機庫前停下，接著艙門蓋隨同折疊扶梯一起放了下來。那位唯一的乘客走下飛機，鑽進了一輛前來接他的汽車，布萊特從幾百碼開外把照相機對準他一連拍了幾個特寫鏡頭。

「天哪，果然是他。」布萊特把底片倒回取出後，遞給身邊一位聯邦調查局的特工，接著又裝上一卷三十六張的底片。

他們要跟蹤的車和他們現在用的這輛空軍的車一模一樣。它逕自開出了營區。布萊特他們差點連換車也來不及，不過開車的上校是一心想參加全國賽車協會大賽的，他緊跟著那輛車，保持在一百碼的監視範圍內。

「為什麼連保安措施也沒有？」上校問道。

「他們說他一般不喜歡興師動衆，」布萊特說。「很怪，是吧？」

「哎呀，是啊。也不考慮考慮自己的身分和自己所掌握的情況，也不看現在是在什麼鬼地方。」

進城的途中沒有發生驚心動魄的事。那輛空軍轎車把卡特送到巴拿馬市郊一家豪華的飯店。布萊特跳下車，見他就像普通出差的人一樣登記住進飯店。上校留在車上，另一名特工幾分鐘後也進了飯店。

「現在怎麼辦？」

「當地警察局裏有可靠的人嗎？」布萊特問。

「沒有。我認識幾個，有些還真不錯。可靠？在這兒可沒有啊，老兄。」

「唔，總可以按老規矩辦嘛，」布萊特說。

「好吧。」這位助理法律事務專員掏出錢包走到登記服務臺。兩分鐘後他走了回來。「局裏欠我二十塊錢。他以羅伯特·費希爾的名字登記住進飯店。這是運通卡的號碼。」他還拿來一張揉皺了的複寫紙，上面有個龍飛鳳舞的簽名痕跡。

「打電話到辦公室，要快。我們要對他的房間進行監視。我們需要——老天，我們有多少力量？」布萊特揮手叫他一起到外面去。

「幹這個是不夠的。」

一時之間，布萊特苦著臉，樣子很難看。這個電話真不好打。**奧德賽**是個代號案件，摩瑞一再交代他要注意安全，但——在任何時候總有個「但是」，現在有安全保障嗎？——這是一定要做的事。他是現場資格最老的，這個電話不能不打。他知道在這種事情上往往可以決定一個人的陞降沉浮。天氣悶熱得要命，不過這並不是此時布萊特汗下如雨的原因。

「好吧，告訴他我們要五六個管用的人幫我們進行監視。」

「你確定——」

「現在我什麼也不確定！我們要監視的這個人——如果我們懷疑他——我的老天啦，如果我們懷疑他——」布萊特不再往下說了。沒有什麼太多的可說了，不是嗎？

「是啊。」

「我待在這兒。告訴上校把事情安排一下。」

實際上他們沒有必要那麼著急。目標——布萊特暗暗對自己說，卡特現在就是目標——三小時後出現在樓下大廳裏，換了一身熱帶穿著的衣裳，看起來很有精神。在飯店外面有四輛車在等著他，但他只知道那輛小的白色賓士車。他進去之後，那輛車就一直向北駛去。其餘三輛車在一定距離上尾隨著。

暮色漸漸降臨。布萊特裝上的第二卷底片才拍了三張。他把這卷底片取出，重新裝上一卷高感度的黑白底片。他照了幾張那輛車的照片，為的是拍下它的車牌號。這時開車的已不是上校，而是刑事調查憲兵分隊一名士官。他對這裏的地形熟悉，而且為自己能替調查局辦的代號案件的能力感到受寵若驚。他認出門前停著那輛賓士車的房子。他們也應當能猜到。

這位士官知道在不到一千碼處，有個可以俯視這幢房子的地方，不過現在去太晚了，而且也不能把汽車停在公路上。布萊特和當地聯邦調查局的代表跳下車，找了個又溼又臭的地方潛伏著。士官給了他們一臺報話機，必要時可以用它來呼叫他。他祝他們好運。

這幢房子的主人外出料理國家大事去了，但他卻慷慨地把房子交給他們隨便使用。房子裏有幾個工作人員在各司其職。他們送上點心和飲料後就退下了，但他倆都知道屋子裏的錄音機是開著的。不過這並沒有關係，是吧？

*沒有關係才見鬼呢！*他們倆都意識到即將開始的談話關係到一個十分敏感的問題。科特茲建議說，儘管外面天氣不理想，他們最好還是不在屋裏談。他的謹慎使客人很驚訝。兩人都把外套脫了，從法蘭西式門走進花園裏。花園裏有許多盞發著藍光的捕蟲燈誘來成千上萬的飛蟲，將它們噼噼啪啪地全部擊斃。那響聲會使任何錄音企圖成為徒勞。誰又會想到他們竟然離開了有空調的房子呢？

「謝謝你對我的電報所作的反應，」科特茲的話讓人聽了很舒服。現在不是說客套話或奉承人的時候，當務之急是談正事，但他在這個人面前又要表現出適當的謙恭。這對他來說倒也無所謂，因為和這個級別的人打交道這是必要的，他希望自己對這一套方式能逐漸習慣起來。他們之間需要尊重，而尊重可以使討價還價更容易些。

「你想談什麼呢？」卡特中將問道。

「當然是你們對卡特爾所採取的行動囉。」科特茲示意請他坐在藤椅上，他自己進到房子裏端了杯子和飲料出來。今晚他倆都端起法國的皮埃爾礦泉水，烈性酒一滴未沾。科特茲覺得這是個好兆頭。

「你所指的是些什麼行動？」

「你應當知道，胡克博先生的死跟我是毫不相干的。那種行為是瘋狂。」

「我為什麼要相信你的話呢？」

「當時我在美國。難道他們沒告訴你？」科特茲說了些細節。然後說：「像沃爾夫太太這樣的情報來源和那種愚蠢的、感情用事的報復行為簡直不可同日而語。而且以這種如此明顯的方式向一個大國挑戰就更蠢。你們作出的反應好極了。實際上你們採取的行動非常令人佩服。你們的機場監視行動直到結束都沒有引起我的懷疑。你引爆那顆汽車炸彈的方式可以說簡直是一門藝術。你能把你們行動的戰略目標告訴我嗎？」

「得了吧，上校。」

「將軍，我可以把你們的行動向報界和盤托出。」科特茲的語氣中有幾分憂傷。「你要是不告訴我，那就得告訴你們的國會議員。你會發現我比他們好說話。我們畢竟是同行嘛。」

卡特思索片刻後，還是告訴了他。可是當他看到對方笑起來，他很惱火。

「妙極了！」科特茲把話接過去。「我真希望有一天能見見他，是他想出了這個高招。他是個真正的行家！」

卡特點點頭，似乎在接受這種恭維。一時之間科特茲也不知是否真是如此……不過要證實一下也不難。

「卡特將軍，請你原諒我。你以為我瞧不起你們的行動，我誠懇地告訴你，我沒有。你們實際已達成了自己的目標。」

「我們知道。據我們瞭解，有人想幹掉你和埃斯科韋多。」

「是啊，」科特茲說。「我很想知道你們搞我們的情報怎麼搞得這麼好。當然你是不會告訴我的。」

卡特盡力招架說：「我們的人比你們想像的要多，上校。」其實這話一文不值。

「我相信。」科特茲見好就收。「我覺得在一個問題上我們是英雄所見略同。」

「哪個問題上？」

「你希望挑起卡特爾內部火併，我又何嘗不希望呢？」

卡特不由地屏住了呼吸。「哦？何以見得？」

科特茲知道自己已佔了上風。就這麼個蠢貨竟然能當美國總統的顧問？

「哎呀，我將為你們的行動作內應並對卡特爾進行改組。這就意味著要除掉其中一些礙手礙腳的傢伙。」

卡特並不完全是個笨蛋，但他又犯了個愚蠢的錯誤。他提了一個不是問題的問題：「由你來當盟主？」

「你知道這些毒梟是些什麼人嗎？是些為非作歹的農民，沒有受過良好教育的野蠻人，權欲薰心，可是他們卻像被寵壞的孩子那樣埋怨別人不尊重他們。」說到這裏，科特茲仰望星空笑了笑。「這種人你我都不必認真去理會。世上少了這種人會更乾淨。在這一點上你我應有共識吧？」

「你說的不假，我也早有同感。」

「如此說來我們已經有了共識。」

「在什麼問題上有共識？」

「你們的『汽車炸彈』一下幹掉了五個毒梟。我也會除掉他幾個，其中自然包括那幾個同意殺害你們大使的人，另外還有其他幾個。不能讓這種人逍遙法外，不然我們的世界就會亂了章法。為了表示誠意，我將把運往你們國家的古柯鹼量減少一半。毒品交易現在是混亂不堪，而且暴力行為接連不斷。非改組整頓不可了。」這位前古巴情報機關的上校說得振振有辭。

「我們要把它制止住！」連卡特自己也覺得這種話說得太蠢。

科特茲喝了口礦泉水，又接著頭頭是道地說了下去：「那是制止不住的。只要你們的公民願意讓自己的大腦受到刺激，就會有人來成全他們。問題是我們怎樣使這一過程更井然有序些。你們從教育方面所作的努力最終將把對毒品的需求量降到可以容忍的水準。到那時，我就可以調節毒品交易，從而把對你們的社會所造成的破壞降到最低限度。我除了減少出口量，還可以讓你們抓住幾個重要份子，這樣你們警方也好去邀功請賞。今年還是個大選之年，是吧？」

卡特再度屏住了呼吸。他們這是在進行巨額賭注的賭博，科特茲分明是在說牌上有記號。

「往下說，」卡特終於冒出了幾個字。

「難道這不正是你們在哥倫比亞行動的目的嗎？打擊一下卡特爾，挫一挫毒品走私？我是把成功給你送上門來了，你們總統會感到求之不得。毒品出口量減少；一些戲劇性的破獲和逮捕；卡特爾內部火併，你們不僅不會有任何關係，而且還可以受到獎賞。我是把勝利拱手奉送啊！」科特茲說道。

「想以此換取……？」

「一些小小的勝利。我必須取得一些勝利，才好在毒梟中贏點威望，對吧？對派到那些可怕的山區去的綠扁帽，你要撤回對他們的支援。你知道吧，你們用來支援的是一架大型黑色直升機，它停放在霍華德空軍基地的三號機庫裏。我想除掉的那幾個毒梟手下都有大批打手。剪除這些混蛋最好的辦法就是借助你們的人。遺憾的是，為了能使我在上司」——他在說這兩個字時簡直是嗤之以鼻——「面前站得住腳，我所進行的是代價很高的流血行動，但它最終必須有點戰果。這種必要性很令人遺憾，但從你們的觀點來看它，不也消除了你們安全問題方面的一個隱憂嗎？」

我的天啊！卡特的目光不是落在科特茲身上，而是穿過這座城市的萬家燈火投向了叢林地區。

「你認為他們是在談什麼？」

「鬼知道！」布萊特說了一句。他還剩最後一卷底片了。底片的感光度很高，可是為了拍到效果較好的照片，他還得把快門速度，再放慢些。這就要求他必須一動不動地拿著照相機，就像用獵槍一動不動地瞄準遠處一隻麋鹿一樣。

總統是怎麼說的？把整個行動停下來，至於怎麼停，那我不管……可是我不能這麼幹。

「很遺憾。這不可能，」卡特說道。

科特茲聳了聳肩，雙手無可奈何地一攤。「那我們就向全世界宣佈，說你們入侵哥倫比亞，進行駭人聽聞的屠殺。你當然明白，這對你，對你們總統，對你們政府中的許多高級官員，會產生什麼後果。你們好不容易才度過了由於其他種種醜聞而造成的難關。一個政府做了許多違反其自身制定的法律的事，然後再用這些法律來審判其工作人員，替這種政府賣命也真太難了。」

「你訛詐不了美國政府。」

「何以見得呢，將軍？我們兩人的職業都具有冒險性，是吧？你們的第一顆『汽車炸彈』差點送了我的命，可是我不去計較個人恩怨。你們冒的是被揭露的風險。你知道吧，溫蒂貝羅斯一家人，他的妻子、兩個孩子，還有家中十一個傭人，都在你們的炸彈下死於非命。我還沒有把那些帶槍的算上。軍人理所當然要冒險。我不例外，將軍你也不例外，當然除非你冒的不是軍人的那種風險。你冒的是上法庭，面對電視臺記者以及如何向國會特別委員會交代的風險。」有一句關於軍人的名言是怎麼說的？科特茲問自己。士可殺不可辱。他知道眼前這位客人既受不了羞辱，也沒有勇氣面對死亡。

「我需要時間——」

「考慮考慮，對吧？很遺憾，將軍，我必須在四個鐘頭之內趕回去，也就是說再過十五分鐘我就必須離開這兒。我是瞞著上司來的。我是沒有時間了。你的時間也不多啊。我把你和你們總統所夢寐以求的勝利拱手相送。我希望有點回報。如果我們不能取得一致意見，其後果對我們雙方都是苦不堪言的。事情就這麼簡單，究竟是行還是不行，將軍？」

「卡特臉上並不很高興。告訴那輛車！看樣子他們要走了。」

「他究竟是和什麼人見面？我是不認識，如果他是個局中人，也不會是本地人。」

「我不知道。」那輛車回來時已經比較晚了，因為它一直跟著卡特回到他下榻的飯店。等布萊特回到機場時，他得知目標正打算好好地睡它一覺呢。那架VC—一二〇A將於中午起飛直接返回安德魯空軍基地。布萊特打算先趕回去。他打算搭早班飛機飛往邁阿密，然後搭乘其他飛機回華盛頓國際機場。他到那兒時也將疲憊不堪了。

「你覺得他們為什麼握手？」

雷恩接到局長的電話——穆爾法官終於要回來了，不過離杜勒斯機場還有三小時飛行呢。雷恩搭電梯到車庫時，司機已經在下面等他了。他們立即驅車前往貝塞斯達海軍醫院，可是等他趕到時已晚了。他打開門時看見病床上的床單已蓋上，醫生們已不在了。

「他臨終前我一直在他身邊。他走的時候沒有什麼痛苦。」說話的人是中央情報局的人，但雷恩並不認識他。不過他似乎是在等候雷恩的到來。「你是雷恩博士，對吧？」

「正是，」雷恩輕聲說。

「大約一個鐘頭之前，他已到了彌留之際。他說要你記住你們所談的話，不過我不明白他的意思，長官。」

「我還沒有請教你尊姓大名呢。」

「約翰·克拉克。」他說著過來握了握雷恩的手。「我是外勤人員，不過葛萊將軍僱用我也有一段很長的時間了。」克拉克嘆了口氣。「就像失去父親一樣。兩次了。」

「是啊。」雷恩亦有些淒然。他感到疲累，也感到心酸。他掩飾不住自己的感情。

「走吧，我請你去喝杯咖啡，再跟你談幾件關於這老頭的事。」克拉克心中也不是滋味，不過他對死亡的事已不覺得大驚小怪了。顯而易見地，雷恩還做不到，這可真是克拉克的運氣。

咖啡廳已打烊，所以他們就在候診室的咖啡壺裏弄了點兒。咖啡是重新熱過的，有些酸。雷恩還不想馬上就回家，而且是後來才想起來他自己開車來的。今天晚上還得自己開車回家。他已經累得開不動車了，所以就決定打電話回家，告訴凱西他要在城裏過夜了。根據安排，中央情報局的人可以到城裏一家馬里奧特飯店過夜。克拉克說他可以開車送他去，於是雷恩就打發司機先回去。兩人都覺得這個時候去喝它一杯倒也不錯。

拉森在房間裏留了張條子說，瑪麗亞那天夜裏很晚才能到，他要去接她。克拉克回到房間時，他已經走了。克拉克有一小瓶波本威士忌，這家飯店的酒杯也很精美。他調了兩杯，遞了一杯給雷恩。

「祝詹姆士·葛萊冥福，他是最後一個好人，」克拉克說著舉起手中的酒杯。

雷恩喝了一口。克拉克調得太濃了些，雷恩幾乎咳了出來。

「他僱用了你，那你怎麼——」

「幹外勤？」克拉克笑起來。「哦，長官，我這個人沒上過大學，葛萊是在與海軍接觸的過程中發現我的。說來就話長了，有些事我還不能說。我們前後有過三次接觸。」

「哦？」

「當法國人根據你們的衛星照片去圍剿直接行動組織那夥人的時候，我在查得當聯絡官。第二次他們又去了，是去追殺那些聯合解放軍的人——那些對你沒有好感的人——我當時在直升機上。我傻乎乎地到海灘上去救出了格拉斯莫夫太太和她的女兒。這件事可就完全怪你了，長官。我幹的是玩命的差事，」克拉克解釋道。「都是一些幹諜報工作的夥計們談虎色變的工作。當然囉，也許他們要比我門檻精得多。」

「這些情況我不知道。」

「是沒有讓你知道。很遺憾，我們沒能抓住聯合解放軍裏的那些人。為此我還一直想向你道歉呢。法國人還真有兩下子。對於我們幫他們找到直接行動組織的事很高興，他們願意在抓聯合解放軍頭頭的問題上幫我們出點力。當時這個混蛋的利比亞組織正在外面活動，直升機在偶然中發現了他們——直升機嗡嗡嗡地低空飛行就會出現這種問題——結果那個營地是個空的了。由於沒有得到預期的結果，大家都感到遺憾。也許本來可以不致於使你那麼難受的。我們盡了力，雷恩博士。我們當時的確盡力而為了。」

「叫我傑克吧。」雷恩把杯子遞給克拉克，讓他把酒加滿。

「好的，那你就叫我約翰吧。」克拉克把兩個杯子斟滿。「葛萊將軍說我可以把一切告訴你。他還說你對南邊發生的事心裏很明白。我到那邊去過，」克拉克說道。「你想知道哪些情況？」

「跟我說了不會給你惹麻煩嗎？」

「將軍說過可以的。他是副局長——請原諒，我是說他生前是——我覺得他讓我做的事，我就可以做。我們這些在第一線工作的小人物對官場上的事也搞不清楚，但我認為只要講真話就不會出問題。而且賴特也跟我說過，說我們的一切行動都是合法的，我們所需要的綠燈全開著。能批准這次行動的只有一個地方。有人認定了毒品問題對美國的安全構成了『迫切的危機』——我也是引用別人的話。只有一個人真正有權批准這樣做，如果這話是他說的，那他就有權採取行動。我沒有上過大學，但書卻看過不少。你要我先談什麼呢？」

「從頭談起吧，」雷恩答道。他聽他談了一個多小時。

「你還準備再去？」雷恩等他說完後問道。

「我覺得只要能抓到科特茲，去一趟也值得，而且把那些小伙子們從山裏撤出來的時候，我也許還能助上一臂之力，其實並不是我喜歡這樣，但我是吃這一行飯的。我想你的太太也不見得就喜歡做醫生要做的所有工作。」

「還有件事想問一下——你當時在使用雷射導引器導引炸彈時，心裏是個什麼想法？」

「你向別人開槍射擊，事後你心裏是一種什麼滋味呢？」

雷恩頷首道：「對不起——那滋味我領教過。」

「我在當海軍的時候是海豹突擊隊隊員，在東南亞待了很長時間。上面命令我們去殺人，我就去。當時也是一種不宣而戰，不是嗎？這種事你怎麼能到處去吹噓呢，但這是工作。自從到局裏之後，這種事很少幹了——我曾一度希望能多幹點這種事，因為從長遠來看，它可以拯救一些人的性命。我曾不止一次地把槍口對準過阿布·奈德爾的腦袋，可是他們從來也沒有允許我把他幹掉。在對跟他一樣壞的兩個混蛋的問題上也是如此。對你所要求幹的事，蘭格利的行動指揮部門是可以否定的，可以完全否定，可是他們是舉棋不定的人。他們要我看看有沒有可能性，去這一趟的危險性並不亞於扣動扳機。不過誰也沒有給我開綠燈，讓我去完成這一使命。我覺得，這是一趟好差事。這些混帳是我們的敵人，他們殺害我們的公民——還殺了局裏兩個人，他們的手段並不高明——可是我們卻無動於衷。還跟我說這是理智的。我只是奉命行事，這是我的本份。我到局裏來之後從來沒有違抗過命令。」

「你想跟聯邦調查局談談嗎？」

「你這是在尋開心啊！我想這麼幹，主要也是考慮到在山裏的那些小伙子們。我不想跟他們談。你是在耽誤我的大事，傑克。他們當中有些人可能會死的。賴特今晚早些時候打電話問我願不願意再跑一趟。明天上午八點四十分我就動身去巴拿馬，從那兒再去哥倫比亞。」

「你知道怎樣跟我聯繫嗎？」

「這倒是個好主意，」克拉克表示同意。

休息一下的確對每個人都有好處。大家身上的疼痛減輕了，而且大家都希望能在未來幾小時的移動中逐步消除肌肉的緊張狀態。拉米雷茲上尉把人召集在一起，向他們說明了他們目前的處境。他說他已通過衛星聯繫請求撤離。大家當然都沒有異議。可是遺憾的是，撤離的行動要得到上面的首肯才行——**變星**告訴他說很可能會得到批准——還說那架直升機目前正在換一臺發動機。他們至少還要再等一個晚上，也許要兩個晚上。在此之前，他們要避免接觸，並向合適的撤離點移動。幾個撤離點是早已明確了的，拉米雷茲說他們目前要向十五公里以南的一個撤離點移動，所以當天夜裡的任務，就是要繞過一直在跟蹤追殺他們的那夥敵人。這一步風險很大，不過一旦闖過這一關就會一帆風順了，因為那一段是敵人已經搜索過的地區。他們這天夜裏要走八、九公里，剩下的那段路第二天夜裏走完。總而言之，他們的使命已經結束，目前正在撤離。**旗幟**小分隊的幾個人將組成第三個火力小組，使**尖刀**小分隊本來已經十分強的火力配備如虎添翼。每個人的彈藥至少都還有三分之二。剩下的食品是不多了，但是湊合兩天還可以，當然肚子少不了要咕咕叫幾聲。拉米雷茲十分自信地結束了他的情況簡介。為了這次使命，他們付出了代價，飽嚐了艱辛，但總算完成了，而且也狠狠地打擊了毒梟們的氣焰。現在大家要同心協力走出去。大家都點點頭，並準備出發。

二十分鐘後查維斯又擔任起尖兵的責任。他想應盡可能地在地勢較高處移動，因為敵人似乎一直喜歡在較低處宿營，這樣可能最大限度地避免接觸。他像往常一樣，盡量避開看起來像是有人煙的地方，也就是說避開咖啡種植園以及與之相關的一些村莊。但是那是他們以前一直如此行動的方式。他們還必須在不驚動敵人的情況下儘快地移動，也就是說已不必再像以前那樣處處小心了。這種移動方式是他們以前演習中常有的，是他們的拿手好戲。可是查維斯對這種運動方式的信心卻由於戰地的實際經歷而下降了。使他感到欣慰的是，拉米雷茲現在又像一名軍官了。也許他前一段時間也是太累了的緣故。

靠近咖啡種植園行走的好處就是那兒的樹林不是很密。由於人們進入附近的樹林砍柴作為燃料，所以那裏的樹木就稀疏些。至於這種砍伐對水土流失會有什麼影響，查維斯毫無興趣。在這裏他可以走得快一些。他的速度幾乎達到了每小時兩公里，比他預想的要快得多。走到午夜的時候，他的兩條腿又開始挪不動了。他再度意識到疲勞是一種累積的因素。無論身體多強壯的人，要消除這樣的疲勞沒有一天以上的休息是不可能的。他在想，是否高度也是造成疲勞的因素。不過他仍然盡力保持行進的步速，保持警覺，並極力記住應當走的路線。步兵行動對智力的要求比一般人想像的要高得多，而首先影響到智力正常發揮的就是疲勞。

他記得地圖上有個小村莊，從他現在所在的位置向山下走大約有半公里的路程。四十分鐘以前在那個集中休息的地方他曾查對過地圖，剛才在距此一公里處他就根據地標右轉彎。他聽見村莊的方向傳來陣陣響聲。這似乎很怪。別人曾經告訴過他，當地農民種植咖啡的工作十分勞累，此刻一定已經睡著了。有一個明顯的信號查維斯沒有發現，但他卻聽見了人的叫聲——或者更像是喘息聲，這種聲音只有在——

他打開夜視鏡，看見有個人向他的方向跑過來。他還看不清——現在他看清了，原來是個女的，在樹林中穿梭行動的本事還挺大的。在後面追她的那個人，從跑步的聲音來判斷，是跑不過她的。查維斯在報話機上敲了幾下表示危險的信號。他身後的人都停了下來，等他解除警報。

他沒有發出解除警報。那女的給絆了一下，並改變了方向。幾秒鐘後她又給絆了一下，正好栽在查維斯的脚上。

查維斯用左手一把捂住她的嘴，右手伸出一個手指放在嘴唇上做了個別作聲的手勢。她看見——或者說得更確切些，是沒看見——查維斯驚嚇得臉色慘白、目瞪口呆，因為查維斯臉上塗著偽裝油彩，看起來就像恐怖影片中的角色。

「小姐，別害怕。我是當兵的，不傷害婦女。誰在追趕你？」他把手從她嘴上拿開，希望她不要喊出來。

此刻即使她想喊也喊不出聲來，因為她跑得太猛，氣都喘不過來。她上氣不接下氣地說：「是他們的一個當兵，帶槍的。我——」

聽見追趕她的人越來越近，他的手又捂在她的嘴上。

「你在哪兒啊？」那個聲音喊道。

他媽的！查維斯心裏詛咒道。

「朝那邊跑，」他向她指了個方向。「別停下來，也別回頭看，走！」

那女的一竄就不見了，那男的順著聲音的方向跑過來。他從查維斯前面只有一英尺的地方跑過時，查維斯一把扣在他的臉上，把他往後一拉，向後拽住他的頭，兩人一起倒在地上。這時中士的小刀已割開了他的脖子。那人聽見這種聲音已傻了眼。氣管裏的氣和血管裏的血一起向外流，那人嚇破了膽，掙扎了幾下就軟成了一灘泥。查維斯摸出那人身上的刀子，把它放在他脖子的洞裏。查維斯希望那個女的不要因為這事而遭殃，就她而言，他覺得自己已經盡了力。過了一分鐘，拉米雷茲上來了。他見了之後很不高興。

「實在沒辦法，長官，」查維斯替自己辯解。實際上他心裏感到很自豪。軍人的責任就是保護弱小者，不是嗎？

「快他媽離開這兒！」

小分隊迫不及待地離開這個地方，因為深怕有人來找這個好色的死鬼，不過他們誰也沒有聽見這類動靜。後來這一夜就平安無事了。他們於拂曉前抵達預先選定的中途停留地點。拉米雷茲打開無線電開始呼叫。

「瞭解，**尖刀**，我們記下了你們的位置和目的地。我們還沒有接到同意撤離的命令。請於當地時間十八時左右再與我聯繫。到那時事情就該定下來了。完畢。」

「瞭解。十八時再聯繫。**尖刀**通話結束。」

「**旗幟**小分隊真可惜啦，」一位負責通信的人說。

「這種事很難避免的。」

• • •

「你叫約翰斯？」

「是的，」上校並沒有馬上回過頭去。他剛剛試飛回來。那臺新發動機——實際上是五年前生產的改良型——表現不錯。鋪低三型直升機重新投入了飛行。約翰斯回過頭，看看是誰在跟他說話。

「還認識我嗎？」卡特中將詭祕地問道。卡特今天一反常態穿了一套軍裝。這是幾個月來的第一次。他佩戴的綬帶、水面艦艇指揮官的徽章以及他肩上的三顆星在早晨的陽光下閃閃發亮。從他這套白色的軍常服、一直到他那雙白色的皮鞋，一切都給人以凌駕衆生的氣勢，一切都和他預想的一樣。

「是的，長官。請原諒，長官。」

「給你下達的命令有了變化，上校。你儘快回到本土基地去。今天就回去。」卡特強調了最後一句話。

「可是那些——」

「那將用其他辦法來解決。還有必要讓我告訴你，是誰授權讓我來找你的嗎？」

「不，長官。」

「這件事你不可以和任何人談起。也就是說在任何時間、任何地方，和任何人談起都不可以。還需要作進一步的指示嗎，上校？」

「不要了，長官。你的命令很明確。」

「那好吧。」卡特轉身走進指揮車，車隨即開走了。他的下一站是去蓋拉德人工水道附近的一個小山丘上。那裏停放著一輛通信車。卡特從武裝衛兵的前面走過去——這人是個文職人員，但卻穿了一套海軍陸戰隊隊員的制服——逕自走進通信車裏，跟車上的人說了跟剛才說的很類似的話。卡特聽車上的人告訴他要把這輛通信車弄走還不容易，要用直升機才行，他感到很驚奇。他不知道這輛車這麼大，沒有辦法從小路上把它拖走。不過他有權下令他們關機，並將調一架直升機來把它運走。在此之前，他們必須停止一切活動。他解釋說因為他們的秘密已經洩露，繼續開機只會給與他們聯繫的人帶來更大的危險。在他們答應後，他離開了。上午十一點他上了自己的飛機，可望在華盛頓與家人一起吃晚飯。

剛吃過午飯，馬克·布萊特就趕回來了。他把底片交給實驗室的技師後，走進了摩瑞那繁忙的辦公室，把他親眼所見一五一十地向他報告。

「我不知道和他接頭的那個人是誰，不過也許你能認出這張面孔。運通卡的號碼是什麼？」

「是過去兩年中他可以動用的中央情報局的一個帳號，不過這是他第一次使用。在當地工作的人給了我們一份傳真照片，這樣我們就可以鑑定簽名。刑偵部門已經向我們提供與此相配的字跡，」摩瑞說道。「你看起來很疲勞。」

「我自己也不知道是怎麼回事——見鬼。我從昨天早晨到現在大概才睡了三個鐘頭覺。我在華盛頓已經待夠了，莫比爾原本是個度假的好地方。」

摩瑞笑了笑，然後說：「歡迎你回到華盛頓這個虛幻世界中來。」

「我是請人幫助才完成這項任務的。」

「什麼樣的人呢？」摩瑞的笑容消失了。

「空軍方面、情報部門和刑事調查部門之類的人。我跟他們說了，這是秘密資料，媽的，其實我並不知道是怎麼回事，即使把自己所知道的全部告訴了他們，我也說不出個所以然來。當然責任我要負，但是如果我不那樣做，我也許就拍不到這些照片。」

「聽你這麼一說，好像你做的事還挺正確的，」摩瑞說。「我覺得在這件事上沒有什麼選擇餘地。有的時候事情就是這樣。」

布萊特知道他的上司已經原諒了他，於是說了聲：「謝謝！」

他們又等了五分鐘，照片才送到。其他工作都停下來讓這件事先辦，不過即使如此，也還是不能立竿就見影的。這是令人惱火的事，但誰也沒有辦法。送照片來的技師——實際上是一位處長——他拿來的照片還是濕漉漉的哩。

「我知道你們急著等著這玩意兒。」

「一點不錯。馬維——天哪！」摩瑞驚嘆了一聲。「馬維，這可是最高機密的事。」

「你早就跟我說了，丹。我一定守口如瓶。我們可以進行增強效果處理，但又得要一個鐘頭。要我馬上去做嗎？」

「越快越好。」摩瑞點點頭。技師轉身離開了他的辦公室。「天哪！」摩瑞把照片仔細看了一遍又驚嘆了一聲。「馬克，你的照片拍得很好。」

「這傢伙究竟是什麼人？」

「費利克斯·科特茲。」

「他是什麼人？」

「以前是古巴情報機關的一名上校。我們逮捕菲利韋托·奧赫達時，他僥倖逃脫了。」

「是馬切特羅斯案件？」這個問題問得沒有意義。

「不完全是，」摩瑞搖搖頭，近乎虔誠地說道。他略加思索後給比爾·蕭打了個電話，叫他過來一趟。蕭代局長很快就來了。當摩瑞把照片指給蕭看的時候，布萊特仍然有如置身五里霧中。「比爾，這你大概是不會相信的。」

「這個費利克斯·科特茲究竟是何許人也？」布萊特問道。

蕭回答了他的問題。「他離開波多黎各之後就去投靠了毒品集團卡特爾。伊邁遇害也有他的份，有多少我們還不清楚，但他肯定是參與了。他現在又和總統國家安全事務助理坐在一起。你覺得他們可能會談些什麼？」

「我還拍到一張他們握手的照片，不過不在這一批照片裏面，」布萊特說道。

聽他這麼一說，蕭和摩瑞兩人的目光都集中到他身上，接著兩人又互相看了看。總統的首席國家安全顧問和一個為毒品卡特爾效勞的人握起手來了……？

「丹，究竟是怎麼回事啊？」蕭問道。「是不是整個世界都發了瘋？」

「看起來是這樣，難道不是嗎？」

「給你的朋友雷恩打個電話，告訴他……告訴他的祕書，就說有一起恐怖份子活動案——不，不能冒這個險。在回家的路上順便接他一下怎麼樣？」

「他有個司機。」

「這可就幫了大忙了。」

「我有主意，」摩瑞拿起電話，撥了一個巴爾的摩地區的號碼。「凱西嗎？我是丹·摩瑞。是啊，我們都很好，謝謝。傑克的司機通常什麼時間送他回家？哦，他沒送？好吧，我想請你幫個忙，這事很要緊，凱西。告訴傑克回家的時候，順便到我家來一趟，來拿兩本書。就這樣了，凱西。我不是開玩笑。能幫這個忙嗎？謝謝了，博士。」說完就掛上了電話。「這是不是有點耍陰謀的味道？」

「雷恩是誰？是中央情報局的人嗎？」

「是的，」蕭答道。「把事情丟到我這兒來的就是他。遺憾的是，馬克，你現在還不能接觸這個秘密。」

「這我理解，先生。」

「你為何不趕緊飛回家去一趟，看看小寶寶長多大了。你這件事幹得很漂亮，我不會忘記的。」代局長向他提出保證。

帕特·奧戴，一名最近升督察的警官，在聯邦調查局總部擔任外勤。他在安德魯空軍基地的停車場，看著一名穿著很髒的空軍技術士官的工作服站在保養工作區。天氣炎熱、晴空萬里。一架華盛頓特區空軍國家防衛隊的F—四C搶在那架VC—二〇A前在機場降落。這架改良型噴射式行政勤務飛機滑行到基地西面第八十九號跑道的盡頭。舷梯放下來之後，身穿便服的卡特走下了飛機。這時，聯邦調查局在空軍中的情報人員已掌握了卡特那天上午的活動：他曾去看了一架直升機的機組人員，還去看了一輛通信車上的工作人員。不過，到目前為止還沒有派人去向這兩部份人員作任何調查，因為總部仍在進行分析。奥戴認為總部並沒有分析出什麼所以然——但總部就是那麼回事兒。他想回到第一線去當個真正的警察，不過話又說回來了，這件案子還是有點吸引人的地方。卡特朝他那輛停在一邊的私人小汽車走去，把行李朝車的後座上一放，開了車就走了。奥戴和他的司機跟在卡特的車後面，並注意保持一定的距離。國家安全顧問的車上了蘇特蘭公路後，朝華盛頓方向駛去。進入市區後，它上了三九五號公路。他們原以為他會開上緬因大道，開車前往白宮的，可是他卻一直駛往了維吉尼亞州邁爾堡的家中。這次小心謹慎的監視行動沒有得到多少情況。

「科特茲？這個名字我知道。卡特和前古巴情報機關的人見面？」雷恩問道。

「看看這張照片吧！」摩瑞把照片遞給他。照片是在實驗室裏通過電腦效果增強處理的。這是局裏目前最保密的技術之一。它把一張原先顆粒很粗的照片變成了一張相當清晰的照片。莫伊拉·沃爾夫已再度指認了科特茲，為的使大家都確定。「這兒還有一張。」這張照片上是兩個人在握手。

「這在法庭上是件很好的證據。」雷恩說著把照片遞還給摩瑞。

「這不算什麼證據。」摩瑞說道。

「唔？」

蕭解釋說：「政府高級官員會見……會見各種身分奇怪的人是常有的事。你還記得季辛吉秘密飛往中國大陸的事嗎？」

「但那是——」雷恩沒再往下說，因為他知道自己的相反意見有點太傻。他想到了自己曾和蘇聯的黨主席就有過一次秘密會見。那件事他也不能告訴聯邦調查局。別人會怎麼看它呢？

「這不能成為犯罪證據，也不能證明他們是在搞陰謀，除非我們知道他們之間的談話內容是非法的。」摩瑞告訴雷恩。「他的律師會辯護說，他和科特茲的會見雖然看起來有點異常，其目的卻是為了執行比較敏感但又比較正確的政府政策。這種辯護也許很奏效。」

「鬼扯淡！」雷恩說了一句。

「律師會反對你的語言措辭，雷恩博士，法官會把這話從記錄中刪除並指示陪審團不予考慮，而且還要告誡你注意自己在法庭上的遣詞用字，雷恩博士。」蕭向他指出。「我們現在只有一條很有趣的信息，只有我們查出有犯罪存在的時候，它才能成為證據。當然，那是鬼扯淡。」

「呃，我見到了那個為『汽車炸彈』導引的人了。」

「他現在在哪兒？」摩瑞迫不及待地問。

「現在也許又回哥倫比亞去了。」接著雷恩又進行了幾分鐘的說明。

「老天啊，他叫什麼名字？」摩瑞問道。

「我們暫時先不管他叫什麼吧，行嗎？」

「我覺得我們很有必要跟他談談。」蕭說道。

「他對跟你們談不感興趣，因為他不想去蹲監獄。」

「不會讓他去蹲監獄的。」蕭起身在房間裏踱起步來。「不知我以前跟你說過沒有，我也是個律師，實際上還取得過法學博士學位。如果我們想對他進行審判，他的律師就會把馬丁奈—巴克一案端出來。知道那是怎麼一回事嗎？那是水門事件中一個鮮為人知的結局。馬丁奈和巴克兩人參與了水門事件，對吧？他們的辯護辭是，他們原以為要他們破門而入的指示是由權威機構發出的，為的是進行與國家安全問題有關的調查。他們的抗辯也許沒有一句謊言。上訴法院在一篇冗長的多數人意見中裁定，說被告沒有任何犯罪企圖，他們自始至終的動機都是好的，所以他們實際上並沒有犯罪。你的朋友在法庭上可抗辯說，當他的上司跟你說到『迫切的危機』的話，並告訴他這道命令是經過指揮系統的上層批准的，他只不過是奉命行事，何況向他下命令的人又具有相當的權威。我想丹大概已跟你說過，在這種事上沒有什麼法律。我們局裏的大多數人也許會因為他替伊邁報了仇而請他喝啤酒的。」

「我能跟你說的就是，他是個嚴肅認真的戰場退伍老兵，據我看是個很正直的人。」

「我毫不懷疑。至於說到殺人問題——我們總是聽到一些律師說，警察打黑槍幾乎與殘酷的謀殺無異。把警察行動和戰場的戰鬥加以區別，並非我們所想像的那麼簡單。就拿這件事來說吧，怎樣區別謀殺與合法的反恐怖行動呢？它的結局如何呢——最終將主要取決於審理此案的法官的政治信仰，取決於上訴法院，取決於審案過程中的其他程序。這是政治啊，你知道的，」蕭說道，「這比追捕銀行搶劫犯要他媽容易得多，因為至少那個時候你知道別人會怎樣看待你的成績。」

「在這個問題上有一點很重要的關鍵，」雷恩說。「你們覺得整個這件事與今年的大選有多少關係？」

摩瑞辦公桌上的電話鈴響起來。「啊？好的，謝謝。」他把電話掛上後說：「卡特上了自己的汽車，目前正在喬治華盛頓大道上行駛。你們想他要上哪兒去？」

第二十六章 國家的工具

帕特·奧戴慶幸自己是吉星高照——他是個愛爾蘭人，篤信吉星之類的說法——卡特真是個白癡，他像以前的那些國家安全顧問一樣也不要特工保鏢，他顯然並不懂得反監視技術的首要因素是什麼。目標直接開車上了喬治華盛頓大道，逕自朝北開去，他以為一定沒有人在注意他。他既沒有掉轉車頭往回開一段路，也沒有拐進單行道。電視裏或者菲利蒲·馬洛神奇的偵探小說裏，警察的那些辦法他一樣也不通。奧戴在這方面有特別的愛好，就連在執行監視任務時，他也看一會兒錢德勒的錄影帶。他覺得電視上的案件比實際案件更難以捉摸，不過這可以證明如果馬洛到聯邦調查局來工作，一定會是一名了不起的特工。他目前執行的這種任務並不需要多少聰明才智。儘管卡特是一位海軍中將，在隱蔽行動方面他還只能算一個乳臭未乾的小孩子。他那輛車連行車道都不換。奧戴認為如果他不是對座落在聯邦公路管理局費爾班克公路研究所有特殊興趣，他的車是不會拐進通往中央情報局的那條路的，可是那所研究所現在也該下班了。麻煩的是當卡特出來的時候，要跟上他可不容易，因為在這附近沒有可以隱蔽停車的地方——中央情報局的保安工作是無懈可擊的。奧戴讓助手下了車，到路旁的樹叢中去繼續監視，並調來另一輛車進行支援。他覺得過不了多久卡特就會出來，而後一定是開車回家。

總統國家安全顧問根本沒有注意到有人在監視他。他把車停在要員停車處。像往常一樣有人替他開了門，隨後把他送到七樓賴特的辦公室。他一坐下就沒好氣地對賴特外勤副局長說：

「你的行動真正砸了鍋啦！」

「你是什麼意思？」

「我昨天晚上跟費利克斯．科特茲見了面。他已經知道了我們有部隊在活動，知道了我們對機場的監視，知道了炸彈的事，還知道我們有一架直升機在支援**演藝船行動**。我已把一切都停了下來。我讓直升機返回了埃格林空軍基地，我還下令負責**變星**的通信人員中止了通信活動。」

「你他媽的混蛋！」賴特聽了怒不可遏。

「不是我混蛋。是你要執行我的命令。你明白嗎，賴特？」

「那我們的人員怎麼辦？」副局長問道。

「我已經做出了安排。你沒有必要知道我具體是如何處理的。一切都會平靜下來的。」卡特說道。「你可以如願以償。卡特爾的內部正在內訌。毒品的出口將減少一半。我們可以讓報界去評論，說反毒戰正在取得勝利。」

「由科特茲取而代之，對不對？你想過沒有，一旦他的地位穩固之後，一切都會恢復原狀？」

「那麼你想過沒有，他可以把我們這次行動公諸於世？你知道，如果他那樣幹了，對你，對穆爾會有什麼好處呢？」

「對你也不會有什麼好處，」賴特毫不客氣地回敬了一句。「對我不會有什麼。當時我在場，司法部長也在場，總統可從來沒有授權讓你去殺人，他也沒有說過要去入侵一個國家。」

「這個行動全都是你的主意，卡特！」

「你說是誰？你能拿出任何一張有我簽字的東西來嗎？」將軍問道。「如果這事張揚出去，你能指望得到的最好結局就是我們一同去蹲監獄。如果福勒那傢伙在大選中勝了，我們大家就一塊兒完蛋。這就是說，我們不能讓事情張揚出去，不是嗎？」

「我的備忘錄上記著你的名字。」

「這次行動早已中止，而且也沒有留下任何證據。你有什麼辦法把我端出來，而你自己就能洗刷得清，情報局就不會遭到更嚴厲的譴責呢？」卡特說到這裏覺得十分得意。從巴拿馬飛回來這一路上，他把整個事情前後想了一遍。「不管怎麼說，我是發號施令的人。中央情報局在這件事上的任務已經完成。你是唯一手上有資料的人，我建議你把這些資料銷毀，把與**演藝船行動**、**變星**、**互惠**、**鷹眼**等的通訊記錄全部銷毀。我們可以依靠**裝甲船**，因為對方還沒有掌握它的情況。我們可以把它變成我們仍然可以加以利用的完全的隱蔽活動。」

「有些事是無法控制的。」

「哪些？你以為有人會自動要求去蹲聯邦監獄嗎？你那位克拉克先生會公開宣稱他殺了三十多個人

嗎？那架海軍飛機的機組人員會去寫一本描寫他們怎樣把兩枚雷射導引炸彈投向友好國家的私人住宅的事嗎？你那幾個在**變星**通信車上工作的人實際上並沒有看見任何東西。那位戰鬥機駕駛員擊落過幾架飛機，可是他又會去告訴誰呢？那架替戰鬥機導航的雷達預警機也沒有看見什麼，因為他們總是先關機的。在彭薩科拉指揮地面行動的特工人員是什麼也不會說的。販毒飛機的機組人員被我們抓住的不多，我想我們一定可以跟他們達成某種交易。」

「你忘了我們派到山裏的那些年輕人了。」賴特說這話時語氣很平靜，情況他早已知道了。

「我得知道他們在哪裏，這樣我才可以安排把他們接出來。如果你不介意的話，這件事我將透過自己的管道去解決。把情況跟我說說。」

「不行。」

「我這不是請求你。你知道，我可以把你端出來。那時候你想把我牽扯到這件事當中來就成了誣陷了，因為你自己就無法洗刷自己。」

「它仍然會把大選搞得一團糟。」

「那你就可以穩穩當當地進監獄。那個他媽的福勒連對於把殺人犯送上電椅的做法都表示疑義。對於把炸彈扔到還沒有被起訴的人的頭上的做法，你覺得他會作出什麼反應呢？——對你所津津樂道的『附帶損失』他又會作何反應呢？這是唯一的辦法，賴特。」

「克拉克已回哥倫比亞去了，是我派他去抓科特茲的。那樣會使事情有個水落石出。」這是賴特的最後一張牌，但威力並不大。

卡特在座椅上動了一下。「如果他把事情全抖出來怎麼辦？他沒有必要冒這個險。把你的狗喚回來吧。這也是一道命令。現在把地點告訴我——把有關檔案都銷毀。」

賴特不想這麼幹，但又覺得別無選擇。他走到自己的牆壁保險櫃前——活動壁板隨即打開——將它打開後取出了那些資料。在**演藝船二號**的資料中有一張戰術圖交給了卡特。

「我要這一切都在今天晚上完成。」

賴特輕聲說了一句：「會完成的。」

「那好。」卡特把地圖疊起來放進了自己的口袋，沒再說什麼就離開了辦公室。

這一切最後就是這種結局啊，賴特暗自思忖。他在政府機關裏任職三十年了，現在負責向世界各地派遣特工人員完成國家所需要的任務，可是如今卻要執行一項令人七竅生煙的命令，否則他就得向國會作出交代，就會被送上法庭，被關進監獄。現在最好是能親自帶人去那裏。不過不值得那麼幹。鮑勃·賴特深為那些在山裏的小伙子們擔憂，可是卡特又說他負責處理這件事。副局長心想，他可以相信卡特會說話算話，但他又知道他是會出爾反爾的，而且也知道假裝認為他會說話算話是自己膽小怕事的表現。

他從鐵架上取下那些卷宗資料，把它們放在辦公桌上。靠牆那邊放著一臺文件碎紙機。這是現代政府機構中一種十分重要的辦公設備。這些資料是關於這次行動的唯一複印文件。在巴拿馬那座小山頂上的通信車裏的人員把信息透過衛星發往賴特辦公室後，就立即將原件銷毀了。**裝甲船**的文電是透過國家安全局的，但有關這次行動的通信沒有透過他們。**裝甲船**的資料將消失在米德堡那座龐大建築的地下室的數據庫裏。

這臺機器很大，有一個自動漏斗。高級政府官員銷毀文件是完全正常的事。敏感資料的多餘文本不是什麼寶貝，而是會招惹痲煩的累贅。誰也不會注意原先那個乾淨的空塑膠袋現在已經是滿滿一袋碎紙條了，而這些碎紙條一度曾是極為重要的情報資料。中央情報局每天燒毀的文件數以噸計，還利用燒文件時所釋放的熱量為盥洗室提供熱水。賴特把這些文件放進漏斗裏，每次放大約半英寸的一疊，眼看著他整個行動的歷史檔案變成了一堆垃圾。

「他在那兒，」那位特工對著手提式報話機說。「正向西邊去。」

三分鐘後，奧戴把那位特工接上了車。那輛支援車早已跟上了卡特。等奧戴追上來時，他發現目標顯然是在返回邁爾堡謝爾曼路軍官俱樂部東面的要員居住區。卡特住在一所紅磚牆的別墅裏，通過有配景窗的門廊可以俯瞰埋葬著許多英雄人物的阿靈頓國家公墓。對於曾經去過越南戰場的奧戴警官來說，根據他對這個人以及這樁案子的片面瞭解，他覺得讓這種人住在這個地方簡直是對這裏的英靈的褻瀆。奧戴心想，也許他所作的結論不一定準確，可是當他看著這個人鎖上汽車走進了屋裏時，他的直覺告訴他也許不是這麼回事。

作為總統參謀班底的工作人員有一個好處，那就是只要他提出要求，他的個人安全就可以得到很好的保障，也就自然地得到了最好的技術安全服務。保安特工部門和其他政府機構為確保他的電話線路安全正在全力以赴，有條不紊地工作著。要在他的線路上安裝竊聽裝置，聯邦調查局必須作出說明，而且首先要得到法院的批准。現在這兩項都沒有做。卡特撥了一個大區域電話業務網的用戶號碼——不過先撥了個免費號碼八〇〇——說了幾個單辭，如果有人錄下這段通話，他想解釋清楚可就不容易了，當然竊聽者也很難瞭解其中意思。他所說的辭全在一本字典上，每個辭都是這本字典上某一頁上的第一個辭，而且每一頁上的號碼都是個三位數。這字典是他離開巴拿馬的那幢房子時帶回來的，而且他很快就要把它扔掉了。這種密碼聯絡方式既簡便又有效。他所說的那幾個辭代表了幾個頁碼。這幾個頁碼又是那份地圖上表明哥倫比亞幾個地方的座標。對方重複了他剛才說過的幾個辭之後就把電話掛上了。這次電話的費用不會出現在卡特的長途電話帳單上。它第二天就會結清的。接著他從衣袋裏取出那張小的電腦磁碟片。他也像很多人一樣，在冰箱的門上放著幾塊磁鐵——是用來壓字條用的。他取下一塊磁鐵，用它在碟片上擦了幾圈，銷毀了碟片上儲存的數據信息。這個碟片是能夠說明**演藝船行動**有軍人參與的唯一證據了，也是可以重新與這些軍人聯絡的最後手段。現在它已被銷毀了。**演藝船行動**成了從來不曾有過的事。

至少詹姆斯·卡特海軍中將是這麼想的。他自己調製了一份飲料，走到門廊上，向下俯視著那穿過綠茵的地毯覆蓋有無數墓碑的墓地。他曾多次去過這裏的無名戰士墓地，看著總統衛隊的軍人在這些為國捐軀者們的安息之地上機械地走來走去。他想到，這塊墓地上又要添新墳了，一些死在無名戰場上的無名戰士的新墳。這裏埋葬著第一次世界大戰期間在法國戰死的無名戰士。他們知道，或者以為自己知道——卡特糾正了自己的想法——是為什麼而戰，其實在多數情況下他們並不知道那一切究竟是為了什麼，因為有時跟他們說的情況並非都是真話。可是當他們的祖國在召喚的時候，他們一個個挺身而出，去為祖國而戰。不過真要理解這一切究竟是為什麼，以及這種把戲究竟是怎麼耍的，那的確要有幾分功力才行。而且這並不總是——究竟是不是還是個問題——跟告訴戰士們的情況一致。他想起了自己在越南沿海服役的情景，當時他才只是一艘驅逐艦上的一名下級軍官，親眼看見五英寸口徑的大砲對眼前海灘的猛烈轟擊，當時心裏就在想，不知生活在泥濘中的步兵是個什麼樣子。儘管如此，他們仍然去為國效力，然而國家本身當時都不知道它需要別人替它效什麼樣的力，軍隊是由年輕的士兵組成的，他們在不理解的情況下去執行任務，用自己的生命去執行任務，而現在這一次，他們就要準備獻出自己的生命。

「可憐的傢伙們！」他輕聲自言自語道。太不幸了，難道不是嗎？但他也是愛莫能助啊！

無線電通信聯繫全部中斷，這使大家都很吃驚。通信士官說他的發射機沒有任何故障，可是從當地時間六時起，**變星**就沒有再給過任何回答。拉米雷茲上尉很煩惱，但仍決定向撤離點移動。查維斯殺了那個可能進行強姦的混蛋之後還沒有引起什麼不良後果。年輕的士官又領著小分隊出發了，心裏希望別再出現其他的事了。敵人已經在這一地區搜索過了，不會很快回到這裏來的。他們的搜索方式不僅很愚笨，而且也很不得要領。這一夜比較順利，他們朝南移動，每走一個小時就在集結地點稍事休息，再派人往回走一段，看看有沒有尾巴，結果沒發現任何尾巴跟蹤。到凌晨四時他們就抵達撤離點。它是八千英尺山峯下的一塊林間空地，比那些大山脊都低，有助於隱蔽接近。直升機幾乎可以在任何地點把他們接走，但他們所考慮的問題主要還是行動的隱蔽性。他們會被接走的，誰也不會有他們這麼聰明。可惜的是他們損失了一些人，可是誰也不會知道他們來這兒是幹什麼的。完成這次使命雖然代價很大，但畢竟成功了。拉米雷茲上尉是這麼說的。

他把兵力散開，把守住條條通道。為了防止出現不利或意外事情的發生，他還部署了撤退時的防禦。部署妥當之後，他再次拿起衛星通話對講機，開始呼叫，可是**變星**仍然有如石沉大海，毫無回音。他不知道問題出在什麼地方。迄今為止並沒有任何跡象表明出了麻煩事，而通信聯絡上出了故障，步兵軍官就一竅不通了。但對這個問題還不十分擔心。至少目前還沒有。

克拉克收到電報後感到非常意外。電報到的時候，他和拉森正準備飛回哥倫比亞去。電報的電文只是幾個密語，但已足以使克拉克怒火中燒。他知道動怒發脾氣不僅於事無補，而且可能壞事，所以拼命把火氣往下壓。他想給蘭格利打電話，但又覺得不妥，因為他怕那樣一來，這道命令會以他所無法迴避的方式重新下達。他冷靜下來，腦子飛快地轉動。他提醒自己，脾氣太壞是很危險的，因為發脾氣會影響他的正常思維。毫無疑問地，他現在需要動動腦筋，用點心機。很快地他就認定現在應當採取一點主動。

「走吧，拉森，我們去走一趟吧。」機場很快就到了。到了機場他又成了「威廉斯上校」，而且還弄了一輛車。他拿到一張地圖後，用心記下了通往小山的那條路……這段路開車開了一個小時，最後那幾百碼簡直像進了魔鬼地下宮殿，三彎九轉，高低不平。那輛通信車還在那裏。那個武裝警衛也還在那裏。他走過來不冷不熱地打了個招呼。

「下來吧，先生。你這兒我來過。」

「哦，是你呀——可是，先生，我奉命——」

克拉克打斷了他的話。「別跟我解釋。我知道你接到的命令。你知道我究竟為什麼到這兒來嗎？好吧，聽話，小伙子，把你的槍關上保險，小心別傷著了你自己。」克拉克逕自從他前面走了過去。這一次拉森又一次感到愕然，因為他對子彈上了膛的槍的槍口仍然有幾分害怕。

「怎麼回事？」克拉克一進車裏馬上就問。他四處一看，見所有的機器都關閉了，只有空調機發出嗡嗡的響聲。

「他們讓我們停機的，」年紀大一點的那個通信人員說道。

「誰讓你們停機的？」

「這個我不能告訴你，啊，反正我接到命令叫我們關機的。情況就是這樣。如果你想知道為什麼，那就去問賴特先生。」

克拉克走到那人跟前說：「他遠在天邊哪。」

「我是奉命行事。」

「奉什麼命？」

「關機的命令，見鬼！從昨天午飯後到現在，我們既沒有發過也沒收到過任何信息，」那人說道。

「誰向你們下達的命令？」

「我不能說！」

「那麼處於第一線的小分隊由誰來管？」

「我不知道。另外有人吧。他說我們已經暴露身分，這一任務交給其他人來完成。」

「是誰——現在你可以告訴我了吧？」克拉克的聲音平靜得出奇。

「不，我不能說。」

「你能和小分隊聯繫得上嗎？」

「不能。」

「為什麼不能？」

「他們的衛星通話接收機是加了密的。解碼的方法儲存在電腦磁碟片上。我們把密碼複製了三份，其中兩張已經被銷毀，是當著他的面幹的。第三張被他帶走了。」

「怎樣才能恢復聯繫？」

「沒有辦法。這種加密算法很獨特，它是根據導航計時與測距衛星的發送時間進行計算的。保密性能極高，幾乎無法複製。」

「這也就是說，那些小伙子現在與外界的聯繫已全部切斷了？」

「還沒有，他拿走了第三張磁碟片，由其他人去——」

「你當真相信這一點嗎？」克拉克問道。那人的猶豫態度已經說明了問題。當克拉克再往下說的時候，他的語氣變得簡直可以無堅不摧，勢不可擋。「剛才你告訴我說通信聯繫是無法截獲的，可是你卻相信了一個你以前從來沒有見過的人的話——說你們已經暴露。我們有三十個人在那裏，看來他們已經完全被拋棄在那兒了。告訴我是誰給你的命令？」

「卡特。」

「他上這兒來過？」

「昨天來的。」

「媽的，」克拉克向四周環顧了一下。另一位通信人員連頭都抬不起來。這兩個人對於正在發生的事情以前都想到過，而且得出過跟他一樣的結論。「這次任務的通信聯絡計畫是誰定的？」

「是我。」

「他們的戰術無線電怎麼樣？」

「基本上與市場上賣的那種一樣，但經過改製。他們有十個單邊帶頻率。」

「你這兒有頻率嗎？」

「呃，有的，可是——」

「馬上就給我！」

那人本想說不行，但他沒有這麼說。到時候他可以說是克拉克威脅他的，況且現在也不是在車子裏打仗的時候。這種想法一點也不假。此時此刻他對克拉克怕極了。他從一個抽屜裏抽出那張記著那些頻率的紙。卡特沒有想到把這些紙也銷毀，但是他已經記住了這些無線電頻率。

「如果有人問……」

「你從來沒上這兒來過，先生。」

「很好。」克拉克出了車子消失在黑暗中。「返回空軍基地，」克拉克告訴拉森。「我們去找一架直升機。」

科特茲七個小時之內跑了一趟安塞爾馬，但並沒有引起別人的注意，他走之前，留了個如何與他聯繫的方法，現在他已經休息過了，而且還洗了個澡，正在等一個電話。他慶幸自己剛投靠卡特爾之後不久就在美國建立起一個通訊網；當然，他也慶賀自己和卡特打上了交道，不過主要倒不是這個。跟這個卡特打交道是不大可能失敗的，因為這個美國佬很蠢，所以交道好打得多，當然前總統卡特和他的助手們也聰明不了多少，不過至少前總統卡特的目標是人道主義的，而不是政治性的。現在的問題就是等待。最有意思的，還是他使用那本字典當密碼本的事。它和一般常用的方式相反，因為通常使用一本書當密碼本時是根據數碼到書裏去找辭，而這一次他是透過辭語去找數碼。科特茲已經有了美國人的戰術地圖——任何人都可以從美國國防測繪局買到美國的軍用地圖，但他在對付那些綠扁帽的軍事行動中並沒有使用這些地圖。以書作密碼本的方法在傳遞情報時比較安全可靠，現在就更是如此了。

科特茲覺得等待也是令人心煩的事，不過他一邊等，一邊盤算著下一步的行動倒也覺得挺有意思。他知道下兩步該怎麼走，可是再以後呢？他認為卡特爾忽視了歐洲和日本的市場。這兩個地方的人們手上的強勢貨幣很多。日本人不大容易對付——很難透過合法手段把東西弄進它的市場——而歐洲很快就比較容易對付了。隨著歐洲共同體逐步使這塊大陸變成一個統一的政體，關稅壁壘很快就會被打破。這對科特茲來說將是千載難逢的好機會，問題是要找到入境的口岸——有些地方的口岸查得不緊，有些地方可以用錢去通融——然後建立起推銷網。畢竟不能因為減少了對美國的出口而影響卡特爾的經濟收入。歐洲市場幾乎還沒有開發，他將運用剩餘產品擴大卡特爾的市場。在美國，需求減少後只會使價格上漲。實際上，他希望他對卡特所作的承諾——無疑只是臨時性的——仍將使卡特爾的收入小有增加。在供貨減少的同時，他的產品在美國雜亂無章的供貨網將很快能得到自我完善。勢力強、效率高的將得以生存，而一旦它們的地位穩固之後，整個生意網也就有條不紊了。對美國佬來說，暴力犯罪要比造成暴力犯罪的吸毒更令人頭疼。一旦暴力犯罪問題減少，吸毒問題本身在美國各種社會問題中就不是主要問題了。卡特爾不會遭受損失。只要人們願意享用它的產品，它的財富和勢力就將與日俱增。

出現這種情況之後，哥倫比亞本身也將遭到進一步傷害，不過更不容易為人所察覺罷了。科特茲在接受專門培訓的時候，哥倫比亞也是當時學習的內容。現在這些毒品大王們採取的是殘酷的高壓手段，他們給錢倒不少，但卻同時以死亡相威脅。這種局面也應當結束。已開發國家對古柯鹼的需求也只是暫時比較多，不是嗎?遲早有一天，它就不會那麼時髦了，對它的需求也就會下降。可是那些大王們並沒有看清這一點。開始出現這種情況的時候，如果卡特爾希望在逆境中求得生存，那它就必須具備堅實的政治基礎和多樣化的經濟基礎，這就需要它在和它自己的國家打交道時採取更加隨和的立場。科特茲也準備這樣去做。要達成這一目標，首先要採取的重大步驟就是消滅一些令人討厭的毒品梟雄。歷史告誡人們，幾乎與任何人都可以達成妥協，而且科特茲已經證實了這一點。

電話鈴響了。他拿起電話聽筒，記下了對方告訴他的幾個辭，然後掛斷了電話。他拿出那本字典，很快就開始在作戰地圖上標畫起來。他看得出來，這些美國綠扁帽不是傻瓜。他們的營地都設在很難接近的地方，要想攻擊或摧毀它們將付出巨大的代價。太糟糕了。不過幹任何事都要付出代價。他把手下的人找來，同時用報話機向外發出指令。一小時不到，進山圍殲追擊的各路人馬都下山來重新接受任務。他決定要各個擊破。這樣就可以保證以優勢兵力對付每一個小分隊，也可以保證如他所希望的那樣有效地削弱各個毒梟的防衛隊的力量。當然他本人是不會親自率部隊進山的，不過這也太可惜了，因為能親眼見識一下也許是很有意思的。

雷恩一夜沒睡好。針對外部敵人的陰謀是一回事，而且他在中央情報局所幹的就是這一套。這是為了給敵人造成傷害，使敵人處於不利地位，從而使自己的國家處於有利地位。這是他的工作，他正以這種方式為自己國家的政府服務。然而他現在正在參與，一項可以說是反對這個政府的陰謀。想到這些，他實在難以成眠。

雷恩此刻正坐在自己的書房裏，他的桌上亮著一盞枱燈。他的旁邊有兩部電話，一部是保密電話，一部是普通電話。那部普通電話的鈴聲響了起來。

「喂？」

「我是約翰，」電話裏的聲音說道。

「有什麼問題？」

「有人切斷了對小分隊的支援。」

「為什麼呢？」

「也許是有人想讓他們消失。」

雷恩感到脊椎裏升起一股寒氣。「你現在在哪兒？」

「巴拿馬。通信聯絡被關閉，直升機也離開了。我們有三十個小伙子在山上等待支援，可是這些支援已經不會再有了。」

「我怎麼跟你聯繫？」克拉克給了他一個電話號碼。「那好，過幾個小時我給你打電話。」

「我們不能浪費時間了。」對方說完就把電話掛上了。

「他媽的。」雷恩朝書房的暗處看了看，然後給辦公室打了個電話，說他自己開車去上班。接著他又給摩瑞打了個電話。

一個鐘頭以後，雷恩又一次來到聯邦調查局總部大樓下面的地下車道。在那兒等著他的摩瑞帶他上了樓。蕭已經在那兒了，等雷恩進來後遞給他一杯咖啡。雷恩覺得這杯咖啡來得太及時了。

「我們的那位外勤特工給我家裏打了個電話。變星已經關機，那架準備接應他們的直升飛機已經撤回。他認為他們將被——見鬼，他認為——」

「是啊，」蕭插上來說，「如果是這樣，那我們現在可能正在犯法。這是在陰謀殺人嘛。當然，它也許不太容易。」

「別提你那個法律了——這些戰士怎麼辦？」

「我們怎麼把他們接出來呢?」摩瑞問道。「向哥倫比亞方面求援——不,不能讓他們介入這件事,是不是?」

「你認為他們對外國軍隊的入侵會作出什麼反應?」蕭說道。「會跟我們差不多。」

「跟卡特當面交鋒怎麼樣?」雷恩問。

「拿什麼跟他交鋒呢?」蕭反問道。「我們手上有什麼?屁也沒有。不過當然了,我們可以找這幾個搞通信聯絡的或直升機機組的人談話,他們可以頂一陣子,又會怎麼樣呢?等我們把情況瞭解清楚了,那些當兵的也都死光了。」

「如果我們能把他們接出來,那我們又會怎麼樣呢?」摩瑞又問。「大家都替自己脫罪,所有的文件都被銷毀……」

「先生們,我提個建議,我們是不是暫且不要談上法庭的事,當務之急是想辦法把那些步兵從他媽的山裏弄出來。」

「把他們弄出來那很好哇,可是——」

「你是不是覺得再死他三四十個人,你的官司就好打了?」雷恩毫不客氣地大聲說道。「其目的是什麼?」

「傑克,你這話就有點惡語傷人了,」摩瑞說了一句。

「你的官司怎麼打呢?假如這次行動是經過總統批准的,但沒有書面的命令,而卡特不過是個中間傳話的人,那怎麼辦?中央情報局就根據口頭命令執行過任務,這些口頭命令都可以說是合法的。當然，如果他們要我去欺騙國會，那就另當別論了，何況他們現在並沒有走這一步！再說法律上還有點小漏洞，說我們不必要告訴國會，就可以採取秘密行動；不論什麼秘密行動，只要抽時間跟他們打個招呼就行——別忘了，對我們的秘密行動的種種限制都來自白宮的行政命令。因此，由發佈最高行政命令的人批准的殺人，如果在這件事上沒有出現節外生枝的事，只有在事過之後才會成為謀殺！是哪個笨蛋制定了這樣的章程？這些章程是否真正經過法庭的檢驗？」

「你還漏了點東西，」摩瑞說道。

「是的，卡特的回答非常可能是：那根本不是秘密行動，而是一次軍警人員的反擊恐怖份子的行動，這就避開了情報工作監督方面的所有問題了。這樣我們就受**戰爭權力決議案**的支配，而它也具有前置時間因素。這些法律是否經過法庭的驗證呢？」（編者按：War Powers Resolution 戰爭權力決議案：美國國會為了限制總統的作戰權持續擴張，在一九七〇年代通過此決議案，明文規定總統出兵國外戰爭時，需先徵求國會的同意。）

「實際也沒有，」蕭回答道。「對此有過許多批評指摘，但實際都沒有切中要害。戰爭權力決議案更是個立憲方面的問題，兩黨都不敢提交法庭。你是從哪兒來的，雷恩？」

「我要保護自己的局，是不是？如果這件事被公諸於世，那麼中央情報局就又倒回到七〇年代去了。比方說，你們的反恐怖活動的計畫如果沒有我們所提供的情報會是個什麼樣？」雷恩看出來，他的這句話起了作用。在反對恐怖主義的戰線上，中央情報局是聯邦調查局無聲的夥伴，將它掌握的大部份情報訊息都提供給了調查局，這是蕭心裏很清楚的事。「那麼，從最近兩天我們所討論的情況來看，你有何高見呢？」

「如果卡特撤回對**演藝船行動**的支援為的是讓科特茲比較輕易地消滅他們，那我們就面臨一項違反哥倫比亞特區法的謀殺陰謀罪。在沒有聯邦法律的情況下，在聯邦土地上所犯的罪行可以根據適合該項犯罪的特區法律來處理。他的有些事是在特區或在聯邦的其他地方幹的，這都在司法審判的範圍之內。七〇年代的一些案件我們就是這樣調查的。」

「是些什麼案件呢？」雷恩問蕭。

「事情是從教會委員會的意見聽證會開始的。我們調查了中央情報局策劃暗殺卡斯楚和其他一些人的事——但卻沒有進行起訴。我們當時本來打算運用的法律就是關於陰謀的法律條文，但是立法上的一些問題如此模稜兩可，以致於那些調查後來也就不了了之了，這使大家都鬆了口氣。」

「在這件事上也是類似情況，不是嗎？除了我們正在浪費……」

「你已經發表了高見，」蕭代局長說，「當務之急是把他們撤出來，用一切可能的手段。有沒有什麼比較隱蔽的辦法？」

「我還想不出來。」

「我說，我們先跟你那位外勤特工聯繫一下好不好？」摩瑞提了個建議。

「他不想——」

「他不受任何牽連，他要什麼都行。」蕭立即打了包票。「我說話算話。而且就我所知，他實際上並沒有以任何方式違犯任何法律——因為馬丁內斯·巴克的事——不過你要相信我的話，雷恩，不會對他有任何傷害。」

「好吧。」雷恩從襯衫口袋裏摸出那張紙條。當然，克拉克給他的號碼並不是真實的號碼，而是根據兩人事先商定好的辦法在數碼上進行加減後，才能得出真實的號碼。電話掛通了。

「我是雷恩，在聯邦調查局總部給你打電話，聽好了，有人跟你講話。」雷恩把電話遞給了蕭。

「我是比爾．蕭，是代局長，一號首長。我剛才跟雷恩說了，絕不牽連你。我向你保證：不會對你採取任何行動。你相信我的話嗎？很好。」蕭大為驚訝，滿意地笑了。「好吧，這是保密線路，我想你那邊也是保密機。我想知道的是，你認為發生了什麼樣的事，你覺得我們現在能做點什麼。我們知道那些戰士的事了，我們現在正在想辦法把他們撤出來。從傑克告訴我們的情況來看，你可能有些主意和辦法，說給我們聽聽看。」蕭按下了電話上的喇叭鍵，大家都開始做記錄。

「你認為我們要多久時間才能建立起跟他們的無線電聯繫？」克拉克說完之後，雷恩問道。

「技師們七點半就開始弄了，估計要到吃午飯的時候。運輸問題怎麼解決？」

「我想這可以由我來解決，」雷恩說。「如果你想隱蔽的，我可以安排隱蔽的。我的意思是說再找一個人，當然是我們可以信賴的囉。」

「我們沒有辦法跟他們通話嗎？」蕭問道，他此刻還不知道克拉克的姓名。

「不行，」對方說道。「你們肯定能把由你們完成的部份都完成嗎？」

「不敢肯定，但我們要盡力而為，」蕭答道。

「那麼今天晚上再見。」對方掛斷了電話。

「我們現在必須弄到一架飛機，」摩瑞自言自語地說。「也許能再有一艘艦艇就更好。如果我們要把他們秘密地接出來，多一點東西豈不更好？」

「哦？」雷恩不太明白。摩瑞解釋了一番。

早晨六點十五分，卡特將軍從家裏出來健身慢跑。他順著下坡路跑到河邊，然後再沿著與喬治華盛頓大道平行的小路向前跑，奧戴警官在後面跟著。跟在他後面跑是件輕而易舉的事，再說奧戴早就把煙戒掉了，跑這點步算不了什麼。他沒有發現目標有任何異常表現，既沒有傳遞情報，也沒有向什麼秘密投放點放東西。他看到的只是一個中年人在鍛鍊身體。卡特往回跑的時候，另一名特工接替了奧戴。奧戴要去換衣服，準備等卡特上班時再跟蹤監視。他想不知那時能不能發現什麼異常現象。

雷恩在正常時間來到辦公室上班，他感到確實很疲勞。每天早上八點半在穆爾法官辦公室的早晨會報，這一次是全員到齊，當然這種會也不是非到不可的。雷恩發現局長和外勤副局長都沉默著，朝他點了點頭，但都不太搭理他。

雷恩心想——唔，這兩位可不是朋友啊。葛萊既是朋友又是師長。穆爾法官是個稱職的上司，他和賴特之間的關係一直是若即若離，但雷恩覺得賴特對自己倒是從來沒有什麼不好的。他想到這裏心裏一陣衝動，覺得他應該再給他們一次機會。會議結束後，其他人紛紛離去，雷恩卻磨磨蹭蹭地在拿自己的東西。穆爾看出了他的意思，賴特也看出來了。

「傑克，你是不是有話要說？」

「我覺得我幹情報副局長不適合，」雷恩開了腔。

「為什麼說這種話呢？」穆爾法官問道。

「有些事情你們瞞著我。要是你們不相信我，那我何必再幹下去呢？」

「這也是命令，」賴特說道。他無法抑制自己的不安情緒。

「那麼你們就看著我的眼睛，說這一切都是合法的。我應當知道。我有權利知道。」賴特看著穆爾法官。

「雷恩博士，我希望能讓你知道，」局長說道。他抬起頭想看著雷恩的眼睛，可是卻漸漸地看到了天花板上。「我也必須服從命令啊。」

「那好吧。我得休幾天假。我想好好思考幾個問題。我的工作都有了交代。我得離開幾天，一個鐘頭之後就走。」

「明天還有葬禮呢，傑克。」

「我知道。我會到的，法官，」雷恩撒了個謊。接著就離開了。

「他知道了，」門關上之後穆爾說了一句。

「不可能。」

「他知道了，而且他想離開。」

「如果他是正確的，那我們怎麼辦？」

局長抬起頭來說：「沒辦法。目前我們只能這麼辦。」

事情已經很明顯了。他知道卡特幹得比較漂亮。與尖刀、旗幟、特點和徵兆四個小分隊聯繫所需要的無線電通信聯絡密碼被他毀掉之後，中央情報局想改變事態也無回天之力了。賴特和穆爾都不指望總統國家安全顧問會設法把小分隊接出來，而且他們兩人又沒有其他辦法可以保護自己、保護情報局、保護他們的總統——保護自己國家的聲譽了。穆爾覺得，如果事情不妙，雷恩想脫離不沾邊，那也許他已經覺察到什麼苗頭了。局長並不怪他想明哲保身的做法。

當然，雷恩還有些事要處理。他那天上午十一點後離開了辦公大樓。他的汽車裏有電話，他在汽車裏撥通了五角大廈的一個號碼。「請傑克遜上校接電話，」當對方拿起電話時他說道，「我是傑克·雷恩。」幾秒鐘之後傑克遜拿起了電話。

「嘿，傑克！」

「陪我吃頓午餐怎麼樣？」

「太好了。是上我這兒還是上你哪兒，夥計？」

「知道阿蒂德里餐館嗎？」

「知道，在河邊的K大街。」

「半小時以後在那兒見。」

「好的。」

羅比·傑克遜看見他的朋友坐在拐角的一張桌子邊，便走了過去。有個座位已經替他留好了，他的身旁還坐了一個人。

「我希望你喜歡醃鹹牛肉，」雷恩說道。他把另外那個人向他作了介紹：「這位是丹·摩瑞。」

「是調查局的？」他們握手時，傑克遜問道。

「是的，上校。我是副助理局長。」

「幹哪一行呢？」

「嗯，本來應當在刑事犯罪調查部門，可是回來以後就接手了兩個大案。你應當能猜出是兩個什麼案子。」

「哦。」傑克遜已經吃起三明治來。

「我們向你求援來了，羅比，」雷恩說道。

「什麼事啊？」

「我們要請你把我們悄悄地送到一個地方去。」

「哪兒？」

「赫爾伯特機場。它屬於——」

「埃格林基地，我知道。特種作戰聯隊就在那兒。它就在彭薩科拉旁邊。最近借用海軍飛機的人特別多。頭兒有點不高興了。」

「你可以把這事告訴他，」摩瑞說。「不過請他不要跟別人說。我們想把一些事情處理一下。」

「什麼事？」

「我不能說，羅比，」雷恩接上來說道。「跟你上次告訴我的事有關。事情比你想像的要糟糕得多。我們的行動要快，而且還不能讓任何人知道。我們現在所需要的是一次必須小心謹慎的出租業務式的飛行。」

「這我可以幹，不過我得先跟佩因特中將打個招呼。」

「然後呢？」

「兩點鐘到帕克斯河畔的攻擊站那裏等我。我要先試飛一下以便熟悉一下飛機性能。」

「那也得先把飯吃完嘛。」

五分鐘後傑克遜先行告辭。雷恩開車帶著摩瑞來到摩瑞的家裏，從那兒給妻子打了個電話，說他要到外地去幾天，讓她別擔心，接著又開著車和摩瑞一起離開了。

帕圖克森特河海軍航空試驗中心位於契薩皮克灣西岸，從華盛頓驅車前往大約需要一個小時。南北戰爭之前，這裏是馬里蘭州一個規模很大的種植園，現在成了海軍主要的飛行測試與評估中心，知名度很高的加州愛德華空軍基地的大部份功能這裏都具備。海軍試飛員訓練學校就座落在這裏，傑克遜曾在這所學校擔任過教官。這裏還有各種試驗站。離機場主要工作保養區一兩英里的山坡下有個試驗站叫做攻擊站，它主要是試驗戰鬥機和攻擊機這類高速飛機的。摩瑞攜帶的聯邦調查局的證件足以使他們在基地裏通行無阻，在攻擊站的警衛崗亭登記之後，他們找了一個地方等著，隨即聽見了噴射式飛機加力燃燒器的吼聲。羅比．傑克遜的雪佛蘭車二十分鐘以後到達。新任海軍上校領著他們一起進了機庫。

「你們運氣很好，」傑克遜說道。「我們有兩架雄貓式要轉場去彭薩科拉。佩因特中將提前打了電話，他們早已在試飛了。我，唔——」

一名中尉軍官走進房間。他說：「傑克遜上校？我是喬．布萊默。聽說我們要飛一趟南邊，長官。」

「是的，布萊默先生。這兩位先生跟我們一起去。傑克．墨菲和丹．湯林森。他們兩位是政府雇員，想熟悉一下海軍飛行程序。你能準備兩套防水飛行服和兩頂頭盔來嗎？」

「這沒有問題，長官。馬上就拿來。」

「你們要秘密行動，現在如願以償了。」傑克遜笑著說。他從一個包裹取出自己的飛行服和飛行頭盔。「你們帶了什麼用具？」

「刮鬍用具，」摩瑞答道。「還有一個包包。」

「我們能應付得了。」

十五分鐘後他們分別爬進那兩架飛機。雷恩和他的朋友一起飛。五分鐘之後，兩架雄貓式都滑行到了跑道的盡頭。

「別著急，羅比，」在他們等待起飛指令的時候，雷恩說了一句。

「會像班機一樣舒適，」傑克遜向他保證。實際上並非如此。戰鬥機起飛後像閃電般地上升到巡航高度，上升的速度比波音七二七要快一倍。到達巡航高度後，傑克遜飛行得十分平穩。

「是什麼事，傑克？」他從機內通話系統中問道。

「羅比，我不能——」

「我告訴你過沒有，我想讓手裏的這個寶貝幹什麼，它就會幹什麼。傑克，我的老夥計，我能讓這個寶貝唱歌。我可以弄得它天翻地覆。」

「羅比，我們正在設法營救一些可能被切斷聯繫和支援的人。如果你把這事告訴任何人，包括你們的那位中將，你就可能把我們的事情給弄砸。就憑這一點，你就可以看出這事非同小可。」

「好吧，我不說，你的車怎麼辦？」

「就把它放在那兒吧。」

「我會找人在上面貼張條子的。」

「太好了。」

「你現在對飛機適應多了，傑克。你連一聲抱怨都沒有說過呢！」

「是啊，呃，我今天還要有一次飛行，是要乘他媽的直升機。自從那次在克里特把腰給摔斷了以來，還沒坐過直升機。」他把這件事告訴他時覺得心裏很痛快。當然，真正的問題是他們能不能弄到直升機。不過那是摩瑞的事。雷恩轉過頭，發現另一架雄貓式離他們這架飛機的右翼端只有幾英尺，頓時覺得一陣緊張。摩瑞朝他招了招手。「我的天哪，羅比！」

「唔？」

「那架飛機！」

「媽的，我告訴他離得開一些的，大概二十英尺。我們都是這樣編隊飛行的。」

「恭喜你，你聽到我的抱怨了。」

飛行了一個多小時後，他們看見墨西哥灣像一條藍色的緞帶出現在遠方的地平線，接著變成深藍色的大海。兩架戰鬥機準備著陸。彭薩科拉的機場跑道出現在東面，繼而又消失在朦朧的霧氣之中。雷恩感到奇怪的是，他覺得乘坐軍用飛機時，他的恐懼心理小多了。坐在裏面看得清楚多了，這也使感覺大不一樣。戰鬥機連降落都成編隊進行的，看起來真危險，不過實際上平安無事。僚機先行著陸，傑克遜在其後一兩秒也著了陸。兩架飛機向前滑行，在跑道頂端拐彎後停在兩輛汽車前面。地勤人員把梯子架了上來。

座艙蓋打開後傑克遜說：「一切順利，傑克！」

「謝謝你了，夥計。」雷恩沒有讓人幫助，自己爬下了飛機。很快地摩瑞也下來了。兩人坐上了來接他們的汽車時，身後那兩架雄貓式已開始滑行，繼續完成它們到附近的彭薩科拉海軍航空站的飛行。

摩瑞事先打過了電話。前來接他們的是第一特別行動聯隊的情報主任。

「我們要見約翰斯上校，」摩瑞在說明自己的身分之後又說明了來意。此時此刻只要這麼說明一下就夠了。汽車從一架特大型直升機旁邊駛過，雷恩還從未見過這麼大的傢伙呢——把他們帶到一座低矮的窗戶，很簡單的建築前面。這位情報軍官把他們領進房內，把兩位客人向主人作了介紹——他誤以為雷恩也是聯邦調查局的——隨後便離開了房間。

「請問二位有何貴幹？」保羅．約翰斯小心謹慎地問道。

「我們想請你談談去巴拿馬和哥倫比亞的情況，」摩瑞答道。

「對不起，我們這裏不能隨便談論我們所執行的任務。這是特別行動的性質所決定的。」

「一兩天之前卡特海軍中將給你下達了命令。當時你在巴拿馬，」摩瑞單刀直入。「在此之前你曾運送武裝人員進入哥倫比亞。你先把他們送到沿海的低地，然後又把他們接運到山區去了，對不對？」

「先生，我對此不能妄加評論，你作什麼樣的推測，那是你的事，與我無關。」

「我是個警察，不是記者。你接到的是非法的命令。如果你執行這樣的命令，你可能成為一起重大犯罪案的同謀者。」現在最好的辦法就是開門見山，這是摩瑞的想法。這句話起了立竿見影的效果。約翰斯聽見聯邦調查局一名高級官員跟他說，他接到的命令也許是非法的，他不得不作出適當的反應，當然還只是很小的反應。

「先生，你問了我一些我不知道應當如何回答的問題。」

摩瑞從皮包裏拿出一個牛皮紙袋。他拿出一張照片遞給約翰斯上校。「當然啦，下達命令給你的人是總統的國家安全顧問。他在跟你見面之前，跟照片上的這個人見了面。這人叫費利克斯·科特茲，以前曾經是古巴情報機關的一名上校，可是現在他在毒品卡特爾裏擔任保安司令的角色。他在波哥大謀殺案中有不可推卸的責任。他們究竟達成了什麼交易，我們尚且不得而知，不過我可以把我們所掌握的情況告訴你。在蓋拉德山溝附近的山上有一輛通信車，曾經負責與在地面上的四個小分隊的通信聯絡。卡特去了那裏，命令將通信聯絡關閉。接著他就來找你，命令你飛回基地，而且叫你守口如瓶。現在你把這三件事聯想在一起，好好地想一想，然後告訴我你所說出來的話像不像是你願意成為一名同謀。」

「我不知道，長官。」約翰斯的回答是不加思索的，但他的臉色已有點紅了。

「上校，這些小分隊已遭到傷亡。你所接到的命令很可能旨在讓小分隊的人全部被消滅。現在卡特爾出動了人在追殺他們，」雷恩說道。「我們需要你幫助把他們接運出來。」

「不知道你究竟是什麼人？」

「中央情報局的。」

「這他媽正是你們的行動！」

「不，不是的，現在我不想跟你細談。我們需要你的幫助，否則，那些當兵的就只有死路一條。事情就這麼簡單。」

「所以你又要派我們回去替你們擦屁股。你們這些人向來如此。你們派我們出去——」

「實際上，這一次我們打算跟你一起去，」摩瑞告訴他。「至少要一起去一些地方。你什麼時候可以準備就緒？」

「把你們的具體打算告訴我，」約翰斯說。在聽了摩瑞的說明之後，他點了點頭，同時看了看錶。「九十分鐘以後。」

雷恩見這架MH－五三J鋪低三型直升飛機與他二十三歲那年差點送了他的命的那架CH－四六直升機相比要大得多，但他見了仍然心有餘悸。他看著它的單旋翼，意識到他們即將進行的是一次長途海上飛行。機組人員個個辦事認真、技術嫻熟。他們替兩位客人接通機內通話系統，並告訴他們坐在哪裡，有哪些注意事項。雷恩聽得最仔細的地方就是在遇險時如何自救。摩瑞則被那幾門六管加特林式迷你機砲所吸引，他不斷盯著它們以及在機座邊上那些巨大的彈藥箱。飛機上共有三門這樣的機砲。四點剛過，直升機就起飛朝西南方向飛去。飛機升空後，摩瑞讓一名機組人員用一條二十英尺長的安全繩固定在艙板上，這樣他就可以抓著繩子來回走動走動。飛機的後艙門半開著，他走過去從那兒俯瞰大海。雷恩則坐著不動。他覺得這次飛行比他記憶中那次坐海軍陸戰隊直升機的感覺要好多了。但是，飛機上方那巨大的六葉旋翼所引起的震動和搖晃，卻使他覺得猶如地震時坐在大吊燈裏一樣。他可以看見坐在前艙的一名駕駛員，那人就好像坐在汽車駕駛座上那樣輕鬆自如。雷恩提醒自己，這可不是一輛汽車。

他沒有想到飛機要進行空中加油。他感覺到了飛機加大了動力而且機頭微微往上翹。他從飛機的前窗裏看見了另一架飛機的機翼。摩瑞趕緊走到前面去觀看，他就站在齊默爾士官身後。摩瑞和雷恩都可以透過機內通話系統說話。

「如果和加油管攪在一起了那怎麼辦？」摩瑞見他們離加油管接頭已經很近的時候問道。

「我可不知道，」約翰斯上校冷冷地答道。「這種事我還沒有經歷過。你現在是不是最好別講話，長官？」

雷恩環顧四周想找個「方便的地方」。他看見了一個像露營者使用的廁所樣的東西，但又決定不去了，因為一起來就要解開安全帶。加油進行得很順利。他覺得這與他剛才的祈禱不無關係。

潘納奇號快艇正以繞跑道兜圈子的方式，在位於古巴和墨西哥海岸線之間的猶加敦海峽執行巡邏任務。自從快艇進入這一海域以來，還沒有發生什麼情況。由於又來到了海上，艇上的人都感到怡然自得。此刻最有意思的活動，就是看著那些新來艇上的女艇員，其中一名女海軍少尉畢業於康乃狄格州海岸防衛隊學院，另外還有六名沒有定級的水兵。有兩名女士官是學電子方面的，她們的工作水準逐漸得到了她們男同行的認同。韋格納艇長看著新來的女少尉在甲板上值勤。她像所有的新任少尉一樣充滿熱情，但有點畏手畏腳，還有幾分緊張，尤其是當艇長站在駕駛臺上時就更加如此。她人很機靈，這可是韋格納以前從未想到的。

「艇長，艇長，」艙壁上的喇叭響起來。韋格納抓起他椅子邊上的電話。

「我是艇長。什麼事？」

「請你到無線電艙來一下，長官。」

「就來。」雷德·韋格納從椅子上爬起來。「繼續講，」他向艇尾走去時說道。

「長官，」無線電對講機裏傳來那位士官的聲音，「我們剛收到一架空軍直升機的呼叫，說飛機上有個人要到我們艇上來。還說是個秘密，長官。我不了解任何情況，而且……我當時也不知道怎麼辦，長官，所以我才找你的。」

「哦？」那名女士官把話筒遞給他。韋格納按下通話鍵。「這是**潘納奇號**。我是艇長。請問你是誰？」

「**潘納奇**，我是**凱撒**，我的直升機在執行一項特殊任務，現在正朝你飛來。我有個人要上你的艇。完畢。」

韋格納思索了片刻，他知道特殊任務的含義，於是覺得這沒什麼可多想的。

「瞭解，凱撒，請通報預計到達時間。」

「預計十分鐘以後到達。」

「瞭解，十分鐘。我們將作好準備。通話結束。」韋格納把話筒遞還給士官後回到駕駛臺上。

「進入飛行位置，」他向值星軍官下達命令。「沃爾特斯小姐，轉入H航向。」

「是，長官。」

事情的進展迅速而又順利。值班水手長打開對講機呼叫：「進入飛行位置，進入飛行位置，大家進入各自的飛行位置。甲板上面的人把煙熄掉！」抽煙的紛紛把煙扔進了海裏，各人都拿下了頭上的帽子，以防萬一被吸入發動機。沃爾特斯少尉看了看風向，並根據風向改變著航向，同時把航速增至十五節，使快艇進入H航向，也就是使艦艇進入飛行位置的合適的航向。她心裏很自豪，因為這一切都是由她獨立完成的。韋格納把頭轉向一邊，高興地笑了。年輕的軍官在成長的道路上要碰到許多第一回，這便是一回。她實際上幹得很在行，而且不需要別人的幫助。艇長覺得很像是看見自己的孩子在學走路時跨出了第一步。躍躍欲試，而且跨出了漂亮的第一步。

「我的天，是個大傢伙，」站在駕駛臺側翼上的賴利說道。韋格納走出來親自看一看。

他看見的是一架空軍MH—五三J，比任何一架海岸防衛隊的直升機都大。它從艇尾接近稍做懸停後，便向側面飛。從飛機的救生纜上吊下一個人，緩緩下降，最後被等在甲板上的四名水手接住。這人下來之後，直升機機頭微微一降隨即朝南飛去。韋格納覺得它的動作完成得迅速、俐落，非常漂亮。

「沒想到還會有人來作伴呢，長官。」賴利邊說，邊摸出了一枝雪茄。

「士官長，我們還在執行地勤任務呢！」站在駕駛艙裏的沃爾特斯少尉毫不客氣地喊了一聲。

「是，女士，對不起，我忘了，」士官長狡黠地看著韋格納說道。她又通過了一次考核。雖然士官長的年齡比她父親還大，但她仍然敢向他大聲吆喝。

「你可以解除飛行任務的命令了，」艇長告訴她。接著他又對賴利說：「我也不知道。我去後面看看是誰。」他聽見沃爾特斯少尉在發號施令，一名上尉和兩名士官長在一旁看著她。

韋格納走近直升機飛行甲板那道門附近時，看見客人正脫下身上的綠色飛行服，但似乎並沒有帶什麼東西。這似乎有些奇怪。這時客人轉過身來，韋格納就更覺得奇怪了。

「你好哇，艇長，」摩瑞先打招呼。

「這是怎麼啦？」

「你這兒有清靜的地方談話吧？」

「隨我來吧。」很快他們就進了韋格納的臥艙。

「我想有一兩件事，我還得好好謝謝你才是啊，」艇長說道。「在我們吊那個混蛋的事上，你完全可以讓我吃不了兜著走的。還要謝謝你在律師的問題上給我通風報信。他跟我談的事可把我給嚇壞了——後來實際上等那兩個臭小子死了之後，我才跟他談了話。幹這種蠢事也是我最後一次了，」韋格納說道。「你到這兒來接人的？」

「猜得不錯。」

「到底發生了什麼事情?你絕不會借用一架特種作戰部隊的直升機專程到我這兒來一趟吧。」

「我需要你明天夜裏把快艇開到一個地方去。」

「什麼地方?」

摩瑞從口袋裏掏出一個信封。「坐標在這兒,我還有無線電聯絡方案。」摩瑞又跟他說了一些細節。

「這是你自己做的吧,是不是?」艇長問道。

「是的,怎麼啦?」

「因為你應當先查詢一下天氣情況。」

第二十七章　忍者山之戰

軍隊有其本身的習慣，在外人看來，這些習慣似乎十分奇怪，甚至是十足的瘋狂舉動。其實所有這些習慣都有其潛在的目的，都來自人類四千年中有組織的、互相殘殺的經驗教訓。這些經驗教訓多數屬於消極的。每當有人死而不得其所，軍隊就從錯誤中汲取教訓，力求不再重蹈覆轍。當然，重犯這樣的錯誤不僅軍隊中有之，其他行業也不例外。因此，只有那些把基本原則永遠銘刻在心的人才是真正的行家。拉米雷茲上尉就是這樣的人。他深知自己多愁善感，他也明白在他所選擇的職業中死亡的事隨時都會發生，可是他卻覺得難以忍受。但是他並沒有忘記其他一些教訓，最近一個十分令人不快的發現，使他對其中的一條教訓感受更深。他仍然期待著空軍的直升機今晚來把他們接走。而且他有理由相信尖刀小分隊已擺脫前來追殺他們的敵人。但是，昔日所有的教訓他都記憶猶新：由於發生種種不測，由於他們對事態的發展抱著想當然耳的態度，也由於他們忘記根本性的原則，結果使許多戰士失去了生命。

處於固定地點的部隊總是暴露出許多弱點。為了彌補這個問題，英明的指揮官就著手安排一個防禦計畫，這就是一個基本原則。拉米雷茲沒有忘記這一點，也沒有失去他那善於透過觀察選擇有利地形的能力。他認為今晚不會有人來找他們的麻煩，但是他從最壞處著眼，已經作好了準備。

他的兵力部署反映了他對敵情的估計：他認為對方是一支人數衆多、但缺乏訓練的隊伍；這種部署也反映出了他有兩個特殊優勢：首先，他的戰士每人都有報話機，其次，他有三枝無聲自動武器。拉米雷茲希望敵人不要來進犯，但是，倘若他們真來，他就準備給他們以一連串出其不意的打擊。

他手下的人都是兩人戰鬥小組，可以互相支援——在戰鬥中沒有比單槍匹馬、孤立無援更使人感到恐懼。只要有一個戰友在身邊，任何一名戰士的戰鬥力都會加倍增長。每個小組挖三個掩體：主要掩體、備用掩體和附加掩體作為三個獨立的防禦火力網的組成部份。這三個防禦火力網都加以偽裝，其位置經過仔細的選擇，以便互相支援。有可能的地方，林間射界中的障礙也加以清除，但這些射界總是呈斜線，這就可以從側面而不是從正面向進攻者射擊。另一個原因就是要迫使進犯者按小分隊預料的路線進攻。最後，如果撐不住了，他們還有三條事先安排的撤退路線以及相應的會合地點。他手下的人一整天都在忙著挖掩體、構築工事，埋設餘下的蘇格蘭寬劍式地雷，剩下的時間裏他們連話也不想說，躺下便呼呼地睡大覺。但是拉米雷茲沒法使自己那麼忙碌，卻也無力擺脫紛亂的思緒。

這一天，情況變得愈來愈糟糕。無線電聯絡一直沒有恢復。拉米雷茲每次在規定的時間開機都收不到任何信號，他的解釋也愈來愈難以使人信服。他再也不能用衛星線路設備或動力發生故障的假設來安慰自己了。整個下午他都暗暗地對自己說，他們的聯繫不可能被切斷，而且他甚至根本沒有想到過他們的聯繫竟已經被切斷，然而在他的腦海深處，他逐漸痛苦地意識到，他和他的部下正在孤軍作戰，不僅遠離故鄉，而且他們可以用來對付所面臨的威脅的，只有他們背上背的那些東西。

直升機降落在它兩天前離開的同一機場。它滑行進入機庫之後，機庫的大門立即關上了。與他們同行的MC—一三〇戰爪加油機也同樣被隱蔽起來。這次飛行使雷恩筋疲力竭，他步履蹣跚地走下了飛機，發現克拉克正等著他。克拉克告訴他一則實實在在的好消息：卡特忽視了和基地指揮官見面這樣一件十分簡單的事，因為他根本沒有料想到有人會無視於他的命令。結果，這架特種作戰飛機的再度出現僅僅是又一次偶然發生的蹊蹺現象，而且一架綠色的直升機——在陰影中看起來像黑色——與其他的直升機也沒多少區別。

• • •

雷恩去了一趟廁所，喝了將近一夸脫從冰箱裏取出的涼水，然後回到飛機。他在為約翰斯和克拉克介紹時已作了解釋。現在他看見這兩人談得很投機。

「第三特種作戰大隊的，呃？」

「不錯，上校，」克拉克回答道。「我本人從沒去過寮國，但你們倒救了我們好幾條人的命。從那以後我一直在情報局，唔，差不多一直在那兒。」克拉克更正了一下自己的說法。

「我甚至不知道該上哪兒。那個穿海軍制服的混蛋要我們把所有的地圖都毀掉。齊默爾還記得幾個頻率，可是……」

「頻率我倒有，」克拉克說道。

「那好，不過我們仍然得找到他們。即使有加油機支援，我也無法靠兩條腿去進行搜索。那兒地方太大，而且海拔很高，會消耗我們大量的燃料。對手情況怎麼樣？」

「人數不少，配有AK式步槍。聽起來該是很熟悉的。」

約翰斯作了個鬼臉。「是的。我有三門迷你機關砲。要是沒有空中支援……」

「你想得不錯，你就是空中支援，我要牢牢抓住那些迷你機關砲。好吧，事先有沒有約定撤離地點？」克拉克問道。

「約定了——每個小分隊有一個為主的點和兩個備用點，總共十二個。」

「我們得假設我們的敵人已經知道了這幾個撤離地點。今天晚上要幹的事就是找到他們，把他們帶到另一個我們知道而敵人不熟悉的地方。然後，明天晚上你就可以飛到那兒去接他們。」

「然後從那兒撤出來……聯邦調查局的那個人想要我們降落在那艘小艇上。我擔心阿黛爾颶風。我中午在電視中看到天氣預報說，阿黛爾正往北向古巴方向移動。我希望能得到有關它的最新消息。」

「我剛得到消息，」拉森走到他們跟前說道，「阿黛爾又向西移動了。一小時前它形成颶風。中心最大風力為七十五節。」

「哦，媽的，」約翰斯上校說道。「它移動得有多快？」

「明天晚上才會接近，不過今天晚上飛行沒有問題。」

「什麼飛行，現在？」

「拉森和我打算去找那些小分隊。」克拉克從那個曾經屬於摩瑞的包裹中拿出報話機。「我們在山谷裡飛行，和他們通話，運氣好的話，我們能接上頭。」

「你一定真的相信運氣，小伙子，」約翰斯說道。

奧戴意識到，聯邦調查局特工的生活並非總是像人們想像的那樣富有魅力。參與這個案子的人數不足二十，他又無法把這種味同嚼蠟的任務委派給資歷較淺的工作人員。像這類小問題還真不少。他們甚至還沒有考慮到領取搜查證，而倘若沒有搜查證，根本不可能偷偷地潛入卡特的住宅——再說聯邦調查局現在也很少幹這種事了。卡特的妻子剛回家。她像一名世襲莊園的女主人，把管家佣人們指揮得團團轉。不過，高等法院在幾年前就裁定，清查垃圾並不需要法院的批准。這使帕特·奧戴已持續多年的上身鍛鍊達到登峯造極的地步。在此之前，他已經把幾噸重、臭不可聞的垃圾裝上了一輛白色垃圾車的後面，現在手臂都擡不起來了。卡特家的垃圾桶也許就是在這幾只桶之中。邁爾堡的要人住宅仍然屬於軍隊駐地；這裡連垃圾桶的安放也是按照軍隊的規定，兩家的垃圾桶集中放在一個地點。這樣，收垃圾人停放的車輛也都得按部就班。奧戴把垃圾袋裝上車前先做上記號，於是十五袋垃圾便進了聯邦調查局的一個實驗室。不過這個實驗室並不是遊覽者參觀的場所，因為聯邦調查局只向參觀胡佛大樓的遊客展示最體面的地方，那是些美觀、整潔、乾淨的實驗室。唯一令人欣慰的是那兒的通風設備還不賴，四周還有幾桶空氣淨化劑來壓住直往技師的大口罩裡鑽的惡臭味。奧戴本人都覺得，似乎他這一輩子再也擺脫不了一羣羣綠頭大蒼蠅的騷擾。檢查垃圾花了一個小時。那些垃圾被攤在白色的大理石桌面上：四天的咖啡渣、吃剩一半的新月形麵包、變質的蛋白酥皮捲、還有幾塊尿布——那是別人放錯的，卡特家隔壁的那位軍官最近添了個孫女兒。

「賓果，」一位技師說道。他那隻戴著手套的手拿起一張電腦磁片。他來不及脫下手套，就雙手捏著磁片的對角，把它放進了一個打開的塑膠袋中。奧戴拿著袋子便上樓去檢查指紋。

兩名高級技師今夜正在加班。當然，他們也有點磨時間，他們從中央指紋檢索中已經得到了卡特中將的指紋複本——所有軍人在入伍時都理所當然地要留下他們的指紋存檔——還有整整一袋小玩意兒，包括一枝雷射器。

「袋裡裝的什麼？」一名技師問道。

「報紙頭條新聞。」奧戴回答說。

「啊哈！外面沒有塗黃油，隔熱性能良好。也許有名堂。」那名技師從乾淨的塑膠袋裡取出磁片，便開始作鑑定。他用了十分鐘時間，而奧戴則在屋裡踱來踱去。

「正面有八處大拇指指紋，反面有兩處指紋；一處清楚，另一處不太清楚，像是一個髒兮兮的無名指指紋。上面還有一副完全不同的指紋，太模糊了，無法辨認。不過，這副完全不同的指紋一定是另一個人的。」

奧戴估計，在目前的情況下，這種結果已是最好不過。鑒定一個指紋通常需要十個獨立指紋——構成指紋鑒定技術的不規則性——然而這種數目常會有主觀性。即使到時候法官也許不能完全肯定卡特曾用過這張電腦磁片，而奧戴對此卻確信無疑。現在該是了解碟片裡是什麼了，於是奧戴把它拿到另一個實驗室。

由於個人電腦進入市場，使用電腦犯罪只是個遲早的問題。聯邦調查局有一個處，專門調查這種犯罪行為。但是要作這種調查最有用的是私人諮詢者，他們的真正行業是「操縱電腦」。對他們來說，電腦是妙不可言的玩具，而操縱電腦機是最引人入勝的遊戲。讓一個重要的政府機構花錢請他們玩這種遊戲等於他們花錢請職業足球運動員玩球一樣。奧戴發現在等待他的那個人是一位天才。他二十五歲，仍然是當地社區學院的學生。他目前已修完了兩百小時的學分課程，最低的成績也是良好。他蓄著一頭長髮，留著鬍子，而且都該好好洗洗了。奧戴把碟片遞給了他。

他說：「這是機密案件。」

「那好哇，」年輕人說。「這是新立MFD—二〇〇微型磁碟，雙面，雙密，一三五TPI，格式可能是八百K。上面貯存的會是什麼呢？」

「我們不清楚，不過，也許是一種加密算法。」

「啊！是俄國通訊系統嗎？那些蘇聯人在作弄我們？」

「你沒有必要知道這些，」奧戴提醒了一句。

「你們這些傢伙開不得玩笑，」那人一面說，一面把碟片放進了磁碟機器中。與那磁碟機相聯的是一部新式的蘋菓ⅡX型電腦，每個擴展槽上都有一塊特殊的電路板，其中有兩塊就是那位技師自己設計的。奧戴曾聽說，他只有別人用槍頂著他腦袋時才在IBM機上幹活。

他用來完成這項任務所採用的程序是其他電腦業餘愛好者設計的，其目的是使損壞的碟片上的數據復原。第一個程序叫做數據拯救程序。這項操作難度很大。首先磁頭把磁碟上的磁區地址加以變換，把數據複製在蘋菓Ⅱ型機的八百萬位元組的記憶體中，在硬碟機中進行永久性複製，另外還複製一個軟碟。這樣他就可以抽出原有磁碟上的數據、原磁碟片立即由奧戴放回了塑膠袋。

「數據已經被消除，」那技師接著說。

「什麼？」

「數據已經被消除，不是採取消磁或預置的方法。也許用的是一小塊玩具磁鐵。」

「見鬼，」奧戴說道。他相當瞭解電腦所以知道電腦數據會由於磁干擾而遭到破壞。

「別激動。」

「呃？」

「要是這個傢伙使軟碟預置，我們就束手無策了。可是他是用磁鐵在上面擦了一圈。部份數據消失了，部份可能還保留著。給我兩個小時，也許我能使某些數據復原——上面還有一點。它在機器語言中，我無法認出數據安排的形式……像是移位算法。我對這種密碼一竅不通，長官。看起來很複雜。」他看了一下四周。「要花不少時間。」

「多久？」

「畫一幅蒙娜麗莎要多久？建個教堂要多久？還有……」奧戴沒聽到他問第三個問題就已經走出了房間。他把磁碟片往辦公室的安全檔案夾中一塞，然後便到健身房去沖了個澡，又洗了半小時漩渦浴。淋浴洗去了他身上的臭味。當漩渦浴漸漸消除他渾身的痠痛時，奧戴覺得調查那個狗娘養的案子的脈絡已經逐漸清晰。

「長官，他們根本聯繫不上。」

拉米雷茲把耳機遞回給他，點點頭，現在已經無法否認這個事實，他望著他的作戰士官格拉。

「我想，有人把我們給忘了。」

「唔，這下可好了，上尉。我們怎麼辦？」

「下一次聯繫時間是半夜一點。我們再給他們一次機會。要是到那時還是聯繫不上，我想我們就撤離。」

「上哪兒，長官？」

「下山去，看看我們能否借到交通工具，他媽的，我也不知道。我們的現金也許足夠買張飛機票離開此地……」

「我們沒有護照，也沒有身分證。」

「是啊。與波哥大的大使館聯絡行嗎？」

「那樣做就違反了一連串的命令，長官，」格拉指出。

「什麼事總都有個第一回，」拉米雷茲說道。「要大家吃掉最後一份食品，儘量好好休息一下。兩小時後做好戰鬥準備，整夜警戒。我想派查維斯和萊昂往山下走一趟，兩公里就行。」拉米雷茲無須說出心中的擔憂。理智告訴他沒有必要這樣做，因為他和格拉的想法完全一致。

「這樣很好，上尉，」士官在安慰他。「只要後方指揮部那些混蛋傢伙妥善安排，我們就不會有事的。」

下達任務簡令花了十五分鐘時間。他們由於遭受損失而怒火中燒，氣急敗壞。他們並沒有充分意識到自己所面臨的危險，而只是看到由於已經發生的人員傷亡所引起的憤怒情緒。假充好漢，科特茲想道，這種匹夫之勇。一批十足的傻瓜。

第一個目標只有三十公里路程——他想首先對抗最近的目標，原因很明顯——因為其中二十二公里路程可以坐卡車。當然，他們得等到天黑，然後十六輛卡車一起出發，每輛車上大約十五、六個人。科特茲目送著他們離開，他們相互之間竊竊私語著，很快便走遠了。當然，他自己手下的人仍然留在那兒。迄今為止他招募了十個人，他們只對他一個人效忠。他挑選人時講究實際。他可不打聽他們的父母親幹什麼，或是他們打仗時能在多大程度上效忠於他，而是看他們的本領。他們大多數原先是M—十九游擊隊或法爾克的成員，對他們來說，打五年游擊已經足夠的了。有些人在古巴或尼加拉瓜受過訓練，具備戰士的基本技能——實際上——也就是恐怖活動的技能，這就使他們比卡特爾的「士兵」要技高一著，因為那些「士兵」大都從未受過正規訓練。他們是一支傭兵。他們對科特茲的唯一興趣就是他給他們錢，而且他還答應給他們更多的錢。更重要的是，這批人無路可走。哥倫比亞政府用不著他們。卡特爾也不會信任他們。但他們已發誓不再效忠那兩個馬克思主義團體，因為這兩個團體在政治上已分崩離析，所以他們就受僱於卡特爾。這給了科特茲機會。他成了他們為之戰鬥的人。他還沒有充分信任他們，因為他除了相信他們能為他作戰外，並不能把其他事務託付給他們。但是所有偉大的運動都始於一些小團體，因為他們的手段和他們的目標一樣隱蔽，而且他們只效忠於某個個人。至少，科特茲所受的教育就是這樣的。他本人並不完全相信這一套，不過目前這樣幹就行。他並不奢望領導一場革命，而僅僅是在從事——這叫什麼來著？接管敵對勢力的權力。是的，就是這樣。科特茲返回時暗自笑著，並開始研究起他的地圖來。

「我們之中誰也不抽煙，那倒挺好，」飛機離開地面時，拉森說道。他們身後的機艙裡有一個副油箱。他們將到指定空域進行三小時偵察飛行，來回路程各需兩小時。「你認為這行得通嗎？」

「要是行不通的話，有人就要倒楣了，」克拉克回答道。「天氣怎麼樣？」

「變天之前可以趕回來。不過明天天氣如何誰也拿不準。」

查維斯和萊昂離小分隊最前面的監聽哨有兩公里遠，兩人都帶著無聲武器。萊昂原先並不是旗幟小分隊的尖兵偵察員，但是他擅長林中識路，查維斯很欣賞他的這種技能。他們沒有發現任何異常，這是件大好消息。拉米雷茲上尉曾簡要地把自己的顧慮告訴了他們。但到目前為止他們並沒有看到任何跡象，這對兩名偵察人員來說當然不壞。他們先從北面下山，然後又漸漸向南，走了一段幾公里的弧形山路，看看有沒有徵兆，聽聽有沒有動靜。他們剛打算回到飛機著陸區，查維斯突然停下腳步，轉過身來。

那是金屬發出的響聲。他揮手讓萊昂停下來，自己轉動腦袋四下張望，希望——希望什麼呢？他問著自己。希望他確實聽到了什麼？希望這聲音僅僅是他的幻覺？他打開夜視鏡，掃視著山下。下面有一條路。要是有人上山，就會從這個方向來。

起先還難以斷定。他們的頭頂上是稠密的樹枝，光線十分暗淡，他不得不把夜視鏡的光控旋到最大限度。這使得鏡中的圖像模模糊糊，如同沒有電纜電視的年代，電視機中收到的遠方城市的電視訊號一樣。而且他要尋找的目標又十分遠——至少有五百米，那兒樹木稀少，他的那雙眼睛也只能看那麼遠了。這股緊張氣氛使他更加警覺，但是幻覺也更為強烈。他必須防止把幻覺當成現實。

但是，那兒確實有什麼東西。甚至在他又聽到聲音之前，他就已經感覺到了。他沒有再聽到金屬聲，可是那兒……那兒樹葉發出異乎尋常的沙沙聲，接著山的背風面又陷入一片沈寂之中。查維斯向萊昂看了一眼，見他也在用夜視鏡望著同一個方向，不過鏡中的萊昂是一個綠色的影像，他向查維斯轉過身來點點頭。他的動作沒有流露出任何感情，只是用職業的方式傳遞了一個令人不快的信息。查維斯蹲下來打開他的報話機。

「六號，我是尖兵，」查維斯呼喚道。

「六號聽著。」

「我們正在回返的路上。我們發現山下有動靜，離我們大約半公里。我們等候在這裡看看是怎麼回事。」

「好。小心，士官，」拉米雷茲說道。

「會小心的。通話完畢。」萊昂也走了過來。

「你打算怎麼辦？」萊昂問道。

「我們靠近些。在發現他們的意圖之前儘量少走動。」

「你說得對。再往上五十米掩蔽較好。」

「你先走，我隨後就到。」查維斯又往山下看一眼，隨後才跟著戰友上山來到一片繁茂的樹叢中。夜視鏡中依然是雪花般的斑點，分辨不出任何異常來。兩分鐘後他來到了新的隱蔽觀察點。

萊昂首先看到了新的情況，他指著山下的一條小路。這些移動的斑點慢慢在擴大，不過發出的聲響卻要小得多。那一個個的是人頭，離他們約四、五百米遠，逕自朝山上走來。

好哇，查維斯自言自語地說道。我們來數一下。他感到自己變得輕鬆了。這是他的本行。這些他過去都幹過。那個巨大的謎已經揭開。一場戰鬥即將開始。他知道該怎麼辦。

「六號，我是尖兵。估計有一個連的兵力，正朝你移動。」

「還有什麼情況？」

「他們的行動速度緩慢，看起來十分小心。」

「你們能在那兒待多久？」

「也許兩、三分鐘。」

「在確保安全的情況下儘量多停留一會兒。然後就離開，設法和他們保持同等速度再走上一公里左右。我們希望把他們收拾得越多越好。」

「瞭解。」

「這些傢伙叫人討厭，夥計，」萊昂輕輕地說道。

「真想扳倒他們幾個再跑，是嗎？」查維斯的目光又轉回靠攏上來的敵人。他看不出一個明顯的隊形。他們不慌不忙，慢吞吞地向山上走來，不過現在他已經清楚地聽到他們發出的聲響。他們三個成羣、五個一夥地走著，也許就像街頭混幫派的不良份子一樣，他想道，一夥人就是一夥朋友。人們希望有朋友作依靠。

街頭幫派，查維斯心想，山下那夥人就像他原先居住區的那些地下幫派一樣，對膚色毫不在乎，他們只是看重手上那把該死的AK—四七步槍。沒有具體的行動方案，沒有火力配備和作戰的隊形。他想知道他們是否有報話機來協調行動。可能沒有。又過了一會兒，他才意識到他們確實很清楚自己要上哪兒。他不明白這夥人是怎麼知道他們的駐地的。不過這僅僅意味著他們將進入一個伏擊圈。但是這夥人可不少。實在夠多的。

「該走啦，」查維斯對萊昂說道。

他們飛快向山上移動，或者說，他們以進行這種訓練時的最大速度跑著。他們選擇一個又一個的觀察點，隨時讓指揮官了解他們的位置和敵人的位置。在他們面前的山上，小分隊有將近兩個小時的時間來調整部署，作好伏擊的一切準備。查維斯和萊昂在他們自己的報話機上收聽拉米雷茲的話。拉米雷茲說，小分隊正向前移動，到第一道防線迎戰進攻者。這道防線位於兩個特別陡峭的地區之間，兩邊各配備一挺機關槍，可以對前面不到三百米寬的區域實行火力封鎖。只要敵人糊里糊塗地進入這個地區，唔，那就是他們的問題了，不是嗎？到目前為止，他們一直朝向飛機著陸區移動。也許，有人告訴他們**尖刀**小分隊可能就在這兒，當然這樣說沒有把握，查維斯一面想道，一面和萊昂挑選了一個隱蔽點，他們的上方就是一挺班用機槍。

「六號，我是尖兵，我們已經就位。敵人在我們腳下三百米處。」

報話機裡傳來噠—噠兩聲。

「我看到他們了，」另一個聲音從報話機中傳來。「榴彈一號看到他們了。」

「醫護兵看到他們了。」

「機槍一號看到他們了。」

「榴彈二號，我們看到他們了。」

「尖刀，我是六號，大夥兒沈住氣，」拉米雷茲鎮定自若地說，「看來，他們是想從前門進來。記住信號，夥計們……」

又過了十分鐘。查維斯關上了夜視鏡，一來為了省電，二來也為了使他的眼睛恢復正常。他的腦子裡一遍又一遍地考慮著小分隊的火力安排。他和萊昂身負著重任。每一名士兵都應當把他的火力集中在某個特定的扇面，所有的扇面在某種程度上互相交叉重疊，但是他們應當在自己的小扇面上打擊敵人，而不是向整個大扇面射擊。即使在這道防禦線上的兩挺機槍也有各自的覆蓋面。第三挺機槍離防線有一段距離，由兩位預備隊員掌握，以便在小分隊後撤時提供火力支援，或是用以應付意外不測。

現在敵人離防線只有一百米了。走在前面的這羣敵人大概有十八至二十人，其餘的吃力地跟在後面。他們走得很慢，小心翼翼地跨著步子，端著槍。查維斯數了一下，在他負責的扇面內有三個。萊昂一面端起武器，一面仍然望著山下。

從前打仗時，士兵們採用排射的方式。拿破崙的步兵兩個或四個一組肩並肩地走在一起，按照命令端起火槍進行瞄準，然後一組組地齊射，射出一排排火藥和彈丸。其目的是給敵人猛烈的打擊。現在的目的仍然如此。給死裡逃生的敵人造成心裡的震撼，讓他們知道此地非久留之地，干擾他們的戰鬥表現，阻止他們，打亂他們。如今不再採用火槍齊射的方式，而是讓敵人靠得十分近再打。這種打擊的效果不僅是肉體上的，也是心理上的。

噠—噠—噠—。拉米雷茲發了準備的命令。在整道防線上，士兵們用肩窩頂住他們的步槍，上尉用一隻手纏住一根導線。這根線長五十碼，另一端連著一個裝著幾顆石頭的空罐頭盒。他慢慢地、小心翼翼地把繩子收緊，接著猛地一拉。

一時裡，這突如其來的聲音使時間停止了。彷彿一切都進入了停止狀態，這種靜止似乎長達數小時。那些在輕步兵面前的傢伙不由自主地把注意力都轉向從他們中間發生的聲音，而忽視了他們前面和兩側的潛在危險，也忽視了正準備扣動扳機的一根根手指。

寂靜的時刻結束了，小分隊的火器一齊怒吼，閃爍出一片白光。走在前面的十五名進攻者應聲倒下。在他們後面的人還沒來得及還擊，又有五名中彈身亡或負了傷。接著山上的射擊停了下來。但是進攻者作出的反應已經遲了。他們中的許多人把槍膛裡的子彈盲目地向山上掃射去，但小分隊的士兵早已躲進了他們挖的掩體裡，連根寒毛也沒傷著。

「誰開的槍？誰開的槍？這兒發生了什麼情況？」這是奧利韋羅士官的聲音，他的口音十分純正。

那些已作好準備的進攻者陷入一片混亂。有更多人的人衝到了火力殺傷範圍內，想了解究竟是怎麼回事，想看看是誰在向誰開槍。查維斯和其他士兵在數到「十」後又回到原來的位置上。在離查維斯不到三十米處有兩個敵人，他剛數到「十」就用三發子彈打了個點放，擊斃一個，擊傷了另一個。現在也許又有十幾個敵人倒下了。

噠—噠—噠—噠—噠。「這是全線撤出的信號，」拉米雷茲用報話機指揮著。

整道防線上都採取了同樣的行動，每個小組裡有一名隊員立即撤出，向山上跑出五十米，然後在事先選定的地點停住。那幾挺班用機槍在此之前只是進行短點放，彷彿僅僅是步槍的作用，但如今卻一刻不停地吼著，以掩護撤退。不到一分鐘時間，尖刀小分隊已撤離陣地，遲到而盲目的射擊火力把那兒打得千瘡百孔。有一個人被流彈擦破了點皮，但是他毫不在乎。查維斯像往常一樣，最後一個離開陣地，而且移動也最慢，因為反擊的火力越來越猛，只能借助一棵棵大樹，謹慎地選擇著撤離的路線。他又打開夜視鏡進行觀察。在剛才的火力區內約莫有三十個敵人，只有半數還在動彈著。敵人正蜂擁向南，企圖包圍他們已經放棄的一個陣地，可是已為時太晚。他看著他們進入他和萊昂幾分鐘前還守著的陣地。他們站在那兒，茫然不知所以，仍然弄不清剛才究竟發生了什麼事情。那些受傷的敵人發生陣陣嚎叫，接著又是咒罵聲。這些人惱羞成怒，罵得是那樣起勁，那樣不堪入耳，因為他們以往總是讓死亡降臨在他人身上，而不是自己接受死亡。又有別的說話聲清晰地蓋住了零星的槍聲、呻吟聲和咒罵聲，那是那些頭頭們在大聲用所有士兵全都明白的語言下達命令。查維斯最後又朝他們看了一眼，打消了他開始時覺得這場戰鬥穩操勝券的想法。

「哦，媽的，」他打開了報話機。「六號，我是尖兵。這支隊伍超過一連的兵力，長官。再報告一遍，超過一個連的兵力。估計他們傷亡三十人。他們又上來了。我看到大概有約莫三十人向南去。有人命令他們設法包圍我們。」

「好了，上來吧。」

「來了。」查維斯飛快地跑著，猛地躍過萊昂的位置。

「克拉克先生，你使我相信了奇蹟，」拉森一面駕駛著畢奇小客機，一面說道。他們經過三次努力，與**徵兆**小分隊取得了聯繫，並命令他們推進五公里去一塊僅比舖低三型直升機稍大的林間空地。下一個行動用的時間較長，大約用了四十分鐘。現在他們是在尋找**旗幟**小分隊。克拉克提醒自己，他們還有人活著呢。他還不知道這支小隊中的倖存者已加入了**尖刀**小分隊。**尖刀**小分隊是他清單上最後一個分隊。

第二道防線的人員安排要比第一道散得開些，拉米雷茲開始感到擔心。他的部下在第一場伏擊中打得非常出色，總有一天步兵學校的某個人會就此寫一篇論文的。然而，軍事行動有一條不可改變的法則，就是成功的策略很難重複運用。沒有比死亡更深刻的教訓了。現在敵人會調整兵力，將人員散開，設法加強協調，或者至少會更好地利用其人多的優勢。而且敵人正在採取一種巧妙的做法。他們的行動在加速。他們知道遇上了勁敵，本能地意識到最有效的做法是向前推進，採取主動，加快戰鬥過程。拉米雷茲確實難以迴避，不過他也有他的應變招式。

他兩側的偵察員使他及時了解敵人的動向。現在敵人分成了三股，每股約莫四十個人。拉米雷茲不可能同時對付三股敵人，但是他可以各個擊破。他有三個火力小組，每組五人。一組——旗幟小分隊剩下的士兵——他把他們擺在中間，左側有一名偵察員時刻掌握著第三股敵人的動態，而他讓他的大部份兵力悄悄地向南轉移，從山上往山下部署了一條斜的防線，這是一條幾乎成L型的伏擊線，在山上的一端配備著兩挺班用機槍。

他們沒等多久。敵人比拉米雷茲所希望的要來得快，他們幾乎沒有充分的時間來選擇良好的火力位置，但是進攻者仍然像預料中那樣在斜坡上前進。這使他們再度遭到厄運。查維斯位於防線的最下端。當敵人接近時，他發出了警告。他們又一次讓敵人靠近到五十米的距離。查維斯和萊昂相距幾米遠，正在尋找著他們的指揮官。他們的任務是首先開火，悄悄地幹掉任何試圖協調或指揮進攻者的人。有了一個，查維斯思忖道，他正在對其他人打手勢。他用他的MP五式自動步槍瞄準著，然後打了一個點放，可是打偏了。儘管這枝槍帶有消音裝置，但是它轉動時發出的響聲，還是招來了對方的槍彈，因此整個小分隊一齊開了火，又有五個進攻者倒了下去。這次剩下的人都目標準確地進行還擊，對防禦方的陣地形成了攻勢。但是一旦他們射擊時的火光暴露了他們的位置，兩挺機槍便猛烈地掃射，壓住了他們的進攻。

戰鬥的場面是恐怖的，也令人神往。夜間人們一開火，視力就受到影響。查維斯為了保護自己的視力，像訓練時那樣閉一隻眼，但是這樣做絲毫不起作用。耀眼的、圓柱體的火舌使整個樹林變得生氣盎然。這火焰有的變成了一團團明亮的小火球，像一連串頻閃的燈光，將來回移動著的人羣照得一清二楚。機槍的曳光彈把火焰帶到活生生的人羣裡。而步槍的曳光彈卻又是另一番景象。每個彈匣的最後三發是曳光彈，是在告訴射手該換新的彈匣了。這轟鳴聲與查維斯過去曾聽到過的任何聲音都不同，M一六自動步槍發出的噠噠聲，AK—四七步槍發出的低沈而緩慢的格格聲。發號施令者的吆喝聲，因為憤怒、痛苦和垂死掙扎而發出的尖叫聲。

「快撤！」這是拉米雷茲上尉在用西班牙語高聲喊道。他們又一次以兩人戰鬥小組的形式撤離，或者說是試圖撤離。有兩名小分隊成員在這次交火中中彈。查維斯被其中的一名正企圖爬離戰場的隊員絆了一下。他不顧自己腿部的疼痛，把那名隊員扛在肩上往山上跑去。後來那名士兵——英格利斯——在集合地點死去。他們沒時間為死者而悲傷，他沒有用完的彈匣被其餘的步槍手分掉。拉米雷茲正在設法重新組織隊伍，這時他們聽到山下的槍聲、吼叫聲和咒罵聲混成一片。只有一名士兵又成功地來到集合地點。**尖刀**小分隊如今又有兩名被打死，一名受重傷。奧利韋羅接過那名傷員，把他帶到山上的著陸區附近的傷員醫療點。十五分鐘後，他們又以損失百分之三十兵力為代價使敵人死傷二十名。要是拉米雷茲上尉有時間想一下，他就會意識到，雖然他很聰明，但是他正在輸掉這一仗。可是他並沒有時間來考慮這一切。

旗幟小分隊的一陣射擊把另一股敵人的氣焰打了下去，但是他們在往山上撤退時損失了一名隊員。他們後退了四百米，組織起第三道防線。雖然這道防線比上一道防線來得緊湊，但令人頭疼的是它已接近他們的最後防禦陣地。現在該是他們亮出最後一張王牌的時候了。

敵人再次逼近空曠的斜坡，他們仍然不知道他們到底給這羣魔鬼造成了多大的損失。在他們看來，這羣魔鬼時而出現，拼殺一陣，時而又消失得無影無踪。就像夢魘中的怪物一樣。進攻者中有兩名擔任類似指揮官的人員退出了戰場：一個嗚乎哀哉、一個身負重傷。敵人停下來重新組合，他們活著的指揮員集中在一起商議著。

對於士兵們來說，情況也十分相似。傷亡人數搞清後，拉米雷茲重新部署兵力，他暗暗地慶幸自己沒有時間來哀悼死去的部下，他所受的訓練確實在迫使他集中全部精力去考慮燃眉之急。直升機不能及時趕到？或許能及時到達？這有關嗎？有什麼關係？

現在他需要做的就是進一步減少敵人的數目，這樣他才有可能順利地轉移出去。他們不得不撤退，但是他們首先得消滅更多的敵人。拉米雷茲一直保存著他的爆炸性武器。他的部下還沒有人扔過或發射過榴彈。這個陣地前埋著剩下的蘇格蘭寬劍式地雷，每一枚地雷都旨在保護步槍手的掩體。

「你們幹嘛還在磨蹭，呃？」拉米雷茲對山下喊道。「來吧，我們還沒有和你們算賬呢？先宰了你們，再操你們的女人！」

「他們中間沒有人有女人，」維加大聲說道。「他們是同性戀者。來吧，王八蛋，你們死到臨頭啦！」

於是他們又上山了。他們就像賭得輸紅了眼的賭徒一樣，絲毫不理會受到的損失，在狂怒的驅使下，向小分隊的陣地壓過來。但是他們也學乖了，行動比原先謹慎得多。他們從一棵樹後轉移到另一棵樹後，互相進行掩護，瘋狂地向前射擊，打得對方擡不起頭來。

「南面有情況，就在那裡。看到火光嗎？」拉森說道。「在那邊兩點方位的山坡上。」

「我看到了。」他們花了一個小時在這三個撤離點盤旋，進行無線電聯絡，試圖接回旗幟小分隊，可是毫無結果。克拉克不願離開這個地區，但是別無他法。要是小分隊可能在那兒，他們就得靠近些。即使能見度很好，這些小型報話機的有效範圍也不到十公里。

「夥計，」他對拉森說道。「儘快趕到那兒。」

拉森收攏飛機副翼，將油門桿往前推去。

這種部署叫做火袋，是蘇聯軍隊裡的術語，它恰如其分地描繪了這種陣式的功能。小隊散成寬闊的弧形，士兵們都藏在掩體裡，不過有四個掩體裡只蹲著一個人而不是兩個人，另外一個掩體裡根本沒有人。每個掩體前佈有一至兩顆蘇格蘭寬劍式地雷，凸面對著敵人。陣地就在一片樹林中，是一塊約莫七十米寬的空地，原先一定是岩崩?或是坍方，造成一些樹倒伏在上面，還有幾棵是最近才倒伏的。敵人的喧鬧聲和子彈發出的火光漸漸接近那道防線，然後又停止向前，但是槍聲仍在繼續。

「好，弟兄們，」拉米雷茲說道。「一接到命令，我們就撤出這兒，回到飛機著陸區去，從那兒再下X—二號路線。但是我們首先要再幹掉他們幾個。」

交戰的另一方也在商議，最後採取了一個十分聰明的辦法。他們用姓名來代替地名，用密碼聯絡的方式掩蓋他們的真實意圖，不過他們還是順著地形的特點前進，而不是橫穿過去，當然囉，拉米雷茲思忖道，且不管他們是些什麼貨色，他們勇氣不小，他們倒是不怕死的。要是他們受過一些訓練，有一、兩個稱職的指揮官，那麼這場戰鬥早就結束了。

查維斯卻在考慮別的問題。他的武器射擊時不僅無聲，而且不冒火光。他利用他的夜視鏡捕捉單個的目標，然後毫不留情地把他打倒在地。他選了一個指揮官模樣的人。這對他來說實在太容易了，從敵方傳來的噠噠的槍聲蓋住了他武器發出的聲音。他檢查了一下他的彈藥袋，發現只剩下了兩個彈匣，除去已經在槍膛裡的子彈外，還有六十發子彈。拉米雷茲上尉打得十分巧妙，但他和敵人也靠得很近。樹後探出一個人頭，然後用手在對另一個人打招呼。查維斯舉槍瞄準，打了個單發。子彈打中了那個人的喉嚨，但他還是發出了尖叫。查維斯不知道，那個傢伙正是敵人的總指揮。他的叫聲使他們當即採取行動。子彈從整條樹木線後像雨點一樣地向輕步兵們射來，敵人大喊著發動了進攻。

拉米雷茲等他們走到半路，然後發射了一枚槍榴彈。這是一枚黃磷燃燒彈，它像噴泉一樣噴出強烈的蛛網般的白光。霎那間，每個人都引發了他們的蘇格蘭寬劍式地雷。

「哦，該死，那是**尖刀**小分隊。威利．彼得和蘇格蘭寬劍式地雷。」克拉克把天線猛地伸出飛機的窗外。

「**尖刀**，我是**變星**；**尖刀**，我是**變星**。聽見沒有，請回話！」他打算向他們提供幫助，但太不是時候了。

地雷爆炸的碎片像割草似的又砍倒了一批敵人，三十多人死亡，十人受傷。接著一排槍榴彈射進林中，其中包括所有的白磷燃燒彈。樹林中頓時烈焰騰騰。那些進攻者雖然不會當場斃命，但是他們靠得那麼近，根本無法逃過像雨點一樣落下的燃燒著的黃磷。有的人身上著了火，那淒厲的嚎叫聲更使黑夜增添了幾分使人毛骨竦然的感覺。一陣手榴彈又落了下來，殺傷了更多的進攻者。接著拉米雷茲又打開了他的報話機。

「撤離，現在撤離！」這曾經是明智的舉動，但是這一次卻失算了。

當尖刀小分隊的成員離開陣地時，對方本能地向他們開槍，因此他們遭到了自動武器的掃射。那些戰士用煙幕彈和催淚瓦斯彈來掩護他們的撤離，但是手榴彈爆出的煙氣和火星恰恰成了對方瞄準的目標，每顆手榴彈都招來了十幾枝槍射來的子彈。他們按照教授他們的方法行動，其直接後果是兩名士兵被打死，另外兩名受傷。在此之前，拉米雷茲一直出色地掌握著他的隊伍，但是正是在這個時候他失去了控制。報話機的耳機傳來一個陌生的聲音。

「我是尖刀，」他直挺挺地站在那兒呼喊。「變星，你他媽的在哪兒？」

「在你上空，我們在你上空。你的情況如何？完畢。」

「我們的情況糟透了，正在向著陸區撤退。在這兒降落，立即在這兒降落！」拉米雷茲替部下們大聲喊道。「去著陸區，他們來接我們啦！」

「不行，不行。尖刀，我們現在不能來。你必須撤離戰鬥區，你必須撤離戰鬥區。我明白你的意思。」克拉克對著報話機說道。沒有回答。他把命令又重複了一遍，還是沒有回答。

現在，原先的二十二個人中只剩下了八個。拉米雷茲背著一個傷員。他在跑向著陸區時耳機掉了出來。到直升機著陸點還要向上走二百米。他穿過最後一片樹林，來到一片林間空地，直升機將在這兒降落。

然而飛機沒有來。拉米雷茲放下傷員，雙眼望著天空，然後又用夜視鏡觀察著，然而空中沒有直升機，沒有頻閃燈光，沒有渦輪發動機那照亮夜空的熱輻射。上尉從報話機裡猛地拉出耳機，對著它高聲尖叫。

「**變星**，你他媽的在哪兒？」

「**尖刀**，我是**變星**。我們是在固定翼飛機中，在你的上空盤旋。在明天夜晚之前我們無法把你們接回。你們必須脫離戰鬥區，你們必須脫離戰鬥區。你的意思我明白！」

「我們只剩下八人，我們只——」拉米雷茲停住了。他的人性最後一次回到他的身上，把他置於死地。「哦，我的上帝。」他意識到他的部下大都已犧牲，他是他們的指揮員，對此負有責任，因此他變得猶豫不決。其實，他毫無責任可言，然而他永遠也不會知道的了。

現在敵人又在逼近，從三面壓了上來。退路只有一條，這是事先計畫好的。拉米雷茲低頭看著那名被他背到飛機著陸區的傷員，眼睜睜地看著他死去。他又擡起頭來，環顧著他的部下，不知道下一步該怎麼辦。他平日裡所受的訓練已經沒有時間再發揮作用。在二百米外，第一批敵人已經從樹林邊出現，開始射擊。他的部下也在還擊，然而敵人人數太多，輕步兵們只剩下最後一個彈匣的子彈了。

查維斯看到了發生的一切。他回過身去接應維加和萊昂，幫助一名腿部受重傷的士兵。當他正望著他們的時候，一隊敵人穿過了飛機著陸區。他看到拉米雷茲臥倒在地上，用自己的武器向前來的敵人開火。但是查維斯和他的戰友們已愛莫能助。他們向西邊跑去，踏上了撤退的路程。他們沒有再回頭看。他們也不必再回頭了。槍聲已說明了一切。還擊M十六步槍的噠噠聲的是AK－四七步槍的射擊聲，只是後者的聲音要大得多。接著是幾顆手榴彈的爆炸聲。有人在鬼哭狼嚎，有人在高聲叫罵，都是用的西班牙語。然後就只剩下了AK－四七式步槍的射擊聲。這座山上的戰鬥到此結束。

「這是不是說情況和我想像的一樣？」拉森問道。

「這就是說某個在國內的奸臣該死，」克拉克輕輕地說道。他的眼裡含著淚水。這種場面他過去也曾經歷過一次，當時他的直升機及時逃脫，而另一架直升機卻遭了殃。不論在當時，還是時隔很久以後，他都感到十分慚愧，因為他倖存了下來，而別人卻犧牲了生命。「他媽的！」他搖搖頭，控制住了自己。

「**尖刀**，我是**變星**。你聽見沒有？請回話。請用名字回答我。再說一遍，請用名字回答我。」

「等一下，」查維斯說道。「我是查維斯。誰在和我通話？」

「好好聽著，小伙子，因為你的通訊電台已經失密。我是克拉克。我們曾經見過面。朝你們訓練那天晚上走過的方向，你還記得嗎？」

「記得。我記得當時走過的路線，我可以那樣做。」

「我明天來接你。在那兒等我，小伙子。還沒有講完。重複一次：我會來接你的。現在，快他媽的離開那兒。通話完畢。」

「到底怎麼回事？」維加問道。

「我們繞到東邊，下山往北，然後再繞到東邊。」

「然後怎麼辦？」大熊問道。

「我他媽的怎麼知道呢？」

「往回飛，向北，」克拉克命令道。

「你說的奸臣指的什麼？」拉森一面改變方向，一面問道。

克拉克的回答低得無法聽清。「我說的奸臣是指後方指揮部裡的混賬東西，窩囊透頂、只會發號施令的狗雜種，他讓我們第一線的人去送死。他們中間有人會遭報應的，拉森。現在閉上你的嘴，開你的飛機吧。」

他們又花了一個小時尋找**旗幟**小分隊，但是一無所獲，於是他們便返回巴拿馬，那段飛行花了二小時十五分鐘，在此期間克拉克一言不發，拉森也不敢貿然開口。駕駛員讓飛機一直滑行到機庫，停在舖低三型直升機旁，然後機庫的大門就關上了。雷恩和約翰斯正等著他們。

「怎麼樣？」傑克問道。

「我們和**徵兆**以及**特點**小分隊接上了頭，」克拉克說道。「來，」他領他們走進一間放有桌子的辦公室，把地圖攤在桌上。

「其他分隊情況如何？」雷恩問道。約翰斯上校沒有再問的必要。他從克拉克的臉色上就已經明瞭了一半。

「**徵兆**小分隊明晚就回到這兒，**特點**小分隊也將回返。」克拉克指著地圖上兩個標出的地點回答道。

「好，我們可以安排好，」約翰斯說道。

「該死！」雷恩幾乎咆哮起來。「其他小分隊究竟怎麼樣？」

「我們始終沒能和**旗幟**小分隊取得聯繫。我們看到壞蛋們消滅了**尖刀**小分隊。消滅了大部分。」克拉克更正了自己的說法。「至少有一個人逃了出來。我要去找他，下去找。」

克拉克回過身來對駕駛員說：「拉森，你最好去歇一會兒。六個小時後我要你精神抖擻起來。」

「天氣情況如何？」他問約翰斯。

「那個他媽的風暴老在這兒廻旋，就像個幽靈似的。鬼知道那場風暴要向哪兒移動，但它還不會到達那兒。而且那種天氣裡我過去也飛過。」約翰斯上校回答說。

「好吧。」駕駛員走開了。隔壁房間裡放著幾張帆布床。他在床上躺下一會兒就睡著了。

「要在那兒降落嗎？」雷恩問。

「你以為我要幹什麼——把他們丟在那兒？難道我們造的孽還不夠嗎？」克拉克的眼睛望著別處。他的雙眼通紅，只有約翰斯知道，這並不是緊張和缺少睡眠的緣故。「抱歉，傑克，我們有幾個人在那兒，我得試一下。他們會和我聯繫的。沒事，夥計！我知道怎麼辦。」

「怎麼辦？」約翰斯問道。

「拉森和我在中午前後飛去，弄一輛車開到那兒。我對查維斯說過——就是那個和我通話的小伙子——繞過他們，然後往東下山。我們要設法帶他們去機場，再用飛機把他們帶出來。」

「就這麼辦？」雷恩將信將疑地問道。

「當然囉，有什麼不能的？」

「勇敢和傻瓜可不是一碼事，」雷恩說道。

「誰來胡扯什麼勇敢？這是我的工作。」克拉克走出房間去睡了一會兒。

「你清楚你真正害怕的是什麼嗎？」約翰斯離開時問道，「你害怕忘不了，忘不了你本來能幹而沒有幹的事。我可以把這二十多年來我受到的挫折一件件地對你細說。」上校穿著藍色的襯衫，佩著指揮官的飛行徽章和所有的綬帶。他的綬帶真不少。

雷恩的眼睛盯著其中的一枚，那綬帶呈淺藍色，上面有五顆白星。「可是你……」

「佩戴這種東西當然很風光。四星上將首先向我敬禮，而且把我看成特殊人物，這當然很體面。但是你知道什麼是至關緊要的嗎？我救出的兩個人，一個現在是將軍，另一個現在是達美航空公司的飛行員。他們都活著，都有家庭。重要的就是這個，雷恩先生。我沒有救出的那些人也事關重大。有些人長眠在那兒，那是因為我的技術還不夠高明，或者動作還不夠敏捷，或者運氣還不夠好。要不然就是他們的運氣不好，或是因為其他緣故。我本應該把他們救出來的。那就是工作。」約翰斯平靜地說道。「那就是我要做的。」

「是我們把他們派到那兒去的，」傑克自言自語道。是我們情報局把他們派到那兒去的。有些人已經死在那兒了。而我們卻讓某人對我們說，不要對此採取任何措施。他們還認為我應當……

「今晚去那兒也許有危險。」

「有可能。看來是這樣。」

「你的直升機上配有三挺迷你機關砲，」雷恩過了一會兒說道。「你們只有兩名槍手。」

「我不能吹口氣就培養出一個。而且——」

「我可是個神槍手，」傑克毛遂自薦道。

第二十八章　直搗黃龍

科特茲坐在桌旁忙著計算。美國人仗打得很出色。約有兩百名卡特爾的人上山圍剿，活著回來的只有九十六人，其中還有十六人負了傷。他們返回時押來一名美國人，其傷勢嚴重有四處傷口仍然流血不止，可見這些哥倫比亞人沒有優待俘虜。小伙子非常勇敢，緊咬著牙關，一聲不吭。他竭力控制自己，身體不停地顫抖。這個綠扁帽不愧是個勇敢的年輕人。科特茲不願意審問他，免得有損於他勇敢的形象。再說，他說起話來肯定是斷斷續續的，而科特茲還有其他事要操心。

他這裏有個醫療隊專門治療「友軍」的傷員。科特茲走到那裏，抓起一枝使用後即丟棄的注射器，抽滿了嗎啡。他回來後，將針頭扎進美國兵那隻未負傷胳膊的靜脈裏，用勁推下壓栓。美國兵頓時全身放鬆，其痛苦在一陣短暫而妙不可言的快感中消逝了。接著他的呼吸完全停止，生命也隨之停止。實在是不幸。科特茲其實完全可以利用像這樣的士兵，但是他們除了國旗以外很少為其他東西而戰。他走過去拿起電話，撥了一個號碼。

「老闆，昨晚我們消滅了敵軍一個小分隊……是，老闆，據我推測他們總共有十人，全都被我們解決了。今晚我們要圍殲另一個小分隊……有個問題，老闆。敵人很善戰，我方死傷不少。今晚行動我需要增援。是，是，謝謝，老闆。這太好啦。把援兵派往里奧蘇西奧，讓帶隊的今天下午向我報到。我替他們簡單交代一下。哦？是，這太好啦！我們將恭候您的大駕。」

科特茲思忖道，走運的話，另一個美軍小分隊同樣會打得很出色。走運的話，這一個星期內他就能消滅卡特爾三分之二的槍手。連同他們的魁首一道報銷，時間就在今天晚上。他眼前已到了欲罷不能的地步，他自忖道，他這場賭博實在太玩命，但是真正棘手的事情還在後面。

這場葬禮來得太早。葛萊是個鰥夫，不過在喪偶之前就已和妻子分了手。分手的原因就是阿靈頓國家公墓裏這個長方形墓穴旁一塊毫不起眼的白色墓碑。這是美國海軍陸戰隊中尉羅伯特·懷特·葛萊的墓碑。他是葛萊將軍的獨生子，從海軍學院畢業後就去了越南並戰死沙場。無論穆爾還是賴特都從未見過這位年輕人，而葛萊又從不在辦公室裏擺放他兒子的照片。這位已故情報副局長是個極富感情的人，但絕非多愁善感的人。他早就提出要求身後葬在他兒子的墓旁。鑒於他官階顯赫，位居要津，他的請求被破例批准。這塊墓地一直替他保留著，只等著那樣做，對所有人來說都是在所難免，而對他來說是為時過早的事情。他的確極重感情，但只是在重大的事情上如此。賴特想到，眼前不就擺著許多解釋嘛。詹姆士曾挑選過幾名聰明小伙子，讓他們進了情報局，對他們在事業方面十分關注。給予業務上的培訓和生活上的關懷。

葬禮的規模不大，場面肅穆。詹姆士為數不多的至交摯友都到場了，同時從政府部門來了很多人。

總統也來了——不過，令鮑勃·賴特更為光火的是，海軍中將詹姆斯·A·卡特也在場。總統在教堂儀式上致悼詞。他緬懷了死者勤勤懇懇地為國效力的五十多個春秋：十七歲就加入海軍，後來進海軍學院深造，接着晉陞為二星將軍，到中央情報局任職之後晉陞為三星將軍。總統在評價詹姆士·葛萊海軍中將這位職業軍人時這樣概括道：「在職業精神，正直為人和為國效勞方面堪稱楷模，很少有人能與他相提並論，根本無人能超越其上。」

還有那個王八蛋卡特在總統致悼詞時，竟然也在前排正襟危坐，賴特思忖道。他看着來自第三步兵團的儀仗衛士把覆蓋在棺木上的國旗收起來時，不由得一陣心酸。沒有人去接過旗幟，賴特原以為旗幟會由——

雷恩在哪裏？他四下看了看。離開蘭格利時，他沒有注意到雷恩並未同中央情報局代表團的其他人一起來。由於雷恩不在，國旗就交給了穆爾法官。互相握手，互致慰問。是啊，他走得如此匆匆，實在是不幸。是啊，像他這樣的人是很難得的呀。是啊，葛萊家族就這樣結束了，實在糟糕，難道不是嗎？我從未見過他的兒子，可是我聽說……十分鐘以後，賴特和穆爾都坐進了局裏的凱迪拉克車，沿着喬治華盛頓大道返回局裡。

「雷恩到底上哪裏去了？」局長問道。

「我不知道。我原以為他會親自開車趕來的。」

穆爾對這種不合時宜的安排感到更多的是不安，而不是氣憤。他仍然小心翼翼地捧着那面旗幟，把它端放在大腿上，彷彿捧着一個新生嬰兒，他自己也不知道這是怎麼回事——直到後來他才意識到，如果上帝確實存在的話，正像小時候浸信會牧師再三對他保證的那樣，而且如果詹姆士確有靈魂的話，那麼他現在雙手捧着的便是其最好的遺產。用手摸着它讓人覺得暖烘烘的。儘管他曉得這僅僅是他的想像，或者充其量不過是從上午太陽光中所吸取的餘熱而已，但是從詹姆士十幾歲起就為之衝鋒陷陣的國旗上散發出的熱量似乎在譴責他的可恥行徑。今天上午，他們剛參加了一個葬禮，但在兩千英里之外，就有被中央情報局派遣去執行任務的一些人，他們就連其他同事可以得到的像隆重葬禮這種空洞的獎勵都得不到。

「鮑勃，我們究竟都幹了些什麼？」穆爾問道。「我們怎麼會陷進去的？」

「我不知道，亞瑟。我一點都不知道。」

「詹姆士確實很幸運，」局長喃喃道。「至少他離開得——」

「問心無愧嗎？」賴特朝窗外望去。他無法正眼看着自己的上司。「聽着，亞瑟——」他欲言又止，真不知下面該說些什麼。自從五〇年代以來，賴特就一直效力於中央情報局。他幹過外勤，當過特派員，擔任過情報站站長，而後調到蘭格利擔任處長。他損失過外勤人員，損失過特工，可是他從來沒有欺騙過他們。任何事情都會有頭一回，他告訴自己。然而，他此刻豁然若有所悟，對每個人來說，都會有面對死神的頭一回，而不能視死如歸的人則是最嚴重的膽小鬼，是人生中最大的失敗。可是他們能有什麼辦法呢？

返回蘭格利的路程不算長。賴特還沒找出問題的答案，汽車就停住了。他們搭電梯上樓。穆爾朝自己的辦公室走去。賴特也走向自己的辦公室。秘書們尚未返回，因為她們乘坐的是一輛大客車。賴特在辦公室周圍踱着步子，一直等到秘書們回來，然後走過去找康敏太太。

「雷恩來過電話沒有？」

「沒有，我壓根兒沒看到他，你知道他在哪裡嗎？」南西·康敏問道。

「對不起，我不知道。」康敏走進自己的辦公室，情急之下撥了個電話到雷恩家，他聽到的只是一部電話答錄機的聲音。他從檔案卡片中找出凱西的辦公室號碼。他沒有麻煩秘書，而是自己給她打了電話。

「我是鮑勃·賴特。我要知道傑克的去向。」

「我不知道，」卡洛琳·雷恩醫生有所警覺地說道。「昨天他告訴我說他要出城。他沒有說去哪裏。」

賴特的臉不禁打了個寒顫。「凱西，我一定得知道。這可是事關重大——我無法說出這事有多麼重要。請你相信我。我一定得知道他現在何處。」

「我的確不知道。你是說你也不知道嗎？」她的聲音中有幾分驚訝。

雷恩已經知道內情，賴特意識到。

「聽我說，凱西，我會找到他的行蹤。不必擔心什麼的，好嗎？」他竭力讓她鎮靜下來，但無濟於事。賴特趕緊安慰了她幾句，便掛斷了電話。隨後他走到穆爾法官的辦公室。那面旗子放在局長辦公桌的正中央，仍然疊成三角形，形狀就像人們所說的三角帽。亞瑟·穆爾法官，現任中央情報局局長，默默無言地坐着，兩眼盯着它發楞。

「傑克不知去向。他太太說不知道他去哪裏了。他已知道內情了，亞瑟，他已知道內情，而目前已脫身去採取行動。」

「他怎麼會知道的呢？」

「見鬼，我怎麼知道？」賴特思索了片刻，然後向上司招招手。「跟我來。」

他倆走進雷恩的辦公室。賴特打開擋在雷恩的嵌在牆壁內的保險櫃前的壁板，然後合乎程序地撥了數碼組合，可是除了撥號盤上的警報燈亮以外，沒有任何反應。

「見鬼，」賴特罵了一聲。「我還以為就是這個數碼組合。」

「詹姆士的數碼組合嗎？」

「是的。你知道他這人的脾氣，從來不喜歡這些討厭的玩意兒。他也許……」賴特四下環視着，他試着查對了第三遍。他把書寫板從辦公桌裏抽出來。數碼組合就在上面。

「我想剛才撥的號碼的確沒錯呀。」他轉過身又試撥了一遍。這一回不僅警報燈亮了，警報器也嗚嗚地叫了起來。賴特回轉身子，又核對了一遍數碼。紙上還有一些書寫符號。賴特又將書寫板往外拖了拖。

「噢，上帝。」

穆爾點點頭，朝門口走去。「南西，告訴保安部門，是我們在設法打開保險櫃。好像傑克私自更改了數碼組合，而他應當事先通知我們一聲。」局長關上門，走了回來。

「他已知道內情，亞瑟。」

「也許吧。我們如何證實呢？」

一分鐘之後，他倆回到賴特的辦公室。他已經銷毀了所有的文件，但卻沒有銷毀自己的記憶。你是不會忘記一位榮譽獎章獲得者的姓名的。接下去要辦的只是翻開自動話網的電話號碼冊，再來要撥埃格林空軍基地第一特種行動聯隊的電話。

「我要與保羅．約翰斯上校通話，」賴特告訴接電話的士官。

「約翰斯上校外出執行臨時任務去了，長官，我不知道他現在哪裏。」

「誰知道？」

「聯隊作戰值班軍官也許知道，長官。這是一條非保密線路，長官，」士官提醒他道。

「把他的電話號碼告訴我。」士官遵命照辦。賴特的下一個電話換成了保密線路。

「我必須找到約翰斯上校，」賴特通報自己身分後說道。

「長官，我不得將這一情況告訴任何人，這是命令。這就是說無人例外，長官。」

「少校，如果他又到巴拿馬去了，我就有必要知道。這關係到他的生命安全。他有必要知道一件正在發生的事情。」

「長官，我奉命——」

「見你的鬼命令，年輕人。你要是不告訴我，那麼那些機組人員因此送了命的話，就唯你是問！現在就打電話給他，少校，行還是不行？」

少校從來沒打過仗，因此生死攸關的決定對於他來說無非是空泛的理論而已——或者直到目前為止是這樣。

「長官，他們現已回到原先的位置。還是原來的地方，原來的機組人員。我就知道這麼多，長官。」

「謝謝，少校。你做得對。你的確做得對。現在我建議你用筆記錄下這次電話及其內容。」賴特掛上電話。電話事先已接通了擴音器。

「肯定是雷恩，」局長贊同道。「我們怎麼辦？」

「你說說看，亞瑟。」

「我們還要害死多少人，鮑勃？」穆爾問道。他現在最害怕的是照鏡子，他害怕從鏡子中看到他不期望看到的那副臉孔。

「你真的瞭解事情的後果嗎？」

「去他奶奶的後果，」這位德克薩斯州上訴法院前任首席法官憤憤然哼道。

賴特點了點頭，按下電話上的一個按鈕。他以慣用斬釘截鐵般的命令口氣說道，「我需要**裝甲船**最近兩天獲取的全部情報。」接着他又按下一個按鈕。「讓巴拿馬情報站站長過三十分鐘給我電話。告訴他做立即行動的準備──他將要忙了。」賴特把電話放回聽筒架。他們得等上幾分鐘，不過在這種場合他們不會默默無言地等待。

「謝天謝地，」過了一會兒，賴特說道。

穆爾臉上這一天頭一回露出笑容。「我亦有同感，羅伯特。又做個堂堂正正的男子漢真好，不是嗎？」

保安警察用槍把他押了進來。來者身穿棕褐色套裝，自稱名叫倫納。他隨身攜帶的公事包已被檢查過，沒有發現任何武器。克拉克一眼認出了他。

「見鬼，你上這裏來幹什麼，托尼？」

「這是誰？」雷恩問道。

「巴拿馬情報站站長，」克拉克答道。「托尼，我希望你來此有一個十分充足的理由。」

「我帶來一份穆爾法官發給雷恩博士的傳真打字電報。」

「你說什麼？」

克拉克拽着倫納的胳膊，領着他走進辦公室。他的時間並不算多。他和拉森幾分鐘之後就要起飛。

「你最好別他媽的開玩笑，」克拉克對他說。

「嗨，我是來送電報的，這沒錯吧？」倫納說道。「你趁早停止這種逞能遊戲。別忘啦，我可是這裏的拉丁美洲人。」他將第一頁電文遞給雷恩。

最高機密——情報副局長親啟

無法恢復與演藝船各小分隊的衛星聯繫。採取任何你認為適當的行動從該國將人營救出來。轉告克拉克謹慎行事。內附資料也許有用。卡特目前尚不知道。祝好運。穆／賴

「可是從來沒有人說過他們是笨蛋。」雷恩把電報遞給克拉克時低聲說道。電報抬頭本身就可作為一份單獨的電報，它並沒有說明不可傳閱或需要保密。「可是電文意思是不是與我的理解一致呢？」

「這下子又少了一個令人擔心的奸臣了。就算兩個吧，」克拉克說道。他開始翻閱傳真文件。「一派胡言！」他把兩疊電報放在桌上，來回踱著步子，兩眼直盯著窗外停在機庫裏的飛機。「好吧，」他自言自語道。克拉克這人制定計畫時從不婆婆媽媽。他跟雷恩磋商了幾分鐘後，對拉森說道：「我們準備行動吧，小伙子。有任務。」

「帶上備用無線電對講機了嗎？」約翰斯上校動身時問了一句。

「兩台備用無線電對講機，都裝了新電池，此外還帶了備用電池，」克拉克答道。

「和一個頭腦清醒的人一起工作真帶勁，」約翰斯說道。「要當心背後，克拉克先生。」

「儘管放心，約翰斯上校。」克拉克說著朝門口走去。「幾小時後見。」

機庫大門打開後，一輛小型牽引車把畢奇飛機拉到機庫外的陽光底下，隨後大門關閉。雷恩聽見發動機隆隆的啓動聲，隨著飛機往前滑行，聲音也漸漸變小。

「我們該怎麼辦？」他問約翰斯上校。

這時法蘭西絲·蒙泰涅上尉走了進來。她看起來和她祖先一樣是道道地地的法國人，個子矮小，頭髮烏黑，不算特別漂亮，但是雷恩的第一印象是，和她上床可不太好對付——這念頭打斷了他先前的思緒，他不禁戰慄了一下，心裏真納悶，怎麼會冒出這種念頭。更奇怪的是，她竟然是特別行動部隊裏的特級駕駛員。

「天氣對我們十分不利，上校。」她立刻報告道。「阿黛爾颶風又轉向西面，風速二十五節。」

「真拿天氣沒辦法。向南飛去把人員營救出來還不至於太困難吧。」

「返航時也許就夠受的了，保羅。」蒙泰涅沒好氣地說。

「一件事一件事地來，法蘭西絲。我們確實有那麼一個機動降落地點。」

「上校，連你也沒有昏頭嘛。」

約翰斯轉向雷恩，搖了搖頭。「下級軍官可不比從前囉。」

他們向南飛行的大部分時間是在海上飛。拉森像往常一樣鎮定沉著、信心十足地操縱著飛機，但他不斷回頭看著東北方向。他是不會看錯的，那些高空的稀薄雲團向來都是颶風的前兆。隨之而來的就是阿黛爾，她在歷史上又留下了精彩的一頁。她在佛得角羣島角生成之後，在大西洋上橫衝直闖，平均風速達十七節，但一闖入加勒比海東部，便駐足不前，風力開始減弱，繼而又有所增強，隨之急速轉北，朝西，甚至還一度偏東。自多年前的瓊颶風以來，還未出現過像這樣發神經病似的颶風呢。就颶風而言，阿黛爾的規模並不大，也遠不及卡米爾那般氣焰囂張，但仍不失為一場具有七十五節風速的危險風暴。那些駕機接近過熱帶旋風的人都是些熱衷於追蹤颶風的人，對於這些人來說，僅僅碰上生死攸關的危險還不夠刺激。但這可不是一架雙發動機畢奇飛機待的地方，即使由查克．耶格爾來駕駛也不行。拉森早已開始盤算。為了防備這次使命遇上麻煩，或者為了防備風暴再一次轉向，他開始挑選可用於降落和加油的機場，以便讓飛機能朝東南方向飛去，繞開正朝他們大舉襲來的那灰濛濛的大漩流。空中充滿著恬靜安寧，給人一種假象。他真不知道還要過多少小時它才會變得面目全非。而這才只是他面臨的危險之一。

克拉克靜靜地坐在右邊座位上，兩眼緊盯前方，像一尊神像一樣安詳鎮定，但是他的大腦轉動得卻比飛機的兩枝螺旋槳還要快。他似乎看見擋風玻璃裏不斷浮現出一張張的臉，有活人的，也有死人的。他回憶起以往的作戰行動、以往的危險、以往的恐懼、以往的脫險，以及那羣與他同生死共患難的人。他回憶最清楚的是那些經驗教訓，一部分來自課堂和講堂，但主要的部分還是來自他的親身經歷。約翰·特倫斯·克拉克不是健忘的人。漸漸地，他清晰回憶起所有那些對今天有用的、重大經驗的教訓，那些關於在不友好領土上單獨執行任務的經驗教訓。這時，那些應當在今天行動中扮演角色的一張張臉浮現在他的眼前。他望著他們，距他眼前只有咫尺之遙。他看到了他們臉上的表情正是他想像的那種表情。他打量著這些人的臉，以便理解這些人的心思。最後，他想到了今天的行動計畫。他仔細斟酌了他想採取的行動，並且權衡了對方可能採取的行動。他考慮了機動方案以及可能出現的差錯。經過一番深思熟慮之後，他就不再多想什麼了。讓想像走得太遠，它很快就會成為自己的敵人。行動的每一階段都已策劃妥當。他會一步一步地加以實施。他的成功完全依賴於他的經驗和直覺。可是他也不知道經驗和直覺是否——何時——會令他失望。

遲早會的，克拉克默默承認。但是不會在今天。

他總是這樣安慰自己。

· · ·

保羅·約翰斯召開的任務簡報會持續了兩個小時。他和威利斯上尉、蒙泰涅上尉共同研究出了全部細節——包括加油的地點，萬一情況有變時，飛機盤旋飛行的地點，以及情況嚴重時應採用的航線。所有情況都向機組成員交代了。其實這也大可不必。這樣做是為了對機組人員負道義上的責任。今晚他們將拿生命去冒險，必須讓他們知道其中的原委。像往常那樣，齊默爾中士提了幾個問題。他提出的一項重要建議立即被納入計畫。隨後便是起飛前的準備工作。飛機上的每一系統都經過了仔細認真的檢查，這一程序往往要延續好幾個小時。這樣做的部分目的讓機組新成員得到鍛鍊。

「懂點兒槍砲嗎？」齊默爾問雷恩。

「從沒玩過這些寶貝。」雷恩用手撫摸著迷你機砲的把手。這是二十公厘火神砲按比例的一種縮小型，有一組六管點三○口徑的砲管，由電動機驅動的槍管依順時針方向急速旋轉，砲彈從底座左側一個巨大的彈藥箱被送進槍裏。機關砲有兩檔定速，每分鐘四千發和六千發——即每秒鐘六十六發或一百發。砲彈都採用半曳光彈，理由無非是考慮到心理因素。這種武器的火力發射恰似科幻片中的雷射束，儼然是死神的化身。它還為迷你機砲瞄準目標提供了很好的標示。齊默爾告訴他，砲口發射砲彈時，其耀眼程度大概也僅次於正午的驕陽了。他向雷恩逐項解釋了整個機砲系統：選擇鈕在什麼位置，如何取射擊姿勢，如何瞄準。

「你有實戰方面的經驗嗎，長官？」

「這要看你是指什麼，」雷恩答道。

「作戰是指手中有武器的人試圖幹掉你，」齊默爾頗有耐心地解釋道。「是充滿危險的。」

「我知道。我曾有過幾次參戰經歷。咱們還是不要再談這個吧，好嗎？我已經覺得膽戰心驚了。」

雷恩抬起頭，透過機艙門朝外望去。他真弄不明白，自己為什麼會糊裏糊塗自告奮勇地參加這種行動。可是他又有多少選擇呢？他怎麼忍心讓他們去冒險呢？假如這樣做，他豈不與卡特是一丘之貉了嗎？雷恩環顧著飛機內部。它停在機庫的混凝土地面上，顯得那麼龐大，那麼堅固，那麼安全。可是，這種飛機是為了深入敵方不安寧的空中執行任務時能生還而設計的。可是這是一架直升機。雷恩尤其討厭直升機。

「有趣的是，執行這個任務也許很容易。」齊默爾過了片刻說道。「長官，我們會成功完成任務的，這次任務無非是飛進，再飛回罷了。」

「我擔心的就是這個，中士。」雷恩笑了。他主要是笑他自己。

他們在桑塔格德降落。拉森認識當地民航辦事處的負責人，經過好說歹說，才弄到了他那輛福斯牌小貨車。這兩位中央情報局官員驅車向北，一小時之後便駛抵安塞爾馬村。他們開著車在這裏四處繞轉，過了半個小時才找到想找的東西：幾輛在一條私用地的路上駛進駛出的卡車，以及一輛外觀豪華的轎車。克拉克發現**裝甲船**說得沒錯，這也正是他飛機上判斷的那個地點。經過證實之後，他們驅車向前，朝北又行駛了一個小時，再轉入往維加斯德爾里奧鎮外山區的一條岔路。克拉克埋頭研究地圖，拉森開到坡頂一條之字形道路停住了車。他們拿出了無線電對講機。

「**尖刀**，我是**變星**，請回話。」儘管他們呼叫了五分鐘，仍然沒有回話。拉森繼續往西行駛。他駕駛著小貨車在牧牛道上行駛，想盡量再找到一處高地，好讓克拉克再次試著通話。他們最後接到回話時，時間已是下午三點，也是他們第五次努力的結果。

「我是尖刀。請回話。」

「查維斯，我是克拉克。你到底在哪裏？」克拉克問道，當然是用西班牙語。

「我們先談一會兒吧。」

「你倒很機警，小伙子。我們本來完全可以讓你到第三特種行動大隊去一展身手。」

「我憑什麼相信你呢？有人把我們甩掉了，夥計。有人決定把我們丟在這裏。」

「那可不是我。」

「很高興聽到這話。」話語中不無疑竇和尖諷。

「查維斯，你現在使用無線電通訊聯絡，可能會洩密的。你手頭有地圖的話，我們現在的座標定位如下，」克拉克告訴了他。「我們有兩個人，乘坐一輛藍色福斯牌小貨車。確定一下，你想用多少時間儘管用好了。」

「我早已確定了！」無線電對講機裏的聲音說。

克拉克猛地回過頭，看見二十英尺開外站著一個人，手持AK－四七自動步槍。

「咱們都得保持冷靜，夥計。」維加中士說道。從樹木後又冒出三個人，其中一人的大腿上紮著血迹斑斑的繃帶。查維斯肩上也扛著一枝AK－四七步槍，但手裡還是緊握著那枝有消音器的MP五衝鋒槍。他逕自朝小貨車走去。

「幹得不錯，小伙子。」克拉克對他說。「你是怎麼知道的？」

「全靠了超高頻無線電對講機。你發話時必須處於高處，對嗎？地圖上標明這一帶有六處高地。有一回你的呼叫也被我接收到，而且半小時前我就看見你朝這裏駛來。現在說吧，這他媽的究竟是怎麼回事？」

「還是先處理一下傷員吧。」克拉克下車，將手槍槍柄朝前地遞給查維斯。「車後部有一個急救箱。」

負傷的是華爾多中士，來自駐紮在德拉姆堡的第十山地師。克拉克打開車後蓋，幫著把傷員抬上汽車，然後解開傷口上的繃帶。

「你知道自己在幹什麼嗎？」維加問道。

「我過去曾是一名海豹突擊隊員，」克拉克一邊回答，一邊抬起胳膊讓他們看看上面刺的花紋。「部隊番號是第三特別行動大隊。在越南待了不少時間，所幹的事情從來沒有上過電視新聞。」

「你當時是幹什麼的？」

「最後當上了三級帆纜士官長，相當於你們的上士。」克拉克仔細檢查著傷勢。傷口慘不忍睹，但只要不失血過多，還不至於危及生命。還算幸運，他尚未出現失血過多。到目前為止，這批步兵的大部分表現似乎都挺像回事。克拉克撕開一個紙袋，在傷口上又撒上一些磺胺藥粉。「你們帶了血漿代用品嗎？」

「給你，」萊昂中士遞過來一隻靜脈注射袋。「我們沒人會用。」

「這並不難。看著我怎樣使用就會了。」克拉克緊抓住華爾多的上臂，讓他握緊拳頭。接著，他將靜脈注射針頭扎進他肘部一根粗靜脈血管裏。「看見啦？怎麼樣，我沒哄你們吧，我太太是幹護士的，我有時得上她的醫院去練習，」克拉克承認道。「感覺如何，小伙子？」他問負傷者。

「能安靜地坐在這裏，感覺很好，」華爾多承認道。

「我不想給你打止痛針。我們也許需要你一直醒著。覺得自己能挺住嗎？」

「就照你說的，夥計。嗨，丁，身上有糖塊嗎？」

查維斯把自己那瓶止痛藥扔給他。「最後一點啦，巴勃羅。慢慢吃，夥計。」

「謝謝了，丁。」

「車子前頭有一點三明治，」拉森說。

「有吃的！」維加立刻走過去。一分鐘之後，四個士兵狼吞虎嚥地吃掉了三明治，還喝光了六罐可口可樂，這些飲料是拉森在途中買的。

「你們的武器從那兒弄來的？」

「從那幫壞蛋手上。我們的M一六眼看就沒子彈了，我估計我們還是要設法補充一下，似乎是這樣吧。」

「你的想法很對，小伙子，」克拉克對他說。

「好吧，你打算怎麼辦？」查維斯問道。

「由你們決定吧。」克拉克答道。「二選一吧。我們可以用車把你們送到機場，用飛機送你們回去。到機場大約要三個小時，搭飛機還要三個小時，然後一切就都結束，你們就返回美國領土啦。」

「還有呢？」

「查維斯，那混蛋這樣對待你們，你想怎樣處置他呢？」克拉克提這個問題之前就有了答案。

卡特海軍中將後仰著身子坐在沙發上，突然電話鈴響了。他一看那閃亮的小燈，就知道電話是誰打來的。「是，總統先生嗎？」

「到我這裏來一趟。」

「這就來，總統先生。」

夏季對於白宮來說，也像對於大多數政府部門一樣不是一個來去匆匆的季節。總統的日程表上禮節性應酬活動排得比以往更滿。從政治家的角度來看，他很喜歡這樣，從行政長官的角度而言，他又對此深惡痛絕。他把那些源源不斷的來訪者戲稱為「全脂乳小姐」——在同他們握手時，他偶爾也曾冒出很怪的想法，他究竟會不會見到一位「保險套小姐」，要知道近來性道德的變化委實不小。總統這副擔子比大多數人想像的還要沉重。為了應付任何一位這樣的來訪者，他事先都要拿到一頁文字資料，從上面瞭解一些有關情況，這樣當此人告辭時便會心滿意足地以為，哎呀，總統確實瞭解我所談的一切。他對我談的情況確實很感興趣！跟普通老百姓握手，跟他們交談，是他的工作中一件很重要而且通常是樂趣橫生的事，但現在不行。現在離黨的全國總統提名候選人大會還剩一個星期了。各家新聞網一星期至少公布兩次民意測驗的情況，而他在這些該死的民意測驗中仍然處於落後地位。

「哥倫比亞那邊情況怎麼樣?」門剛關上,總統便發問。

「總統先生,您命令我停止活動。現在一切活動正在停止。」

「中央情報局那邊有麻煩嗎?」

「沒有,總統先生。」

「究竟怎麼——」

「總統先生,您跟我說過您不想知道。」

「難道你正說這件事我不應該知道嗎?」

「總統先生,我只是說我正在執行您的指示。命令已經下達,而且正在遵照執行。我想您是不會對命令執行的結果表示異議的。」

「真的嗎?」

卡特略微放鬆了一些。「總統先生,嚴格地說,這次行動是成功的。毒品流入量已經減少,今後幾個月裏還將繼續下降。我想提一項建議,總統先生,您不妨讓新聞界暫時大肆宣傳一番。您今後隨時可以藉此大做文章。我們已經大傷了他們的元氣。**海鰱行動**的成功就是我們的資本,這一點我們隨時可以向人們指出。而有了**裝甲船**,我們就能源源不斷地蒐集到有關情報。幾個月之後,我們還會引人注目地逮捕幾個人。」

「你是怎麼知道的呢?」

「我親自做出的安排,總統先生。」

「可是你到底是怎樣安排的呢?」總統問道,然後停下來。「又是一件我不必知道的事情嗎?」

卡特點點頭。

「我想你採取的全部行動都應該在法律許可的範圍之內。」總統這句話是為了那台開著的錄音機而說的。

「您可以這樣認為,總統先生。」這種答覆十分巧妙,因為它既可以指任何事情,也可以毫無所指,就看一個人怎麼看了。卡特也知道這裏的磁帶錄音機是開著的。

「那麼你能確定你的指示正在得到貫徹囉?」

「當然,總統先生。」

「再確定一下。」

滿臉鬍鬚的顧問沒有料到會用去那麼多時間。奥戴警官手裏拿著報表紙,說它是一篇天書倒更為合適,因為那上面全是由1和0組成的段落。

「這是機器語言,」顧問解釋道。「編製這寶貝程序的人是個真正的行家。我已恢復了大約百分之四十的程序。這是一種互換位置算法,跟我設想的完全吻合。」

「你昨晚就對我這麼說過。」

「這不是俄國人幹的。它接受信息並將其加密,這不算什麼稀奇,人人都能做到。真正聰明的地方是,這個系統靠的是一個獨立輸入的信號,對於個別傳送來說這是很奇特的。它高出早已輸入該系統的加密算法，並不受其制約。」

「你不想解釋一下嗎？」

「這就是說，電腦某一部位有個十分巧妙的臨時附加裝置，控制著這寶貝的運行。這不會是俄國人的。他們目前還沒有這種硬體，除非他們從我們這裏竊取了真正先進的硬體。向該系統輸入的變量可能來自導航計時與測距衛星。這是我的猜測，不過我認為它使用了一種十分準確的定時計號來控制密碼，對於每一次上下行傳輸來說這是獨特的。真他媽聰明。我是指國家安全局。導航計時與測距衛星是採用原子鐘來測量精確時間的，而整個系統中真正要害的部位也已加密。總而言之這是一種擾亂信號的絕妙方法，即使你知道它是怎麼回事，也無法破譯及複製。誰只要設置了這寶貝，誰就能設法弄到我們所收到的一切情報。我以往經常去國家安全局請教他們，可是從來沒聽說過這小玩意。」

「噢，那麼碟片被毀掉後呢？」

「聯繫就完了，夥計。我是說就斷了。假如情況真的如此，那麼你就要有一個上行線路裝置控制此算法，還要有個地面接收設備以進行複製。一旦把碟片上這種算法消了磁，正像有人所幹的那樣，那些經常與你聯絡的人就無法再跟你保持聯繫，而且其他任何人都無法再跟他們保持聯繫。任何系統的保險性能都無法與它媲美。」

「你能確定嗎？還有呢？」

「我剛才告訴你的一半是有根據的推測。我無法使這種算法還原。我只能大致告訴你它的工作原理。至於導航與測距衛星那部分純屬假設，但並不是憑空假設。互換位置處理程序已經部分恢復，而且到處都寫上了國家安全局。這樣幹的人的確熟悉怎樣編寫電腦代碼。肯定是我們內部的人。這可能是我們所掌握的最先進的機器代碼。能使用它的人一定是個很有影響力的人。不管這個人是誰，他已經把它毀掉了。它無法再使用。用它來指揮的行動肯定已告結束。」

「是的，」奧戴說道。剛才聽到的情況讓他不寒而慄。「幹得不壞。」

「現在，你只需給我的教授寫張條子就行了，跟他解釋一下我今天上午沒有參加考試的原因。」

「我會叫人辦的，」奧戴出門時答應了他。他逕自走向丹·摩瑞的辦公室，卻意外地發現他不在裏面。他接著去找了比爾·蕭。

半個小時之後，事情已真相大白，一樁罪行很可能已經發生。下一步便是採取什麼對策。

直升機輕盈地騰空而起。任務要求相當複雜——比前幾次進入還要複雜——這次速度十分重要。鋪低三型直升機一進入巡航高度，那架MC—一三〇E就開始給它加油。這次沒有人開玩笑說笑話。

這架MH—五三J直升機在空中加油機身後的渦流中急促顛簸、艱難飛行時，雷恩朝後仰坐著，安全帶將他牢牢繫在座椅上。他身穿綠色飛行服，頭戴綠色飛行帽。他還穿了一件飛行員防彈衣。齊默爾曾跟他說過，防彈衣也許可以抵擋手槍子彈，幾乎肯定可以抵擋碎小彈片，不過他不應當指望靠它去抵擋步槍子彈。還有一件令人擔心的事。當他們第一次擺脫空中加油機時——著陸前他們還要再次加油——雷恩轉過身朝艙外望去。這時，烏雲眼看就要壓頂，阿黛爾颶風的前鋒已迫在眉睫。

華爾多的傷勢使事情變得複雜起來，計畫也作了相應變動。他們把他抬進畢奇小客機，放在克拉克的座位上，留給他一台無線電對講機和一些備用電池，然後克拉克和其他人又驅車回安塞爾馬。拉森仍然不斷觀察天氣，因為每隔一小時天氣就有不小的變化。根據計畫，他的任務是在九十分鐘以後駕機升空。

「你們的子彈是怎麼解決的？」克拉克坐進小貨車後問道。

「AK—四七步槍子彈都是配齊的，」查維斯答道。「每枝衝鋒槍大約配了六十發。我過去從來不知道一枝帶消音器的衝鋒槍這麼有用。」

「這種槍是很管用。手榴彈呢？」

「是說我們所有的人嗎？」維加問道。「五枚殺傷手榴彈和兩枚催淚瓦斯彈。」

「我們現在上哪？」丁接著問道。

「安塞爾馬外的一座農舍。」

「那邊的防禦情況怎麼樣？」

「目前我還不知道。」

「嘿，等一等，你把我們帶往哪裏？」維加追問道。

「別緊張，中士。如果防守過嚴不好接近的話，我們就撤回。我只知道我們要進行近距離偵察。查維斯和我能對付得了。對了，那邊袋子裏放有備用電池。要嗎？」

「太好了！」查維斯掏出夜視鏡，立即換上了新電池。「那房子裏有誰？」

「兩個我們特別需要的人，頭號人物叫費利克斯·科特茲。」克拉克開始介紹一些背景情況。「正是這傢伙指揮了圍剿**演藝船**小分隊的行動——不知道有沒有人告訴你們過，**演藝船**就是這次行動的代號。他還參與了謀殺我們的大使。我要抓住這個混蛋，要抓活的。二號人物是埃斯科韋多，是卡特爾的一個梟雄。很多人都想抓住這個雜種。」

「是的，」萊昂說道。「我們還沒有幹掉過任何大頭目呢。」

「到目前為止，這幫雜種已經被我們幹掉了五、六個，這是我要完成的任務。」克拉克轉過身子望著查維斯。為了讓自己可以被信賴，他必須說這番話。

「是怎麼幹的，什麼時候——」

「上級不允許我們多談論此事，小伙子們。」克拉克告訴他們。「你總不可以到處宣傳怎樣殺人吧，不管誰對你說那樣沒有問題。」

「你真有那麼大的本事？」

克拉克只是搖了搖頭。「有時有，有時又沒有。如果你們這些傢伙不是他媽的有點本事，就不會讓你們上這裏來。有的時候則僅僅是因為運氣不佳。」

「我們就碰上過一回，」萊昂說道。「我現在還弄不清楚到底出了什麼差錯，可是羅哈斯上尉就那樣——」

「我知道。我看見幾個混蛋把他的屍體搬進一輛卡車的後部——」

萊昂頓時神色緊張。「然後呢？」

「我幹了什麼？」克拉克問道。「他們有三個人。我也把他們放進了卡車，隨後一把火把車子給燒掉了。說實在的，我對此並不感到自豪，不過我想我這樣做，能給你們這些旗幟小分隊的人解解恨。這並沒有什麼了不起，不過當時我只能做到這一步。」

「那麼是誰撤回了直升機，扔下我們不管的？」

「和切斷無線電通訊的是同一個人。我知道他是誰。等這些事情都結束之後，我再找他算帳。怎麼能把人送上戰場，然後又來上這一手呢？」

「那麼你準備怎麼辦呢？」維加急欲知道。

「我會狠狠地懲罰他的。現在聽好，夥計們，你們多為今晚的任務操操心吧。事情得一件一件地辦。你們都是軍人，而不是一羣十幾歲的姑娘。要少說多想想。」

查維斯、維加和萊昂明白了他的意思。他們著手檢查武器裝備。小貨車裏有足夠的空間供拆卸和擦拭槍枝。克拉克於黃昏時分駛進了安塞爾馬。他把車停在離那座房子大約一英里處一塊僻靜的地方，然後下了車。克拉克帶上了維加的夜視鏡，同查維斯一起去四下偵察。

這地方最近還有人種過東西。克拉克不知道種的是什麼。此處緊挨村落，不少樹木已當柴木被砍伐掉了。因此他們可以走得比較快。半小時過後，他們就看見那座房子了，在房子和叢林之間有二百米的空地。

「不太妙呀。」克拉克趴在地上觀察。

「我數了數有六個人，都帶著AK—四七。」

「有客人來啦，」克拉克說著，調過頭來看看聲音到底來自何處。這是一輛賓士車。卡特爾的人都可能有這種車。這輛車的前後各有一輛車保駕。從車上一共下來六名衛兵四處檢查著。

「是埃斯科韋多和拉托雷。」克拉克舉著望遠鏡說道。「兩個大頭目來見科特茲上校。我不明白為什麼……」

「人太多了，夥計，」查維斯說道。

「你注意到了吧，沒有用任何口令什麼的？」

「那又怎麼樣？」

「只要我們行動得當，就有可能。」

「可是怎麼才……」

「發揮一下創造性思維，」克拉克對他說。「回到車上去吧。」二十分鐘過後，他們走到停車點，克拉克把無線電對講機調好。

「**凱撒**，我是**蛇**，請回話。」

第二次空中加油是在離海岸線不遠的地方進行的。他們返回巴拿馬以前，至少還要再加一次油。另一種選擇目前看來尤其不大可能。令人欣慰的是，蒙泰涅又像往常一樣鎮定自若地駕駛著戰爪加油／支援飛機，四枝大型螺旋槳帶著緩慢的節奏旋轉著。機上無線電報話員早已與地面倖存的小分隊取得了聯繫，這使得直升機上的人去掉了一塊心結。空中小分隊能夠像平常訓練那樣發揮得這樣正常，在執行這次任務以來還是頭一回。那架MC—一三〇E將協調行動的不同環節。除了保證保羅．約翰斯的直升機油料充足以外，還要引導這架直升機駛入安全區域，擺脫可能出現的威脅。

在飛機後艙可以感到飛行已經穩定下來。雷恩站了起來，到處走走。恐懼感過去不久，厭煩情緒又上來了。他甚至已經學會了有效使用機關砲準星，因此機組成員已經認可了他，把他至少看作是獲准的無證飛行員。而出於某種原因，這對他來說意義重大。

「雷恩，聽見我的聲音了嗎？」約翰斯問道。

雷恩伸手按下麥克風按鈕。「是的，上校。」

「你那位在地面的夥計要我們幹點別的事情。」

「別的什麼呢？」

保羅．約翰斯轉告了他。「這就意味著還要有一次空中加油，但不加油的話，我們也能對付。由你定奪。」

「你有把握？」

「他們花錢僱我們就是要執行特殊行動的呀。」

「好吧，就這麼決定了。我們絕不放過那個王八蛋。」

「是。齊默爾中士，我們一分鐘以後到達目標上空。檢查所有系統。」

飛行機械師低頭看著儀表盤。「我知道了，保羅。所有系統都很正常，長官。一切順利。」

「很好。第一站飛往**徵兆**小分隊。預計到達時間是二十分鐘以後。雷恩，你最好抓牢一樣東西。我們馬上要開始磨擦地球啦。我必須先跟你這位機組新成員交代一聲。」

雷恩不明白這話是什麼意思。當他們開始飛越海岸沿線第一道山脈時，他才恍然大悟。鋪低三型直升機像一架瘋狂的電梯陡然升起，它越過山巔時，突然往下一沉。直升機進入了電腦輔助模式飛行。它根據地面特徵忽上忽下，機身與地面呈六度——給人的感覺要比這糟得多——飛掠地面時近乎貼著地面。設計建造這種直升機時考慮到的是安全性，而不是舒適性，可是這兩點雷恩都沒有感受到。

「三分鐘後到達第一著陸點，」約翰斯上校過了半晌才宣佈道。「接通電源，巴克。」

「瞭解。」齊默爾伸手按下操縱台上的一個電門開關。「開關已接通。機槍已接通。」

「機槍手就位。在說你哪，雷恩。」約翰斯補充道。

「謝謝，」雷恩沒有按下麥克風開關就喘著氣說道。他進入飛機左側的射擊位置，打開迷你機砲的起動開關，機砲迅即開始旋轉。

「預計到達時間還有一分鐘。」副駕駛員說道。「在十一點方位發現頻閃燈。校準無誤。**徵兆**，**徵兆**，我是**凱撒**，你在監聽嗎？請回話。」

雷恩只聽到通話的一面，但從心裏感謝這位機組成員，他讓坐在後面的人了解到一些情況。

「瞭解，**徵兆**，重覆一遍你的情況……同意，我們馬上就飛過來。頻閃燈很好。還有三十秒。後面人員做好準備，」威利斯上尉告訴雷恩和其他人。「機砲處於安全位置！機砲處於安全位置！」

雷恩將手指從機砲選擇鈕上移開，並抬高槍口對準天空。直升機下降時呈機頭上揚姿勢。它停了下來，但並未觸地，而是保持在離地面一英尺的高度上旋轉著。

「巴克，告訴上尉馬上到前面來。」

「瞭解，保羅。」雷恩聽見齊默爾從他身後奔向機尾，然後他的腳掌感覺到小分隊在迅速登機。他的眼睛從迷你機砲旋轉的砲口上方朝外望去，一刻不停地注視著。直到直升機重新昇空的時候，他仍然將槍口瞄準地面。

「嘿，幹得不錯，對嗎？」約翰斯上校駕駛著直升機重新朝南飛去時說道。「真見鬼，我怎麼都不明白他們為什麼只讓我們幹這事？那個地面指揮官在哪裏？」

「正在吊他上來，長官，」齊默爾答道。「他們已全部登機，動作乾淨俐落，沒有傷亡。」

「上尉……？」

「是，上校。」

「如果你認為能勝任的話，我們有個任務交給你的小分隊去完成。」

「請講，長官。」

MC—一三〇E戰爪加油／支援飛機在哥倫比亞上空盤旋，機組成員感到有幾分緊張，因為他們這樣做並未得到哥倫比亞方面的同意。目前的主要任務是中繼通信，儘管這架四發動機支援飛機上載有先進的設備，他們從海上也無法完成中繼通信任務。

他們真正需要的是一部性能優良的雷達。鋪低三型／戰爪支援飛機小隊本應在機載預警與控制系統的監測下採取行動，可惜他們沒有隨機帶來，所以只好由一名中尉和幾名士官一面用保密無線電線路在通話，一面進行標圖。

「凱撒，報告一下你的耗油情況，」蒙泰涅上尉呼叫道。

「情況正常，克勞。我們正在山谷裏超低空飛行。估計八十分鐘後需要再次加油。」

「瞭解，八十分鐘。注意現在有沒有發現敵方無線電聯絡。」

「知道了。」這是個可能存在的問題。倘若卡特爾在哥倫比亞空軍裏安插了人該怎麼辦？雖說這兩架美軍飛機裝備精良，但一架二次大戰殘存下來的P—五一巡邏機就可以輕而易舉地將它們擊落。

克拉克一共準備了兩輛車迎候他們。維加偷來了一輛農用大卡車，足以滿足他們的需要。原來維加在重新接通點火系統連線方面還是個行家，可是這套本領是跟誰學來的，他已記不大清楚。直升機一著陸，士兵們就步出機艙，奔向查維斯仍然舉著的頻閃燈。克拉克找到領隊的軍官，立即下達了簡單指令。這時山谷裏風速達二十節，直升機騰空而起，順風朝北飛去。接著它朝西側轉，飛向MC—一三〇機進行另一次空中加油。

小貨車和大卡車又朝那間農舍駛去。克拉克的大腦在飛速運轉。真正精明的人是會從村子內部組織指揮軍事行動的，因此要接近村子會難上加難。科特茲想擺脫任何人的視線，但只可惜沒有用軍事眼光來考慮他的人身安全。科特茲的思路頗似一個間諜的思路，在他看來，行蹤詭秘就等於安全；而一位火線上的戰士則認為，擁有許多槍砲和一片開闊的射界就是安全。克拉克認為每一個人都有其局限性。這時他握著親手草繪的目標圖，站在農用大卡車上，身旁簇擁著徵兆小分隊的成員。克拉克心想這多麼像以往那樣啊，命令一旦下達便立即投入行動。他希望這些年輕的輕步兵能像第三特種行動大隊的勇士們那樣驍勇善戰。然而，就連克拉克也有其局限性。第三特種行動大隊的勇士們當年不也是年輕人嘛。

「還有十分鐘開始行動，」他決定道。

「好的，」上尉表示贊同。「我們還沒有怎麼交過敵。我們已帶好所需的全部槍枝彈藥。」

「情形怎麼樣？」埃斯科韋多問道。

「我們昨晚幹掉了十個美國佬，今晚還能再幹掉十個。」

「可是損失太大！」拉托雷反對道。

「我們的對手可是本領高強的職業軍人。我們的人把他們全打死了，不過敵人在戰爭中打得很出色，很勇敢。只有一個倖存者，」科特茲說。「他的屍體就在隔壁房間裏。他被押進來不久就死了。」

「你怎麼知道他們就不在附近？」埃斯科韋多追問道。自身安全的事他本來已經忘掉了。

「我掌握著敵方每一個小分隊的位置。他們都在等著直升機前來營救。他們並不知道直升機已經奉命撤回。」

「你是怎麼弄到這情報的？」拉托雷詫異地大聲問道。

「請准許我使用我的方法。你們僱用我，不就是要利用我的專門技能嗎。我發揮了自己的特長時，你們就不應當吃驚。」

「現在怎麼辦?」

「我們的襲擊分隊——這回人數將近有兩百——目前正在接近第二支美軍小分隊。該小分隊的代號是**特點**,」費利克斯補充道。「我們的下一個問題當然就是:卡特爾領導層中的那些份子在利用這一事態——也許我應該這樣說,那些成員正在與美國人勾結,利用美國人以達到他們自己不可告人的目的。正如這種行動的通常情況那樣,雙方似乎都在利用對方。」

「哦?」這回是埃斯科韋多感到詫異了。

「是的,老闆。我已經設法查明是誰出賣了自己的朋友,你們兩人不應當對此感到意外。」他望著這兩個人,嘴唇邊抹上一絲淡淡的微笑。

只有兩名哨兵把守著路口。克拉克回到福斯牌小貨車裡,這時**徵兆**小分隊正疾速穿過叢林,朝目標逼近。維加和萊昂早已卸掉了貨車的一扇側窗,而維加現在手裡正拿著那一塊側窗。

「準備好了嗎?」克拉克問道。

「出發!」查維斯答道。

「我們現在出發。」克拉克在車道上轉了最後一個彎,放慢了車速,一直駛到兩名哨兵跟前。他們立即拿起武器,擺出一副來勢洶洶的架勢。「對不起,我迷路了。」

這句話是暗示維加扔出窗玻璃。玻璃落地後,查維斯和萊昂便趕緊上來,蹲在地上。他們的MP五型自動手槍已對準哨兵。兩名哨兵毫無防備就已頭部中了彈,無聲無息地摔倒在地。可是奇怪的是,M

P五的射擊聲在汽車裏聽起來簡直響得可怕。

「幹得漂亮，」克拉克說道。繼續前進之前，他舉起了無線電對講機。

「我是**蛇**。**徵兆**，請報告情況。」

「**蛇**，我是**徵兆六號**。已就定位。重複一次，我們已就定位。」

「瞭解，做好準備。**凱撒**，我是**蛇**。」

「**蛇**，我是**凱撒**，準備好接收。」

「報告飛機位置。」

「我們在五英里外待命飛行。」

「瞭解，**凱撒**，繼續保持在五英里外待命。注意我們進去啦。」

克拉克熄滅了車燈，開著貨車沿車道前進了一百碼。他挑選了一個道路拐彎處，停下了車，然後把車橫在道路中央，形成路障。

「給我一枚殺傷手榴彈。」他說著跳出車外，鑰匙還留在點火器上。他首先擰鬆手榴彈的開口銷，然後把手榴彈綁在車門把手上，再用另一根線從插銷繫在油門踏板。這一切用不到一分鐘。誰再打開這扇車門，準叫他靈魂出竅，血肉橫飛。「好啦，跟我來。」

「很妙嘛，克拉克先生，」查維斯說道。

「小伙子，在『忍者』風靡一時以前，我可就是個忍者啦。好了，別廢話了。」他的表情變得很嚴肅，現在可不是開玩笑的時候。他彷彿回到了年輕時代，不過這種感覺雖說令人愉悅，如果他的青春歲月沒有耗在那些毫不值得緬懷的事情上，那就會更加令人愉悅。然而，在他的記憶中，率領士兵衝鋒陷陣的那種十足興奮感卻依然那樣真切。這種事令人生畏，因為它很危險，但幹這個又是他的看家本領，是他深知熟諳的。眼前的他已不是克拉克先生。他再度成了海豹突擊隊中的那條**蛇**，他的腳步輕得沒人能聽見。五分鐘之後，他們到達了出擊地點。

這些對手哪裏比得上北越軍隊那麼精明呢。他們把護衛部隊全都佈置在房子周圍。他拿著維加的夜視鏡，數了數敵人的人數，接著他掃視了開闊地，看看是否有敵人的散兵點，不過一個也未發現。

「**徵兆六號**，我是**蛇**。通報你的位置。」

「我們在目標北面的樹林中。」

「晃動你的紅外線頻閃燈以標明位置。」

「好的，已經照辦。」

克拉克轉過頭，從夜視鏡裏看到紅外線頻閃燈在開闊地上閃亮，位置離樹林邊線三十英尺。查維斯用同一無線電線路在監聽，也同樣在晃動頻閃燈。

「好的，做好準備。**凱撒**。我是**蛇**。我們位於目標以東車道從樹林中穿過的地方。**徵兆**在目標以北。我們有兩處紅外線頻閃燈標示出我軍的位置。明白了嗎？」

「瞭解，已記下。你們位於車道處的樹林線裏，在目標以東。重複一遍，在目標以東。**徵兆**在目標以北。頻閃燈標示出我軍的位置。我們在五英里外待命，」約翰斯用他那無懈可擊的、像電腦一樣機械化的聲音答道。

「好的，請你們飛過來。大展身手的時刻已到。我重複一遍，請你們飛過來。」

「瞭解，**凱撒**正在飛入。槍砲處於待發狀態。」

「**徵兆**，我是**蛇**。開火，開火。」

科特茲的話使拉托雷和埃斯科韋多都感到處境不妙，雖然他倆誰也不知道其中的全部原因。畢竟拉托雷前一天剛同費利克斯交談過，並被告知埃斯科韋多出賣了他們，因此他首先掏出了手槍。

「這是幹什麼？」埃斯科韋多問道。

「那場伏擊佈置得真巧妙，老闆，可是我識破了你的花招。」科特茲說道。

「你都在胡扯些什麼？」

科特茲沒有來得及說出他事先想好的回答，就聽見房子北面響起了槍聲。費利克斯可不是個大傻瓜。他趕緊關掉房子裏的燈。拉托雷仍然用槍對著埃斯科韋多，科特茲則握著手槍一個箭步衝到窗口，想看看發生了什麼事情。他剛衝到窗口就意識到這個舉動非常愚蠢，於是連忙跪了下來，從窗框邊朝外窺測。他知道房子採用的是大型砌塊建築，可以擋住槍彈，可是窗戶是肯定不行的。

槍聲不算密集，斷斷續續的，人數不會多，僅僅是一次騷擾，他手下的人足以對付。科特茲自己手下的人在埃斯科韋多和拉托雷的衛兵的支援下立即還擊。科特茲注視著自己的部下像軍人一樣移動，迅速散開，形成兩個射擊小組，自動地像通常步兵演習一樣射擊和移動。不管這是什麼騷擾，他們很快就會解決的。卡特爾的衛隊像以往那樣十分勇敢，卻不夠機智。已經有兩個人被扳倒了。

是的，他看得出來，還擊已經奏效。來自樹林的火力正在減弱。可能是一小股匪徒，當他們意識到這是拿雞蛋碰石頭時可就為時已晚矣。

這種聲響是他平生第一遭聽到的。

「發現目標，」雷恩聽見機內通話系統裏聲音說。雷恩看的方向不是目標所在方向。雖然雷恩守在一個機砲旁準備射擊，約翰斯上校可沒有錯把他看成一名機砲手，他不是名副其實的機砲手。齊默爾中士負責右側的機砲，這個機砲的方向才與駕駛員的座位方向相符。他們作超低空飛入。雷恩感到——他知道伸出手去就能摸到樹梢。接著直升機在原地懸停，巨大的聲響和劇烈的顫抖超過所有保護裝置，震撼著雷恩。在隨之而來的一陣閃光中，雷恩在尋找地面目標時看見了直升機投下的陰影。

它看起來頗似一根巨大無比的，曲管狀的黃色霓虹燈，科特茲心裏這麼想。它著陸之處，頓時揚起一片灰塵。它在房子和樹林之間的開闊地上打了幾個轉，僅僅幾秒鐘之後便完全停住了。眼前塵土飛揚，科特茲什麼也看不見，但一秒鐘之後又馬上意識到，他應該能看見點什麼，最起碼能看見他部下射擊時的閃光。正念及此時，他看見了閃光，但都是遠處發自樹林中的閃光，而且愈發增多。

「**凱撒**，停止射擊，停止射擊！」

「瞭解，」無線電對講機答道。頭頂上那可怕的巨響已經消失。這聲音對克拉克來說可是久違了。他現在聽到的是他年輕時代已司空見慣的一種聲音，其恐怖程度絲毫不亞於當年。

「當心，**徵兆**，**徵兆**，我們暫時離開，**蛇**已開始推進。收到請證實。」

「**徵兆**，我是**六號**，停止射擊，停止射擊！」來自樹林方向的射擊停止了。「**蛇**，出發！」

「跟我上！」手裏揮舞著無聲手槍率領士兵衝鋒陷陣是愚蠢的，這點克拉克心裏明白，但他是指揮官，而出色的指揮官都要身先士卒。他們穿越二百碼的開闊地衝到房子前只用了三十秒鐘。

「打開門！」克拉克對維加命令道。他用AK步槍打爛了絞鏈，然後一腳把門踢倒。克拉克彎著腰迅速衝進屋裏，一邊射擊一邊就地打滾。他環視四周後只看見屋裡有一個人。此人拿起AK步槍就衝著他打了一槍，但彈道偏高。克拉克用無聲手槍回敬了他，一發子彈擊中頭部，他應聲倒下時又挨了一槍。通往隔壁房間有一出入口，但沒有門。他朝查維斯打了個手勢，後者便扔進一顆催淚瓦斯手榴彈。他們等到起爆後便彎著身子迅速衝進了屋子。

屋內有三個人。一個舉著手槍朝他們逼近了一步。克拉克和查維斯同時擊中他的胸部和頭部。另一個手持武器跪在窗前，這時正想轉過身來，但因雙膝著地無法轉身，結果側身摔倒在地。查維斯飛步上前，用槍托猛擊他的前額。克拉克則朝第三個人撲去，把他狠狠摔到牆上。萊昂和維加接著衝了進來，交互向最後一道門躍進。那個房間裏空無一人。

「房子已全部清除！」維加大聲叫道。「嘿，我——」

「跟我來！」克拉克首先把他的俘虜拖出門外。查維斯也跟著做，萊昂在後面掩護。維加的動作顯得很慢。他們不知是怎麼回事，直到大家都走到門外才明白過來。

克拉克已在用無線電喊話。「**凱撒**，我是**蛇**。我們逮住他們啦。現在我們他媽的快走。」

「萊昂，」維加說道。「瞧這裏。」

「托尼，」萊昂喊了一聲。萊昂是忍者山戰鬥的另一唯一倖存者，他曾經是旗幟小分隊的成員。他朝埃斯科韋多走去，此人仍然清醒著。「操你媽的！你他媽的見鬼去！」萊昂吼叫著，用槍朝他砸去。

「住手！」克拉克朝他大喊一聲，但卻沒起什麼作用。克拉克把他摔倒在地上。「你是個軍人，真見鬼！要表現得像個軍人！你和維加——把你們的朋友搬上直升機。」

徵兆小分隊穿過開闊地。他們發現有些人很顯然尚未完全地死去。給他們一人補上一槍以後，這一過錯才得到糾正。上尉把隊員們都集合起來，用手指清點著人數。

「幹得漂亮！」克拉克對他說道。「人員都到齊啦？」

「是的！」

「很好，我們的直升機飛過來了。」

鋪低三型直升機從西面飛來，同樣沒有觸地降落。和從前的場面完全一樣，克拉克心想。直升機降落時如果觸地就可能觸發地雷。雖說這裏不太可能埋地雷，但保羅·約翰斯上校還不至於老糊塗到忽略任何可能性。他一把拽過埃斯科韋多的胳膊——這時他仔細看了一眼，才知道這就是他——然後用力把他推上舷梯板。一名機組成員在那裏等著他們，清點著人數。還沒等克拉克坐穩，MH—五三J直升機就已經離開地面朝北飛去。他指派了一名士兵看著埃斯科韋多，自己來到了前艙。

我的天哪，雷恩想道。他點了點，有八具屍體，而他們還只是靠近直升機的幾具屍體。他關掉機砲馬達，放鬆下來——這回才是真正的放鬆。放鬆是相對的，他剛剛體會到。說實在的，遭受敵人的射擊比起坐在直升機的後艙來還要糟糕。真令人駭異，他思忖道。突然有隻手抓住了他的肩膀。

「我們活捉了科特茲和埃斯科韋多！」克拉克大聲告訴他。

「埃斯科韋多？他究竟是什麼——」

「你在抱怨？」

「我們要他究竟有什麼用？」雷恩問道。

「不過，我肯定不能把他丟在那裏一走了事，對嗎？」

「可是究竟——」

「如果你希望的話，我可以給這個王八蛋上一堂飛行課。」克拉克用手示意著直升機後艙的舷梯板。**如果他在落地之前學會了飛行的話，當然很好嘛……**

「不，見你鬼去吧。這是他媽的謀殺！」

克拉克衝著他笑起來。「身旁那挺機砲可也不是和談的工具。博士。」

「很好，各位，」保羅．約翰斯的聲音從機內通話系統傳來。那場對話就此中斷。「再降落一次，今天的任務就大功告成啦。」

第二十九章　離開戰場

整個事情是從總統的警告開始的。卡特海軍中將不習慣於被迫去證實他的命令是否已被執行。他在海軍的時候，一般無非是他下命令別人執行，或者他執行別人給他下達的命令。他給中央情報局掛了個電話，接通了賴特，然後提出了詢問。其實他沒有必要再這樣欺人太甚。他知道他早已使這個人蒙受了屈辱，他也知道繼續這樣做並非明智之舉——可是萬一總統說的是正確的，那該怎麼辦呢？由於存在著這種風險，所以他必須採取進一步行動。賴特的反應令人不安。他話音中原本應該有的憤怒一點也聽不出來。相反地，他用政府官員所慣用的官腔說，是的，所有命令正在執行之中，沒有問題。賴特這個混蛋東西冷若冰霜，辦事倒很有效率，不過這種人也有自身的局限性，一旦超出其局限性，感情便會左右一切；卡特知道他與這位中央情報局外勤副局長之間的關係已達到並超過了這一局限性。絲毫聽不出他有什麼忿忿不平，而他本來應該是忿忿不平的。

事情出了差錯。國家安全顧問勸自己不必緊張。事情也許出了差錯。也許賴特是在跟他鬥智。也許連他也意識到他的行動方案是唯一穩當的方案，卡特這樣推測，因此索性放任不可避免的事情發生。畢竟，賴特還是喜歡外勤副局長這個職位的。正如政府圈子裏的人所常說的那樣，這是他的飯碗。哪怕官位顯赫的政府要員也有其飯碗。即使這些人一想到要離開他們的職位，離開他們的秘書和司機，尤其重要的是離開他們的官銜——他們因此才被當成要員，儘管薪俸不高——也常常會感到渾身不舒服。正如某部電影中的台詞在說離開政府便意味著走進現實世界，而在現實世界中，人們是期望用結果來證實述職報告和國家安全情報預測。有多少人留在政府裏任職是考慮到這裏安全，有利可圖，與那個「現實」世界隔絕的呢？卡特相信，這類人要多於那些把自己視為人民忠實公僕的人。

卡特認為，即使有那種可能性，也不會很大，進一步查核一下還是穩妥合適的。因此他直接撥通了赫爾伯特機場，要與聯隊戰勤股通話。

「我要找約翰斯上校。」

「約翰斯上校不在，長官。找不到他。」

「我必須知道他現在何處。」

「我沒掌握這一情況，長官。」

「這話什麼意思，上尉，你沒掌握這一情況？」那位真正的聯隊戰勤股長現已下班，今晚由一名直升機駕駛員在值班。

「我是說我不知道，長官，」上尉答道。他原想回答這種愚蠢的問題時，顯得更加傲慢無禮一點，但是電話是從保密線路打來的，而且根本不知道對方是何許人也。

「有誰知道？」

「這我不知道，長官，不過我可以查一查。」

難道這僅僅是某種指揮上的重大失誤嗎？卡特不禁自問。假如不是呢？

「你們所有的MC—一三〇都在嗎，上尉？」卡特問道。

「有三架飛機外出執行臨時性任務，長官，它們的位置是保密的——長官，我的意思是，我們的飛機所在的位置幾乎總是保密的。此外，由於颶風正在南方橫衝直撞，我們正準備將大量飛機轉場，以防颶風朝這裏襲來。」

卡特本來當時就完全可以命令他把他想瞭解的情況告訴他，不過那樣一來，他就得亮出自己的身分，而且即使那樣，他也只是在跟一位二十幾歲的下級軍官通話。這個下級軍官完全可以拒絕，因為誰也沒有告訴他可以靈活處理。再說這樣的下級軍官心裏清楚，他絕不會因為沒有主動去做一件別人告訴他不能做的事而受到嚴重的處罰——至少不是在電話上，不管它是保密線路還是非保密線路。那樣的命令他還會引起別人的注意，而他並不希望這樣。

卡特最後說了聲：「很好，」就掛掉了電話。隨後他打通了安德魯空軍基地的電話。

拉森駕駛著畢奇飛機在接特點小分隊的著陸區上空盤旋，他首先發現了一些異常。一直在忍著腿疼的華爾多用微光夜視鏡朝飛機側翼外面瞭望著。

「嘿，夥計，我看見三點鐘方向的地面上有幾輛卡車。好像共有十五輛。」

「哦，好極了，」駕駛員說著按了他的麥克風鍵。

「**克勞**，我是**小眼**，請回話。」

「**小眼**，我是**克勞**，」戰爪飛機答道。

「注意，我們發現**特點**東南方六公里的地面上有可疑的動向。再說一遍我們發現地面有卡車。還沒有看見任何人影。建議你警告**特點**和**凱撒**可能有侵犯者。」

「瞭解，收到了。」

「媽的，我真希望今晚行動遲緩些，」拉森對著機內通話系統說道。「我們飛下去偵察一下。」

「好啊，夥計。」

拉森擴展開飛機的襟翼，儘可能大膽地降低了動力。四周幾乎沒有亮光，而夜間低空飛越羣山對他來說可不是兒戲。華爾多用望遠鏡俯視著，可是樹林實在太稠密了。

「我什麼也看不見。」

「不知道那些卡車在那裏有多久了……」

地面出現了一道明亮的閃光，大約離山頂五百公尺。接著又是幾道較小的閃光，活像落地四濺的火星。拉森發出了另一次呼叫：

「**克勞**，我是**小眼**。我們發現**特點**小分隊著陸區附近可能有戰鬥。」

「瞭解。」

「瞭解，收到了，」保羅·約翰斯對MC－一三〇飛機上的人說道。「機長通知機組成員：在下一著陸區可能正在發生戰鬥。下面的接運任務也許很危險。」就在說這話的當兒出現了異常情況。直升機突然有些下沉，航速減慢。「巴克，出了什麼事？」

「噢——哦，」機械士官齊默爾說道。「我想是三號閥洩漏。也許是壓力排氣部分發生洩漏，可能是二號發動機上的一個閥壞了。N_f轉速減慢，N_g功率下降。T_5正在上升。」在隨航機械士官頭頂十英尺處，一根彈簧斷裂，致使一扇閥門開得過大，外洩了大量本來應當在渦輪發動機內進行循環的氣體。這便影響了發動機的燃燒，並且顯示為N_f——即自由動力渦輪轉速——減慢，同時顯示N_g——即燃氣發電機渦輪動力——下降，而由於空氣流量的減少造成了T_5——即尾噴管溫度——上升。約翰斯和威利斯從儀表上能夠觀察到發生的一切。但實際上他們還真要靠齊默爾中士來告訴他們出了什麼問題。發動機是他管的。

「向我報告，巴克，」約翰斯命令道。

「二號發動機動力降低了百分之二十六，長官。無法修復。是閥門損壞。不過，情況不會變得更糟。排氣管溫度應該趨於穩定，只要不出現最大持續……也許吧。情況並不緊急，保羅。我會注意觀察的。」

「好的，」約翰斯大聲說道。他的情緒是衝著閥，而不是衝著齊默爾來的。這可不是好消息。今晚事情進展順利，過分順利了。保羅·約翰斯同大多數久經沙場的老兵一樣是個多疑的人。他現在滿腦子考慮的是飛機動力和重量。他的飛機必須飛越那些該死的山頭，以便進行空中加油並且返回巴拿馬……

可是首先他還有一次接運任務要完成。

「向我報一下時間。」

「還有四分鐘，」威利斯上尉答道。「飛過下一個山脊，我們就能看見了。飛機爬升失靈了，長官。」

「是的，我看得出。」約翰斯看了看各種儀表。一號發動機處於百分之一百零四比例動力。二號發動機剛超過百分之七十三。儘管出現了故障，他們還是能夠完成下一階段的任務，因此飛機暫時使用後部燃燒器。保羅·約翰斯把要爬升的高度數據輸入了自動駕駛儀。目前由於機身重量增加而導致動力降低，飛越山脊將會愈來愈困難。

「是一場真槍實彈的戰鬥，錯不了，」約翰斯一分鐘之後說道。他從夜視系統中看見了地面上打得正兇。約翰斯打開無線電對講機。「**特點**，我是**凱撒**，請回話。」沒有回答。

「**特點**，我是**凱撒**，請回話。」又呼叫了兩遍。

「**凱撒**，我是**特點**，我們正受到攻擊。」

「**特點**，**凱撒**瞭解，我能看見，小伙子。我測定你的位置在著陸區以南三百公尺。趕緊上山，我們能掩護。再說一遍，我們能掩護。」

「現在是短兵相接，**凱撒**。」

「趕緊撤退。重複一遍，趕緊撤退，我們能掩護，」保羅·約翰斯語氣沉著。**來吧，孩子，我從前經歷過這種場面。我知道規定的步驟……**「馬上撤出戰鬥！」

「瞭解。**特點**請注意，我是**六號**，大家向著陸區移動。重複一遍，立刻向著陸區移動！」他們聽見了他的聲音。保羅．約翰斯打開了機內通話系統。

「巴克，我們動作要快。機砲手各就各位，我們到達一個危險的著陸區。地面上有朋友。再說一遍：地面上有朋友，夥計們。因此使用機砲要他媽的格外小心！」

在寮國上空作戰時，要有一架這樣的直升機該有多好，約翰斯不下一百次地這樣想過。鋪低三型直升機上有重達一千多磅的鈦裝甲板保護著發動機、油箱和傳動變速器。機組成員的避彈防護層則是性能稍差一點的功夫龍。飛機的其餘部位就沒有多少防護了——它的鋁板層，一個小孩用螺絲起子就能戳穿。他駕機在著陸區上空一千英尺高度，以順時針方向在二千碼外環繞飛行，以便摸清戰況。情況似乎不妙。

「我討厭這樣，保羅，」齊默爾通過機內通話系統說。比恩中士握著舷梯邊上的機砲，心裏亦有同感，但沒吭聲。雷恩在前幾個著陸區都沒有看見過什麼情況，也緘口無言。

「他們正朝山頂移動，巴克。」

「似乎如此。」

「好的，我要螺旋飛入了。機長通知全體成員：我們現在飛進去摸清情況。我們受到攻擊時可以還擊，除此以外沒有我的命令不得任意射擊。聽明白了嗎？」

「齊默爾，明白了。」

「巴恩，明白了。」

「雷恩，行啦。」我反正看不見任何射擊目標。

實際情況比看起來的還要糟糕。卡特爾的襲擊者們選擇了一個出人意料的方向逼近主要著陸區，所以他們所經過的地方正好是**特點**小分隊預先選定的機動接運地點，搞得小分隊措手不及，無法組織全面的防禦體系。最糟糕的是，有一些襲擊者是與**尖刀**小分隊那場激戰後的倖存者，他們從中增長了不少見識，比如說迅速推進有時反而有利於防守，而不是削弱了它。他們也瞭解直升機的作用，不過還瞭解得不夠。要是他們瞭解到它的火力配備，戰鬥就會當即結束；相反地，他們以為救援直升機不會有火力配備，因為他們從來就沒有真正見識過武裝直升機。正如通常的戰鬥那樣，這場殊死戰也是由動機和失誤、知識與無知來確定勝負的。**特點**小分隊倉促設置了詭雷和蘇格蘭寬劍式地雷後就迅速後撤了。但是像上幾次一樣，傷亡對這羣襲擊者來說似乎無所謂，還不如挨幾棍那麼疼。再說參加過忍者山戰鬥的那些傢伙增長了不少見識。他們此刻正分散成三股，開始包抄山頂的著陸區。

「我發現頻閃信號，」威利斯說道。

「**特點**，我是**凱撒**，證實你們的著陸區。」

「**凱撒**，我是**特點**，看見我們的頻閃燈嗎？」

「看見了。我現在飛進來。把全體人員集中在露天處。再說一遍，把全體人員集中到我們能看得見的地方。」

「我們有三名傷員，正在搶運。我們正竭盡全力。」

「給你們三十秒鐘，」保羅．約翰斯告訴他。

「我們會做好準備的。」

和以往一樣，機砲手們聽到的是約翰斯說的話，隨後他下達的戰鬥命令：「機長通知機組成員，我已命令所有友軍進入露天。一旦我們看清了友軍，我要你們嚴密控制這一地區。你們能看見的任何人都可能是友軍。我們要狠狠壓住其他任何東西。雷恩，這就是說把它往死裏打。」

「瞭解，」雷恩答道。

「還有十五秒。我們眼睛都睜大點，夥計們。」

它突如其來。誰也沒有看見它是從哪裏冒出來的。鋪低三型直升機大角度盤旋進入，但是它無法完全避免從敵人頭頂上空飛過。有六個敵人聽見飛機逼近的聲音，旋即看到多雲的夜空中出現了一個大黑團。他們同時對準天空開槍射擊。七點六二公厘口徑的槍彈擊中了直升機的艙板，槍聲恰似冰雹擊落在鐵皮屋頂上的聲響。聽到這聲音的人都明白是怎麼回事。反應遲鈍的人聽見一聲尖叫後也恍然大悟。有人中了彈。

「保羅，我們受到攻擊，」齊默爾對著機內通話系統喊道。他一邊說，一邊放低砲口打了一個短點放。砲架又出現了震動。那一道曳光彈無異於向全世界宣布了鋪低三型的身分和位置，這一下招來了敵人更多的攻擊。

「上帝呀！」幾發子彈擊中了防彈擋風玻璃。它們雖未穿透擋風玻璃，但在上面留下了累累彈痕，彈著點迸射出螢火蟲般的火花。約翰斯本能地急忙將飛機閃向右邊，以避開敵人的槍擊。這下飛機的左側就暴露給敵人了。

雷恩感到心驚肉跳。他彷彿看到地面上有一百枝、二百枝、一千枝槍口在吐著火舌，而槍彈都直衝他而來。他何嘗不想躲避一下，但他很清楚，目前最安全的地方莫過於置身一千多磅重的機砲座架之後。那門機砲的瞄準具其實起不了作用。他沿著不斷旋轉的砲管朝下望去，瞄準一團特別密集的閃光暈，按下射擊按鈕。

他感到自己似乎緊緊握著一臺手提鑽，似乎聽到一個巨人把風帆撕成碎片的撕裂聲。他的眼前迸發出一串長六英尺的火舌，形成寬三英尺的扇面，它如此炫目以至他眼前幾乎什麼都看不清了。不過曳光彈形成的密集彈柱是不可能看不見的，它朝著地面上仍然吐著火舌的亮點迎面撲去。可是只持續了片刻。在直升機急速旋轉和機砲那難以置信的震顫的座力下，他來回掃射著。曳光彈道在目標上空搖曳晃動了幾秒鐘。待他鬆開手時，地面槍口噴出的火舌已經無影無蹤了。

「狗雜種，」他自言自語道。他驚訝不已，一時之下把危險全忘了。槍彈還不只是從剛才那個方向打來的。雷恩又開始向另一個地方射擊，這一回打的是短點放，每串點放只有一二百發子彈。隨後直升機已完全飛離，他便沒有目標可獵捕了。

駕駛艙裏，威利斯和約翰斯檢查了所有儀表。他們也真感到吃驚了。飛機上竟然未發現任何嚴重負傷。飛行操縱系統同樣有裝甲保護層，發動機、傳動變速器和油箱也都是防彈的。至少在設計上是這樣的。

「後艙有人受傷了，」齊默爾報告道。「我們得把握時間哪，保羅。」

「好的，巴克，你說得對。」約翰斯調轉機頭，從左側環繞飛行。「特點，我是凱撒，我們再試一次。」連他的話音都失去了像冰一般的冷靜。作戰方式並沒有多少變化，但是他已經老了。

「敵人正在逼近。你們快一點，先生！我們都在這裏，我們都在這裏。」

「再過二十秒，小伙子。機長通知機組成員，我們重新飛入。還有二十秒。」

直升機那種威風凜凜的掃掠飛行突然停止了，它在空中懸著，約翰斯想給地面觀察的敵人一個措手不及。他將油門操縱桿推至最大動力，垂低機頭，朝著著陸區猛砸下去。降下二百公尺後，他抬起機頭，猛拉油門拉桿使速度減慢。這是他慣用的絕招，可謂爐火純青。直升機在恰到好處的位置上關閉了推進速度——由於二號發動機動力減小，飛機重重地落到地面。約翰斯感到落地的震動時，身子抖縮了一下，心裏可不期望飛機觸發詭雷，還好並沒有出現這種倒楣事，他便讓飛機停在原地。

時間似乎停止了。當腎上腺素進入大腦和身體之後，人對時間的感覺就不一樣了。甚至覺得時間停止了。雷恩覺得他能從眼睛的餘光中看見旋翼槳葉在一葉一葉地旋轉。他想往機尾看幾眼，想看看小分隊是否已經登機，可是他所負責的區域是左側機砲所在的艙門外面。他馬上意識到他的任務可不是把彈藥往家裡帶。他一看清楚眼前沒有友軍的時候，便使勁按下機砲開關，朝著樹叢中猛烈掃射，砲彈劃出的弧離地面大約一英尺。在另一側的齊默爾也在猛烈掃射。

克拉克在機尾朝後艙門外觀察著。比恩在迷你機砲旁，但不能開火。因為友軍都集中在他負責的區域，正向直升機靠攏，從他們兩腳的擺動來看，肯定是在疾跑，但給人的感覺卻是太慢太慢。就在這時，樹叢中槍聲大作。

雷恩感到驚訝不已，因為他剛掃射過的地方居然還有人能活下來，然而事實正是這樣。他看見門框上火星一閃，便曉得這顆子彈是衝著他來的。他沒有退縮。這裏無處可躲，而他知道飛機側面遭受槍擊的情況更為嚴重。他迅速定睛觀察，看準了剛才的射擊位置，然後把砲口對準那裏再次射擊。機砲射擊時的衝擊似乎大有將飛機推向一旁之勢。機砲吐出的火舌從被旋翼掀起的灰塵中穿過，但是樹叢中仍然閃著射擊的火光。

透過小型機砲那低沉的咆哮聲，克拉克聽見艙內和機外傳來的喊叫聲。他能夠感覺到子彈不斷地撞擊著飛機的側面，隨即便看到有兩人中彈倒在直升機的尾部旋翼下，其他的人則在迅速登機。

「他奶奶的！」他躍起身子，衝出艙門，查維斯和維加緊跟其後也衝出艙門。克拉克抱住一名中彈倒地的士兵，把他拖向舷梯板。查維斯和維加救起了另一個。子彈落在他們雙腳前後，濺起一股股塵土。離舷梯板只有五英尺時，維加負傷倒下了，他身上的傷員也同時倒在地上。克拉克把他手裏的傷員往等候接應的小分隊成員手裏一丟，立即轉身去幫忙。他首先去營救小分隊成員。當他再轉過身時，查維斯正在吃力地把維加朝艙門口拖。克拉克抓住維加的肩部，用力往後拽，把他靠在舷梯板的邊緣。查維斯抓過維加的雙腿，往旁邊使勁一推，然後縱身一躍，牢牢抓住迷你機砲的底座，這時候直升機已經離開地面。槍彈直接從艙門打了進來，不過比恩此刻總算有了開闊的射界，他用機砲對準敵人狠狠地掃射。

直升機撤離動作緩慢，它增加了幾噸的負載，又位於五千英尺的高度，加上飛行動力不足。位於前艙的約翰斯不斷咒罵這逡巡不前的發動機。鋪低三型又奮力爬升了幾英尺，但仍然被子彈擊中。

在飛機周圍的地面上，攻擊者們眼睜睜地看著被捕殺的獵物安然逃脫，個個氣急敗壞。他們最後還在拚命試圖阻止飛機逃走。在他們的眼裏，直升機是個戰利品，但又是個幽靈，它奪走了他們的勝利，奪走了他們同伴的生命，因此他們個個都舉起槍向它射擊，決心不讓它逃之夭夭。當飛機騰空飛起但尚未飛穩時，一百多枝步槍對準它就是一陣怒射。

雷恩感到有幾發子彈從身邊飛過。這些子彈擊穿了他把守的艙門，不知飛向了何處，但無疑是衝著他和他的機砲來的。此刻他一絲一毫的恐懼感也沒有了。步槍射擊時的閃光點成了他瞄準的目標。他一次瞄準一處目標掃射，旋即轉向另一目標。只有排除了危險，才有安全可言。飛機上無處可逃，而且他知道，機上每個人都希望自己能實施還擊，可惜能這樣做的只有三個人。他絕不能讓其他人失望。他左右移動著機砲，每隔幾秒鐘便重複一遍，時間似乎變慢了，似乎持續了幾個鐘頭，這時他覺得機砲射出每一發砲彈的聲音都清晰可辨。什麼東西擊中了頭盔，他的腦袋猛地一仰，但是他使勁把頭一低，勾動扳機，一陣連射砲彈向目標區傾瀉而去，一直打到他發現目標正在退去，而他必須抬高雙手壓低槍口時才罷休。在隨後那奇妙的瞬間裏，他彷彿感到正在退離的是敵人而不是他自己。激戰就此結束。他的雙手一時還不肯離開機砲。他想後退一步，但雙手無意放鬆，直到他想到要鬆開時，手才鬆開垂了下來。

雷恩搖了搖腦袋想讓它靜下來。剛才迷你機砲的射擊聲震耳欲聾，他過了好幾秒鐘才開始聽見傷員的高頻率尖叫聲。他環顧四周，看見機艙內瀰漫著機砲的硝煙，不過從前艙迅速不斷地灌進來的氣流正在逐漸將其驅散。由於機砲射擊時閃光的刺激，他的眼睛仍然很難受，而鏖戰一場之後突然襲來的疲憊感使他雙腳站立不穩。他真想一屁股坐下，好好地睡上一覺，然後醒過來時已在另一個地方。

他身旁有人呻吟呼喊著。那是齊默爾，離他僅有咫尺之遙，仰面躺著，拖著雙臂不住地翻來滾去。雷恩走過去看看他的傷勢。

齊默爾胸部三處中彈。血液流進了肺腔，又從嘴巴和鼻孔噴出，形成粉紅色薄霧。一發子彈打碎了他的右肩胛，但是肺部的兩槍才是致命的。雷恩一眼便看出這個人已經失血過多，正在他眼前即將死去。難道這裏就沒有一個醫護兵？他能做點什麼嗎？

「我是雷恩，」他對著機內通話系統說道，「齊默爾中士中彈倒下了。傷勢十分嚴重。」

「巴克！」約翰斯立刻作出反應。「巴克，你情況還好嗎？」

齊默爾想說點什麼，但他的通話器已被子彈打飛了。雷恩聽見他大聲說了句什麼，但聽不懂他的意思，於是轉過身子，衝著其餘的人扯著嗓子高喊起來，那些人似乎並不關心或者並不知道這裏出了什麼麻煩。

「醫護兵！來人啊！」他喊道，他不知道陸軍部隊裏是怎麼稱呼的。克拉克聽到了他的喊叫，馬上朝這邊走來。

「撐住哇，齊默爾，你會沒事的，」雷恩安慰道。他想起了在海軍陸戰隊度過的幾個月短暫的時間裏所學到的那些東西。要鼓勵他們活下去。「我們馬上就給你包紮，一會兒就沒事了。要忍住，中士——疼痛是難免的，但你就會好起來的。」

這時克拉克已來到他身旁。他扒下齊默爾的防彈衣。齊默爾覺得那打爛了骨頭的肩膀頓時疼痛鑽心，嚎叫起來，克拉克則沒有理會。對於克拉克，此情此景勾起他對許多往事的回憶，雖然有些事他已記不太清楚了。他不知怎麼地竟忘卻了這種事情是多麼令人駭怕，多麼令人膽寒，雖然他很快恢復了理智，但在砲火攻擊之下及其後一段時間那種束手無策的感覺幾乎要把他壓垮。而他此刻的確束手無策了。他一看見槍傷的位置便完全明白了。克拉克抬起頭看著雷恩，搖了搖頭。

「我的孩子們！」齊默爾高喊了一聲。中士總算有了活下去的理由，只可惜理由不夠充分。

「跟我講講你的孩子，」雷恩說道。「跟我說說你的孩子。」

「七個——我有七個孩子——我必須，我不能死啊！我的孩子——我的孩子需要我。」

「你要撐住，中士，我們正在帶你離開這裏。你會活下去的。」雷恩想到真不應該欺騙一個垂死的人，頓時淚水模糊了他的視線。

「他們需要我呀！」他的聲音變小了，因為血正在流進他的肺部和喉嚨。

雷恩抬頭望著克拉克，希望他能說點什麼，給點希望。隨便說上點什麼。克拉克只是一個勁注視著雷恩的臉部。他又低下頭看著齊默爾，握起他的手，那隻未負傷的手。

「七個孩子嗎？」雷恩問道。

「他們需要我，」齊默爾嗚咽著說。他知道自己回不到他們身邊了，不能看著他們長大成人，成家立業，生兒育女，不能在他們身邊指導他們，保護他們了。他未能盡到一個做父親應盡的責任。

「我來告訴你一些你所不知道的，有關你孩子們的情況，齊默爾，」雷恩對這位生命垂危的人說道。

「唔？什麼？」他顯得大惑不解，直楞楞地望著雷恩，想從他嘴裏聽到對於他這一生最關心的大問題的答案。對此雷恩並無答案，但仍然盡力去告訴他。

「他們都會上大學的，兄弟，」雷恩使勁捏住他的手。「我向你保證，齊默爾，你的孩子都會上大學。這事全包在我身上了。兄弟，我向上帝發誓，我會那樣做的。」

聽到這話時，中士臉上的表情微有變化，可是雷恩還沒有明白那是一種什麼樣的表情時，那張臉又有了變化，變得沒有一點表情了。雷恩用手狠狠地敲了一下機內通話系統開關。「齊默爾死了，上校。」

「瞭解。」雷恩為他這般冷淡的應答所觸怒。他當然聽不見約翰斯的心聲：上帝，哦，上帝，我怎麼向卡洛和孩子們交代呀？

雷恩剛才一直是把齊默爾的頭擱在他大腿上。他慢慢地抽出身子，將他的頭輕輕放到直升機的金屬艙板上。克拉克用他那粗壯結實的臂膀緊緊抱住這個比他年輕的人。

「我會做到的，」雷恩聲音哽咽著對他說。「這可不是他媽的撒謊。我一定會做到的！」

「我知道。他也知道。他相信你會的！」

「你能肯定？」淚水再也忍不住了，因為這是他一生中所問的最重要的問題，他好不容易又重複了一遍：「你當真能肯定？」

「他知道了你的承諾，傑克，而且他對你的話深信不疑。你所做的這些，博士，實在是太好啦。」

克拉克一把抱住雷恩，男人們只有對妻子兒女以及那些同他們出生入死的人才採用這種擁抱方式。

約翰斯上校在前艙右座上坐定，把他的悲痛暫時深深地埋在心底，等以後有時間再痛痛快快地哭一場吧，因為目前他還有飛行任務。齊默爾的在天之靈一定會理解他的。

卡特的噴射機在赫爾伯特機場降落時，夜幕已經低垂。他乘坐接他的汽車逕自去了聯隊戰勤股。他的到達事先毫無通知，他像個魔鬼似地大步闖進作戰值班室。

「這裏究竟是誰在管事？」

坐在辦公桌旁的中士一眼便認出這位是經常在電視上亮相的國家安全顧問。「穿過那扇門便是，長官。」

卡特看見的是一位倚在轉椅上打瞌睡的年輕上尉。隨著門咔擦一聲打開，他的眼睛也猛地睜開了，接著這位二十九歲的軍官有點歪歪倒倒地猛然站起來。

「我想知道約翰斯上校現在在哪裏，」卡特海軍中將心平氣和地問他。

「長官，這個情況我不能——」

「你知道我到底是誰嗎？」

「知道，長官。」

「難道你要對我說不嗎，上尉？」

「長官，我是奉命行事。」

「上尉，我現在取消你接到的所有命令。聽著，你回答我的問題，馬上給我回答。」卡特的聲音此刻提高了幾個分貝。

「長官，我不知道上校在——」

「那你去找一個知道情況的人，馬上把他叫到這裏來。」

上尉嚇得膽戰心驚，不敢再說什麼了。他叫來一位住在營區的少校，不到八分鐘就來到辦公室。

「這裏到底在搞什麼名堂？」少校推門而入時說道。

「少校，就是我在搞的名堂，」卡特對他說。「我要知道約翰斯上校現在何處。他就是他媽的這個部隊的指揮官，是不是？」

「是的，長官！」這究竟是怎麼……？

「你是不是在告訴我這個部隊的人都不知道他們的指揮官上哪裏去啦？」卡特著實吃驚不小，雖說他剛才在枝節問題上發作了一番，但他的赫赫權威顯然未能讓對方立即服從他的命令。

「長官，在特別行動中，我們——」

「這他奶奶的是童子軍營地還是軍事組織？」海軍中將吼道。

「長官，這是軍事組織，」少校回答道。「約翰斯上校外出執行臨時任務了。長官，我奉命未經特許不得與任何人談論他的任務或他所在的位置，而您的名字不在特許名單上。我是奉命行事，將軍。」

卡特越發吃驚，更加怒不可遏。「你知道我的職責嗎？知道我替誰工作嗎？」這十幾年來，他還從未見過有哪個下級軍官敢這樣對他講話。上次那個小伙子的前程不就像火柴棒一樣被他折斷了嗎？

「長官，我有關於此事的書面命令。連總統也不在特許名單之列，長官，」少校保持立正姿勢說道。**操你媽的，你這條臭烏賊！你敢把美國空軍基地叫做童子軍營地！你與你乘坐的那架飛機都去你奶**

奶的——將軍，長官。他的臉色將他的心情表達得明明白白。

卡特的語氣不得不緩和下來，他不得不壓制自己的衝動情緒。他可以等有空再來收拾這個傲慢無禮的小子。現在他急需瞭解那個情況，於是他開始表示歉意，好像挺誠懇的。「少校，你必須原諒我。這件事關係重大，至於其原因以及所涉及的方面我不能向你解釋。我只能這樣對你說，這是生死攸關的大事。你們的約翰斯上校現在在某個地方也許急需援助。整個行動也許正在他身邊崩潰瓦解，不可收拾，因此我確實需要瞭解這些情況。你對指揮官的忠誠值得贊揚，你忠於職守堪稱楷模，可是當軍官的理應運用自己的判斷力。你現在就必須這樣做，少校。我再告訴你一遍，我需要瞭解這個情況——現在就要。」

大聲恐嚇辦不到的事，擺明道理卻奏了效。「將軍，上校已率領我們一架MC—一三〇返回巴拿馬去了。我不清楚其中的原因，也不知道他們在幹什麼。這種情況在特別行動聯隊裏是司空見慣的，長官。我們所幹的一切幾乎都是秘密，這一次行動保密性更強。我剛才已經把我所瞭解的一切都告訴了你，長官。」

「他們的確切位置呢？」

「霍華德空軍基地，長官。」

「很好。我怎樣才能與他們取得聯繫呢？」

「長官，他們不使用通信網絡。我不瞭解這個情況。他們可以與我們聯繫，而我們無法與他們聯繫。」

「簡直是瘋啦，」卡特大為反感。

「並非如此，將軍。這是我們的一貫做法。有MC—一三〇隨同行動，他們便成為獨立的作戰單位。MC—一三〇上有維修和支援人員以維持整個行動。他們的行動完全不依賴這個基地，當然通知我們需要什麼東西那是例外。萬一遇上誰家中有急事或類似的緊急情況，我們可以透過霍華德基地的作戰值班室與他們聯繫，不過這一回我們還沒有這樣做過。如果你願意的話，我現在可以為您開通這一頻道，長官，可是這也許得花上幾個鐘頭。」

「謝謝，不過幾個鐘頭之後我就能到那裏啦。」

「那個地區天氣正在惡化，長官，」少校告誡他。

「沒有關係。」卡特離開值班室，回到自己的汽車裏。他的座機已經加油完畢，十分鐘之後便升空飛往巴拿馬。

約翰斯目前的飛行輕鬆多了，飛機正沿著構成哥倫比亞脊柱的安地斯山脈大峽谷朝東北方向飛行。一路上飛行平穩，但他擔心三件事情。首先，就目前的載重來看，飛機並不具備爬越他西邊高山的動力。其次，在不到一個小時裏他就得補充燃油。最後，前方的天氣正在迅速惡化。

「**凱撒**，我是**克勞**，請回答。」

「我們什麼時間加油，長官？」蒙泰涅上尉問道。

「我想先駛近海岸再說，也許多耗掉一些燃油，我們就能往西飛遠一些再加油。」

「瞭解，不過請注意我們開始接收到雷達波，也許有人剛剛發現了我們。是空中交通管制雷達。力士型飛機這龐然大物足以提供他們飛機的雷達反射波，長官。」

他媽的！約翰斯竟然忘了這一點。

「我們這裏有點痲煩，」約翰斯告訴威利斯。

「是的，前方大約二十分鐘航程的地方有處山口，我們也許能飛過去。」

「有多高？」

「航圖標示說八千一百英尺。再往前高度下降不少，但那裏會被雷達發現……還有天氣惡劣，我心裏沒有底，上校。」

「我們先來看看飛機能爬昇到多高，」約翰斯說道。這半個小時，他一直沒給那幾臺發動機增加壓力。現在還不行。他必須確定飛機的爬高能力。約翰斯將總變距操縱手柄上的油門控制桿推至最大動力，與此同時密切注視著三號發動機的儀表。這次指針連百分之七十動力都沒指到。

「三號閥洩漏情況更嚴重了，頭兒，」威利斯轉告他。

「我看到了。」他們想設法要從旋翼上獲得最大升力，當時誰都不知道旋翼也有損傷，無法產生應有的升力。直升機十分吃力地爬升著，達到七千七百英尺時便爬不上去了，隨後甚至開始下降，儘管它在奮力挽救，飛機高度卻在逐漸下降。

「由於我們多耗了油料……」威利斯滿懷希望地說道。

「別指望這個了。」約翰斯打開無線電對講機。「克勞，我是凱撒，我們無法飛越山口。」

「我們接應你們。」

「不，為時還過早。我們得靠近海岸時再加油。」

「凱撒，我是小眼。我知道了你的問題。你那架龐然大物需要什麼樣的燃油？」拉森問道，完成接運任務以後，他按原定計畫一直在伴隨直升機飛行。

「孩子，目前我有多少就先用掉它多少。」

「你們能飛到海岸嗎？」

「那沒問題。差不多能到海岸，不過我們應該能飛到海岸。」

「我能幫你們選擇一處機場，離海岸有一百英里，那裏備有你們所需的任何航空燃油。我機上還載有一名傷員，正流血不止。急需治療。」

約翰斯和威利斯互相看著對方。「機場在哪裏？」

「按現在航速計算還有四十分鐘。埃爾品多，那是一個供私人飛機起降的小機場。在深夜這個時候應當是空場。他們備有一萬加侖的地下儲油。那是蜆殼牌石油公司的特許儲油點，我到那兒飛進飛出過好幾回。」

「高度呢？」

「不到五百英尺。對於旋翼飛機來說，空氣密度相當合適，上校。」

「我們就這麼辦吧，」威利斯說道。

「克勞，你是否已經收到了？」約翰斯問道。

「是的。」

「我們就這樣試試看。現在向西飛。保持在無線電聯繫範圍之內，不過你們可以自由選擇避開雷達覆蓋的航線。」

「瞭解，現在朝西飛行，」蒙泰涅答道。

雷恩坐在後艙機砲旁邊。直升機上共有八名傷員，不過兩名醫護兵正在替他們包紮傷口，雷恩則幫不上忙。克拉克走到他身邊。

「好吧，我們準備怎樣處置科特茲和埃斯科韋多？」

「科特茲我們要帶回去，另一個嘛，真見鬼，我也不知道。我們怎麼對綁架他做出解釋呢？」

「那你說我們該怎麼辦，把他押上法庭公審？」克拉克的聲音壓過了發動機的轟鳴聲和灌進飛機的風的呼嘯聲。

「其他任何處置辦法都是殘酷的謀殺。他現在已是俘虜，而殺害俘虜無異於謀殺，還記得不？」你在給我上法律課呀，克拉克自忖道，不過他知道雷恩言之有理。殺害俘虜有悖於原則。

「那麼我們把他押回去？」

「那樣就把行動給搞砸了，」雷恩說道。他曉得談論這個話題時他的嗓門太高了。他此刻應當保持冷靜，多動動腦筋，但是周圍的氣氛和晚上發生的事情使得他難以辦到這一點。「媽的，我真不知道怎麼辦才好。」

「我們上哪裏去——我是說直升機往哪兒飛？」

「我不清楚。」雷恩打開機內通話系統後提出這個問題。他得到的答覆讓他大吃一驚，隨後轉告了克拉克。

「我說，讓我來處理吧。我有個主意。等降落以後我把他押走。拉森和我會把這事辦妥的，我想我知道什麼辦法管用。」

「但是——」

「你其實並不想知道，是不是？」

「你千萬不能殺他！」雷恩堅持道。

「我不會的，」克拉克說道。雷恩真不知道怎樣去理解他的回答。不過這畢竟是一條出路。他便認可了。

拉森率先抵達。機場燈光微暗，在低垂的雲幕下只見寥寥無幾的燈光在閃亮，但他設法將飛機降了下去，並讓機上的防撞燈旋轉閃亮，以指示著油料供應地點的位置。他尚未停穩，直升機就已降落在五十碼開外。

拉森吃驚不已。在幽暗的藍色燈光下，他能看見機身上已是千瘡百孔。一個穿飛行服的人跨出機門朝他跑來。拉森迫上前去，隨後領他去找加油管。燃料管很長，管身直徑約一英尺，用於為私人飛機輸油。壓油泵的電源已經切斷，但拉森知道開關的地方。他對準門鎖開起槍來。過去他從未幹過這種事，不過正像電影情節那樣，五發子彈就把鋼鎖從木門框上打落，一分鐘之後，比恩中士就把輸油管嘴插入一只翼下油箱。就在這時，克拉克和埃斯科韋多出現了。兩位中央情報局官員在一起磋商時，一個士兵用步槍抵住毒梟的腦袋。

「我們馬上返回去，」克拉克告訴駕駛員。

「你說什麼？」拉森調過頭，看見兩個士兵從畢奇小客機上抬下華爾多，朝直升機走去。

「我們把這位朋友送回麥德林的老家。不過有幾件事情我們得先解決……」

「哦，真帶勁。」拉森返回畢奇，爬上機翼，打開燃料油帽蓋。他還得等上十五分鐘。通常情況下，替直升機加油的油管要粗得多。當機組成員拖走油管時，直升機的旋翼又開始了轉動。沒一會兒功夫，它又升入夜空。北面的天空出現了幾道閃電，由於不飛往那裏，拉森感到慶幸。他讓克拉克處理加油事項，自己則鑽進飛機掛了個電話。事情滑稽可笑的一面是，從這筆交易中他居然還能賺到錢。除此之外，過去的這一個月中所發生的一切都沒有什麼滑稽可笑的。

「可以。」約翰斯對著機內通話系統說。「剛才是停下來加油檢修的最後一站，我們現在返航啦。」

「發動機排氣管溫度可沒有那麼偉大，」威利斯說道。根據設計，T—六四—GE—七型發動機燃用的應該是航空煤油，而不應是私人飛機使用的這種易揮發的、易發生危險的高辛烷值汽油。生產廠家的保單上說，你可以燃用這種燃油，不過使用超出三十小時後，燃燒室就會被烘碎成粉末，可是保證書上隻字未提閥門彈簧的失靈以及三號閥損壞該怎麼辦。

「看樣子我們可以讓它們好好地降降溫，」上校瞥了一眼前方的天氣說道。

「又從積極的方面去考慮問題，是嗎，上校？」威利斯盡量讓語氣顯得十分冷靜。前面可不只是一場暴風雨，擋在他們與巴拿馬之間的是一場颶風。總括來說，闖颶風要比闖槍林彈雨更加令人心驚肉跳。你沒法對暴風雨進行還擊。

「**克勞**，我是**凱撒**，請回話，」約翰斯用無線電對講機呼叫道。

「聽到你的呼叫，**凱撒**。」

「前面天氣怎麼樣？」

「很糟糕，長官。建議你們向西飛行，尋找一個翻越山脊的地點，然後設法從太平洋一側返航。」

威利斯掃視了一眼導航顯示幕。「噢哦。」

「**克勞**，我們剛剛增加了大約五千磅負載。我們，嗯，看樣子還得另找一條航線。」

「長官，暴風雨正以十五節速度向西移動，你們駛向巴拿馬正好把自己送入右下象限。」

一路上都是逆風，約翰斯告訴自己。

「給我個具體數字。」

「估計你們返航途中最大風速可達七十節。」

「太棒啦！」威利斯說道。「這樣一來我們就能搶在它前頭到達巴拿馬了，長官。就他媽快一點點。」

約翰斯點了點頭。暴風實在太大了。暴風挾帶而來的大雨將大大減低發動機動力。它的續航力也許會降至原先應達到的一半還不足……無法在暴雨中進行空中加油……明智之舉將是找一個地方降落，然後待在原地等待，但是他也不能走這一步……約翰斯又一次打開了無線電對講機。

「克勞，我是凱撒。我們駛往一號機動地點。」

「你是不是頭腦發昏哪？」法蘭西絲·蒙泰涅答道。

「我不喜歡這樣，長官，」威利斯說道。

「很好。你有一天可以證明那樣的效果。它離開海岸只有一百英里，如果這一招不靈，我們還可以借助風勢繞到巴拿馬去。克勞，我需要一號機動地點的方位測定。」

「你他媽是個瘋子，」蒙泰涅低語道。隨後她對機上通信人員說道：「接通一號機動地點。我需要方位測定，馬上就要。」

摩瑞可沒有任何樂趣。儘管韋格納告訴他阿黛爾實際算不上是一場主要颶風，但他絕對沒有料到它有這麼大的威力。海浪高達四十英尺，雖然潘納奇號停泊在碼頭上儼然是一堵鋼鐵峭壁，此刻卻像漂浮在浴缸裏的兒童摺紙船那樣弱不經風。摩瑞在後耳根部貼上了一塊莨菪鹼膏藥以防止暈船，可是這時刻膏藥效果並不明顯。韋格納端坐在駕駛臺裏的座椅上，像「老人與海」中的那位老人一樣悠閒自得地抽著煙斗，而摩瑞卻緊緊吊住頭頂上的抓桿，有一種在空中盪鞦韆的感覺。

他們並不處於原定位置。韋格納對這位客人解釋說，他們現在只能待在一個地方。快艇在移動之中，那是他們必須處於的位置，而摩瑞則暗自慶幸，海浪不像以往那樣肆虐了。他奮力移到門口，朝外望著那衝天而起的柱形雲。

「**潘納奇**，我是**克勞**，請回話，」對講機裏傳來了呼叫聲。韋格納起身拿過話筒。

「**克勞**，我是**潘納奇**。你的信號微弱但是可辨，完畢。」

「請報出方位，完畢。」

韋格納將方位報給了飛機駕駛員。聽聲音這位駕駛員像是位女的，他思忖道。我的上帝，她們現在無處不見啊。

「**凱撒**正朝你們飛來。」

「瞭解。請通知**凱撒**，這裏情況低於臨界線。再說一遍，這裏情況很不妙。」

「瞭解，收到了。請不要關機。」兩分鐘後又傳來了這個聲音。「**潘納奇**，我是**克勞**，**凱撒**說他想試一試。如果失敗，他打算空中加油。你能應付嗎，完畢。」

「肯定可以，我們會想盡一切辦法的。告訴我預計到達時間，完畢。」

「預計還要六十分鐘。」

「瞭解，我們會準備就緒的。請不斷通報情況。通話結束。」韋格納朝駕駛臺那邊望去。「沃爾特斯小姐，我來掌握駕駛。我希望奧雷亞士官長和賴利士官長上駕駛臺來，馬上就來。」

「艇長掌握駕駛，」沃爾特斯海軍少尉說道。她頗感失望。她現在正在一場該死的熱帶風暴的中心地區，正值年輕有為的年代。她的身體甚至還未出現任何不適，而許多水兵已被海浪折騰得不輕。因此艇長憑什麼不讓她來駕駛？

「左轉舵，」韋格納下達命令。「航向三—三—五。雙俥進二。」

「是，左轉舵，進入新航向三—三—五。」舵手轉動舵輪，接著伸手按下油門操縱桿。「雙俥進二，長官。」

「很好，感覺如何，奧布雷基？」艇長問道。

「這可要了近海艦艇的命啦。可是不知道這次航行何時才結束，長官。」小伙子笑了笑，但兩眼一刻也沒有離開過羅盤。

「你幹得很好。不過感覺疲勞時通知我一聲。」

「是的，長官。」

奧雷亞和賴利一分鐘後趕到了。「出什麼事了？」奧雷亞問道。

「我們三十分鐘後去直升機後甲板就位。」艇長告訴他們。

「哦，他媽的！」賴利罵道。「對不起，雷德，可……見鬼了！」

「好啦，士官長，既然我們有任務，我可就指望你們啦，」韋格納嚴辭厲聲道。賴利像個老手一樣恭恭敬敬地接受了他的指責。

「請原諒，艇長，我會替你賣力的。把副艇長叫到指揮塔上嗎？」

韋格納點點頭。從飛行指揮塔上指揮這次機動任務，副艇長是最佳人選。「去把他找過來。」賴利離開後，韋格納轉向奧雷亞說，「波泰奇，進入H航向後，我要你來掌舵。我將掌握駕駛。」

「長官，哪裏有什麼H航向？」

「所以才讓你來掌舵的。半小時之後換下奧布雷基，好好體驗一下情況。我們必須盡力為他提供最佳目標。」

「天哪！」奧布雷基望了望窗外。「真有你的，雷德。」

約翰斯使飛機下降，保持在離海面大約五百英尺的高度。他停止使用自動駕駛儀，因為這種時候他更相信自己的技術和直覺。他把油門操縱桿交給威利斯，自己則全神貫注於他那些儀表。事情突如其來。剛才他們還在晴空下飛行，一轉眼飛機就遇上了傾盆大雨。

「情況還沒有那麼糟糕，」約翰斯對著機內通話系統撒了個謊。

「他們甚至不惜重金僱我們幹這事，」威利斯不無譏諷地贊同。

約翰斯看了看導航顯示幕。風向此刻已轉至西北方，致使直升機的航速微有下降，不過風向是會改變的。他的雙眼從空速指示器掃向另一臺獨立於對準地面的都卜勒雷達的航速表。衛星與慣性導航系統透過電腦顯示器標明了他所在的位置以及他想去的地點——由一紅點標示。另一電腦螢幕則顯示出雷達系統對前方暴風詢問的結果，暴風的中心地區由紅色標示。他要設法避開這些地區，但他不得不飛越用黃色標示的地區，而那裏的情況也夠糟糕的。

「見鬼！」威利斯大叫一聲。兩位駕駛員都猛地拉起總變距操縱桿並推至最大動力。他們碰上一股下降氣流。兩雙眼睛都緊緊盯著顯示垂直速度每分鐘一千英尺的速度盤。頃刻間，飛機以每分鐘一千英尺的速度往下直掉，對一架高度在五百英尺的飛機來說只剩下不到三十秒鐘的生存時間。不過此類的小規模猝變只是局部現象。直升機降到二百英尺時就不再下降了，並開始重新爬升。約翰斯斷定，眼前處於七百英尺的巡航高度是較為安全的。他用兩個字概括道：「真玄。」

威利斯只是嗯了一聲。

後艙的人已用安全帶把自己捆在艙板上。雷恩早已這樣做了，還牢牢抓住迷你機砲的座架，好像這樣一來情況就會不一樣似的。他能透過敞開的艙門看到外面——他並非特意要看什麼。只見艙外昏昏暗白茫茫的一團，偶爾為閃電照亮。直升機上下顛簸著，像兒童放的風箏一樣聽任雲團的擺佈，只不過直升機的重量是四千英磅罷了。但是他無能為力。他的命運已操縱在他人手中，至於他現在知道些什麼或者幹些什麼都不重要。但即使嘔吐完了也還是不舒服，他和其他人一樣也在嘔吐不止。他一心指望這件事儘早結束，而唯有理智告訴他這件事怎樣結束他確確實實很在乎——難道不是嗎？

震動還在持續，但是當直升機穿過風暴時，風向轉移了。最初颳的是東北風，繼而迅速逆時針方向變動，不久又衝擊著飛機的左後方。這樣便提高了地面風速。現在空中氣流速度為一百五十，而地面風速已達一百九十，並且仍在增加。

「這對我們節省油料可算創造了奇蹟，」約翰斯說。

「還有五十英里，」威利斯答道。

「**凱撒**，我是**克勞**，請回答。」

「瞭解，**克勞**，我們距一號機動地點還有五十英里，不過飛行有點顛簸——」有點顛簸，胡扯，蒙泰涅思忖道，她此刻正駕機在一百英里以外的晴空中悠哉悠哉，「——其他情況正常，」約翰斯通報道。「如果我們降落不成功，我想我們可以借助風力飛到另一邊，再飛往巴拿馬海岸。」這時沖刷在擋風玻璃上的雨點更多了，約翰斯皺起眉頭。與此同時，有些雨水被吸入了發動機。

「熄火啦！二號發動機熄火了。」

「重新啓動。」約翰斯依然力圖保持鎮定。他放低機頭，用損失高度來換取衝出雨區所需要的速度。同樣，這種傾盆大雨也應當是局部現象。應當如此。

「正在啓動二號發動機，」威利斯急躁地說。

「一號發動機出現動力損失，」約翰斯說道。他將油門操縱桿一推到底，總算恢復了一部分功率。他這架雙發動機直升機現只有一臺發動機在工作，且只有百分之八十的功率。「我們要恢復二號發動機的運作，上尉。我們目前正以每分鐘一百英尺下降。」

「正在啓動，」威利斯重複道。雨勢已略有減弱，這時二號發動機又開始轉動和燃燒，但只能輸送百分之四十動力。「我估計三號閥壓力洩漏情況更加嚴重。我們現在是他媽的進退兩難，上校。還有四十英里。我們現在非到一號機動地點不可了。」

「起碼我們還有一個選擇。我他媽可是從來不會游泳。」約翰斯的手掌這時已是濕漉漉的。他能夠感到那雙在手工縫製的手套裏面的手握得不太緊了。該跟全體人員說幾句話了：「機長有話對全體乘員說。我們離降落大概還有十五分鐘，」他通知他們道。「還有十五分鐘。」

賴利調集了一個十人小組，個個都是經驗豐富的水手。每人腰上繫著一根安全繩，賴利親自逐人檢查了每一個節扣。雖然他們都穿上了救生衣，可是在這種惡劣情況下要想發現一個從艇上落水的人，就要看大慈大悲的上帝顯靈並創造奇蹟啦，而今天晚上發生了這麼多事情，上帝也該忙得不亦樂乎了，賴利思忖道。繫留鏈和更多的兩英寸粗的纜繩已被集中並安放就位，早已固定在甲板上合適的地方。他領著甲板上的水手來到前面，讓他們背靠上層結構面朝艇艉站好。「這裏一切準備就緒，」他用對講機對飛行指揮塔上的副艇長報告。對他的部下：「如果你們任何一位出了岔子從艇上摔進大海的話，我他媽會隨後跳下去親手讓他悶死在海裏！」

他們現正處於暴風的旋轉氣流之中。根據導航顯示幕，他們目前位於目標北面，航速幾乎為二百五十節。抖震得很厲害，實為前所未有。一陣突如其來的海浪的一股氣流把他們猛地向陰森黑暗的海浪推去。飛機一直降到離海面僅剩一百英尺時，約翰斯才控制住。目前已經到了駕駛員想棄機跳傘的程度。他還從來沒有在這等惡劣的氣候條件下執行過飛行任務，而且情況比駕駛手冊上說的還要惡劣。「還有多遠？」

「我們現在應該到了，長官！」威利斯答道。「正南方向。」

「好的。」約翰斯將操縱桿推向左邊。航向的突然變化與疾勁的暴風相呼應，險些要把直升機掀翻，但是他穩住了，並且側航進入新的航線。兩分鐘過後，他們便擺脫了險情。

「**潘納奇**，我是**凱撒**。你究竟在哪裏？」

「開燈，現在打開所有燈光！」韋格納收聽到呼叫後大聲下令道。轉眼之間，**潘納奇號**燈火通明，酷似一棵聖誕樹。

「你們要是不他媽的在下面那才見鬼呢！」幾秒鐘之後對講機傳來了聲音。

阿黛爾颶風規模不大，來勢不猛，方向不定，目前由於當地氣象條件變化混亂的緣故，又變成一股熱帶風暴。這就使得她的風力比人們所擔心的要弱，不過其風眼同樣範圍不大，同樣方向不定，而他們眼前就是要進入風眼地區。

人們普遍誤認為風眼裏是很平靜的。其實不然，儘管在雲層深處親身領略了肆虐的狂風之後，風眼裏的十五節微風對一個觀察者來說不算一回事，但是這裏風勢不穩且風向多變，同時風眼裏的海浪雖然不像暴風本體裏的海浪那般排山倒海，但卻也令人捉摸不透。韋格納把**潘納奇號**停在離風眼西北邊緣不足一英里的海面上，而風眼充其量也只有四英里直徑。風暴的速度是十五節，所以他們回收直升機只有十五分鐘的時間。此刻天空晴朗，這大概是唯一值得安慰的。天已不再下雨，操舵室裏的水手已經能看清海浪，但他們並沒有興趣。

在艇艉飛行指揮塔上，副艇長戴好頭戴送受話器，開始了通話。

「**凱撒**，我是**潘納奇**。我是飛行調度軍官，將引導你的降落。我們這裏風速十五節，風向不定。海浪約十五英尺，艦艇在顛簸搖晃。我們大約有十至十五分鐘的時間，因此不必著急。」這末尾一句話僅僅是為了安慰直升機成員才說的。他真不知道有誰能圓滿完成這次任務。

「艇長，要是提高幾節航速的話，我就能把船開得稍微穩一些，」正在操舵的奧雷亞報告說。

「我們可不能駛出風眼。」

「這我清楚，長官，可是我需要加快一點航速。」

韋格納步出艙外去觀察。這時直升機已清晰可見，它的頻閃燈在夜空中不住地閃爍，飛機正繞著艦艇飛行，以便讓駕駛員有時間對各種情況做出判斷。**如果有什麼會把事情搞糟的話，那就是艦體的橫向搖擺**，韋格納心裏很明白。奧雷亞要求增加航速是正確的。「雙俥進二，」他調過頭衝著艙內喊道。

「天啊，這是一艘小艇啊，」約翰斯聽到威利斯咕噥道。

「這樣划槳時就不會礙手礙腳了。」約翰斯降低了飛機高度，作了最後一圈盤旋，對準快艇船艉筆直飛下去。降至一百英尺時，他把飛機拉平，這時發現飛機懸停不穩。他的發動機動力不足，而當他試圖降落時，飛機卻不住地左搖右晃。

「把該死的船給我開穩些！」他衝著對講機喊道。

「我們是在盡力而為，長官，」副艇長答道。「目前我們艇艏左前方風勢不小。建議你們從左舷靠攏，然後一路降落時和甲板保持某種角度。」

「瞭解，我曉得是什麼原因啦。」約翰斯再一次調整了動力並飛了下來。

「好啦，開始行動吧！」賴利告訴他的部下。他們分成三個小組，每個組負責直升機的一套輪式起落裝置。

約翰斯發現快艇的甲板面積不足以進行自船艄至船艉的降落，但只要保持一定角度從船舷降下來，他就能夠將六個輪子都降在黑漆漆的甲板上。他緩慢地飛進，最初航速要比小艇快了十五節，隨著不斷靠近而逐漸減速，可惜風向突變把直升機吹偏了。約翰斯詛咒了一聲，讓飛機來了個大側轉以便再次做降落嘗試。

「對不起，」他說道。「我的發動機動力有些問題。」

「瞭解，慢慢來吧，長官，」副艇長答道。

約翰斯從一千碼以外重新開始。這回飛近動作完成得很順利。他把飛機帶到離船艉一百碼的位置便放棄剩餘速度，然後取水平飛行姿勢緩慢向前。飛機的主起落架碰觸甲板時恰到好處，但是小艇猛地橫搖起來，把飛機拋向左舷。約翰斯出於本能猛拉總變距操縱桿，加足油門，使飛機騰空脫離了甲板。他其實大可不必，而且就在他這麼做時他心裏已經明白。

「這真不容易呀，」他用對講機說道，並努力不再詛咒，這時他又把飛機飛到先前的位置上。

「我們沒有更多的時間進行演練，實在太可惜，」海岸防衛隊快艇副艇長附和道。「剛才那次降落完成得順利出色，只是艦艇劇烈地橫搖了一下。再來一次，你會完成得同樣出色。」

「好的，再來一次。」約翰斯又飛了過來。儘管艦艇配備有保持平穩的陀螺儀和減搖龍骨，它還是出現二十度左右的搖晃。約翰斯則兩眼緊盯目標區的中心，這裏絲毫不見搖擺，恰好是空間的一個固定點。這肯定是竅門之所在，他自忖道。要挑選這處毫不搖晃的地點。他又一次突然放慢速度，緩慢地朝前飛去。就在飛機朝甲板步步靠攏的霎那間，他的眼睛轉向飛機前輪必須觸落的地點，隨即猛然推死總變距操縱桿。這種衝撞的感覺與墜機相比幾乎毫不遜色，只不過總變距操縱桿讓直升機落到了合適位置。

賴利率先衝上前，翻了個滾鑽入飛機底下的前輪處。另一位帆纜士官拖著繫留鏈緊跟上前。士官長找到了一處合適的固定點後，將繫留鏈牢牢地拴住，然後伸出手臂，握成拳頭。在鏈子另一頭的兩個水兵見狀便拉緊繫留鏈，爾後士官長側滾開來，又鑽進飛機左舷下開始固定主起落架。前後只用了幾分鐘時間。其間直升機移動過兩次，最後他們才把其固定穩當。接著他們又用兩英寸粗的纜繩加固繫留鏈，等到賴利大功告成以後，要想再讓直升機從甲板上飛起來就非得動用炸藥不可。甲板上的水兵從機尾舷梯板登上直升機，協助機上人員下機。賴利清點人數時只數到十五人。他被告知要接待的人數可比這要多。接著他看見了屍體，以及那些吃力地搬運屍體的士兵。

在前艙，約翰斯和威利斯關閉了發動機。

「**克勞，凱撒**已經降落。請返回基地。」約翰斯取下飛行帽為時過早了一點，未能聽到答話，不過威利斯接到了。

「瞭解，通話結束。」

約翰斯左右顧盼著。他此時此刻感到自己不像是個駕駛員。他的飛機已經降落。他自己安然無恙。該是跨出飛機幹點其他事情的時候啦。他邁出艙門時隨時都有從艇上摔入海中的危險，而且……他一直讓自己不要去想巴克·齊默爾。現在他的心靈之門自己開啓了。是啊，他思忖道，巴克是會理解的。上校跨過齊默爾的工作室。雷恩還在那裏，他的飛行服被嘔吐物弄得斑斑點點。約翰斯跪在他的中士的身旁。他倆斷斷續續在一起服役了二十多個春秋。

「他告訴我他有七個孩子，」雷恩說道。

約翰斯的說話聲顯得太疲倦了，聽不出任何明顯的感情色彩。他說話時像一個千歲老翁，厭倦了生活，厭倦了飛行，厭倦了一切的一切。「是啊，都是些鬼靈精。他太太是寮國人。卡洛，這是她的名字。哦，上帝呀，巴克——怎麼會是現在呢？」

「讓我來幫忙搬吧，」雷恩說道。約翰斯拽住手臂，雷恩則提起雙腿。他們得排隊等候。還有別的人要抬出去，有的是死者，有的只是傷員，不過傷員要給予優先，這是可以理解的。雷恩看到士兵們在搬運自己的戰友，比恩中士則在一旁助上一臂之力。海岸防衛隊的水兵主動提出幫忙，但都被拒絕了——當然不無善意地，而水兵們能理解其中的原因。雷恩和約翰斯也謝絕了幫忙，上校是出於對與他並肩戰鬥了這麼多年的戰友之情，而雷恩則是出於一種自我施加的責任感。賴利和他的水兵留在最後收拾背包和武器。然後他們也來到甲板下。

陣亡者的屍體臨時擱放在一條通道裏。傷員則收容到水兵餐廳。雷恩和幾位空軍軍官被領進軍官休息室。他們在那裏發現了幾個月以前策劃這一切的那個人，儘管他們之中沒有人會明白這一切的來龍去脈。在場的還有另一張面孔，是雷恩認出了他。

「嗨，丹。」

「感覺糟糕嗎？」摩瑞問他。

雷恩對此沒有作答。「我們抓到了科特茲。我想他受了傷，可能在病房裏，有幾個士兵在監視他。」

「你這是怎麼啦？」摩瑞問道。他指了指雷恩的飛行帽。

雷恩摘下飛行帽，看見上面有一道溝，一顆七點六二公厘口徑的槍彈已刮掉四分之一英寸左右厚的玻璃纖維。雷恩知道他當時應當對此有所反應，但是他生命的那一部分早已留在了身後四百英里的地方了。他坐了下來，一聲不吭地緊盯著甲板一陣子。兩分鐘後，摩瑞將他扶上一張吊床並替他蓋上了毛毯。

蒙泰涅上尉在最後的兩英里航程中不得不與狂風奮力拼鬥，但是她是一位特別出色的駕駛員，而且洛克希德公司的力士型飛機是一種特別出色的飛機。她降落時觸地有點過猛，但並不嚴重，接著跟隨引導吉普車駛向機庫。一個穿便服的男人站著那裏等候她，身邊還有幾位軍官。她一關閉了發動機，便邁出機門朝他們走去。她讓他們稍候，而她逕自朝洗手間走去，雖說此刻感覺疲憊不堪，卻不免暗自發笑，因為全美國找不出一個男人會不准許一位女士上一趟廁所。她的飛行服氣味熏人，頭髮亂成一團，她返身出來前對著鏡子照了一會兒。他們都守在廁所門口等候。

「上尉，我想知道你今晚都幹了些什麼，」那位文官問她——其實他並不是個文官，她後來很快意識到了，儘管可以肯定這個傢伙不是個好東西。蒙泰涅對幕後發生的事情並非一切都瞭解，但是這一點她還是知道的。

「我剛剛飛完了一次漫長的使命，長官。我和我的機組都累得要命。」

「我想跟你的全體成員談談你們剛完成的使命。」

「長官，這可是我的機組。如果有什麼要談的，你就跟我談好啦！」她沒好氣地頂了一句。

「你們都幹了些什麼？」卡特逼問道。他並沒有把眼前這位當成一位女子，但他卻不知道眼前這個女子卻根本沒有把他看成是個堂堂正正的男子漢。

「約翰斯上校飛去營救一些特別行動部隊的士兵。」她用雙手在脖子後面來回搓著。「我們找到了他們——是他找到了他們，找到了大多數人，我猜想。」

「那麼他現在人呢？」

蒙泰涅直視著他的眼睛。「長官，他碰上了發動機故障。他無法飛出來與我們會合——無法飛出羣山峻嶺。他直接闖進了風暴區，沒有飛出來，長官。還有什麼要問的嗎？我想去沖個淋浴，喝上幾杯咖啡，然後再研究怎麼去搜尋救援。」

「機場已經關閉，」基地司令官說道。「十小時以內任何人不得起飛。我想你需要休息休息了，上尉。」

「我想你說得對，長官。請原諒，我還得去關照一下我的機組人員。幾分鐘之後，我會給你送來搜尋救援地區的座標。得有人去試試，」她加上一句。

「聽我說，將軍，我想——」卡特剛開口說道。

「先生，您別再打擾這個機組啦，」一位空軍一星將軍說道，反正他很快就要退休了。

幾乎在MC－一三〇飛抵巴拿馬的同時，拉森在麥德林市機場也降落了。這是一次不太文明的航行。克拉克坐在後面看著埃斯科韋多，後者的雙手反綁著，一枝槍頂著他的肋下。在整個航程中，埃斯科韋多一會兒說要處死克拉克，一會兒說要處死拉森以及那位替哥倫比亞國家航空公司工作的女朋友，總之要處死許多人。克拉克聽了後只是付之一笑。

「那麼你們現在要怎麼處置我？」當機輪放下並鎖定於起降位置時他問道。終於，克拉克開口答話了。

「我曾建議給你上一堂飛行課，讓你從直升機後艙門跳出去，但是他們不肯，因此看樣子我們不得不放你走了。」

埃斯科韋多一時不知如何對答。他一路上都在恐嚇威脅，聽說他們也許不想殺掉他，他感到無法接受這一事實。他們只不過是沒有這個膽量罷了，克拉克這樣斷定。

「我讓拉森提前打過電話，」他說道。

「拉森，你這個狗娘養的叛徒，你以為能僥倖活下去嗎？」

克拉克用手槍猛頂了一下埃斯科韋多的肋部。「不准你打擾他！他正在駕駛這架該死的飛機。如果我是你的話，先生，能回到家我就很高興了。我們甚至還安排了人在機場迎接你。」

「誰來迎接我？」

「你的一些朋友。」克拉克剛把話說完，機輪已嘰嘰尖叫地著陸在柏油跑道上。拉森倒轉螺旋槳以便煞住飛機。「是你的董事會成員。」

此刻他才意識到真正的危險已經逼近。「你對他們都說了些什麼？」

「當然是真實情況，」拉森答道。「說你出於十分奇特的情況離開了自己的國家作了一趟空中飛行以及遇上暴風等等這一切。而且，對哪，由於過去這幾個星期裏所發生的一切怪事，我想這是某種巧合……」

「但是我會告訴他們——」

「說什麼呢？」克拉克問他。「說我們冒著生命危險把你送回家？說這一切都是騙局？的確不錯，你對他們去說這些吧。」

飛機已經停穩，但發動機卻沒有熄火。克拉克用東西塞住了毒梟的嘴巴。然後他解開埃斯科韋多身上的座椅安全帶，將他推向艙門。早已有一輛汽車停在那裏。克拉克跨出艙門，他的無聲自動手槍頂著埃斯科韋多的背部。

「你不是拉森吧，」手持衝鋒槍的人問道。

「我是他的朋友。他正在駕駛飛機。這是你們的人。你們該有東西交給我們。」

「你其實不必離開，」拎著公文包的人說道。

「此人朋友甚多，我想最好我們還是離開。」

「悉聽尊便吧，」第二個人說。「不過你們沒有任何理由害怕我們。」他把公文包遞了過來。

「謝謝了，老闆，」克拉克說道。他們都喜歡別人這樣稱呼他們。他把埃斯科韋多推給他們。

「你不應該蠢到去出賣自己的朋友，」克拉克鑽回飛機聽到第二個人說道。此話是針對這位被五花大綁著、嘴巴裏塞著東西的毒梟說的。只見他雙眼圓睜，回頭望著克拉克，而克拉克已經關上了飛機門。

「趕快離開這鬼地方。」

「下一站是委內瑞拉，」拉森說著突然加大油門。

「然後飛往關塔那摩。你覺得自己能對付得了嗎？」

「我需要喝點咖啡，此地的咖啡味道特別好。」直升機騰空而起，這時拉森想到，上帝呀，把這件事拋置身後真是太好啦。對他來說的確如此，但並非對所有人都是如此。

第三十章　結局

等雷恩在軍官會議室的吊床上一覺醒來，風暴的猛勁已經過去。潘納奇號以十節的時速向東航行。到十五時左右，風暴向西北方向移動，海面上風浪減弱。快艇以二十節的最佳連續航行速度又向東北航行了三個小時。

士兵們被安排在艇上的水兵艙，被水兵們待為上賓。有人還奇蹟般地弄來一些酒——也許是從當官的住處找來的，但誰也沒有追根究底——不過很快被喝得一乾二淨。他們扔掉了破舊的軍裝，換上了艇上倉庫裡拿給他們的新軍裝，對死者採取了冷藏措施，而且大家覺得暫時也只能如此。在五名死者中，兩名包括齊默爾是在救援行動中喪生的。八個傷員中有個人受了重傷。兩名陸軍軍醫和艇上的醫護兵設法控制了他的傷勢。在這次短途航行中，士兵們除了吃飯就是睡覺，吃完了再繼續睡。

科特茲手臂受了傷。他被關在禁閉室，由摩瑞看管。雷恩醒來後，摩瑞隨他一起帶著電視攝影機下到艙裡。他把攝影機裝在三角架上後，雷恩開始提出問題。情況很快就問明白了：科特茲沒有參與謀殺伊邁·胡克博。摩瑞感到出乎意料，不過應該證實一下。其實他們倆都沒想到事情如此複雜，但雷恩覺得這樣一來也許對他們有利。科特玆自始至終都很合作。他過去背叛過，所以這次再一次也不費事，何況雷恩答應他說如果他積極合作，就不對他起訴。傑克的諾言後來不折不扣地兌了現。

卡特在巴拿馬多待了一天。由於天氣的原因，搜尋被擊落的直升機的救援行動被延遲。搜索一無所獲是他預料中的事。風暴繼續北移，到猶加敦半島時已成強弩之末，逐漸變成幾股狂風，幾天後在德克薩斯州登陸形成幾股龍捲風。卡特沒有待很久。天氣情況一許可，他就直飛華盛頓。蒙泰湼上尉數小時前也飛回了埃格林空軍基地。她要機組人員起誓保守秘密，因為她有充分理由要他們這樣做。

直升機在**潘納奇號**上降落三十六小時後，該艇駛抵關塔那摩海軍基地。韋格納艇長發電報請求進入基地，說機械發生了故障，同時也想避一避阿黛爾颶風的勢頭。在幾英里開外的地方，約翰斯上校把那架直升機發動起來。它飛回基地後立即被拖進了機庫。**潘納奇號**一小時後進了基地，艇身在風暴中遭到中度破壞，有些壞得還著實不輕。

克拉克和拉森在碼頭上等候**潘納奇號**靠岸。他倆的飛機也被藏了起來。雷恩和摩瑞上岸後，一些海軍陸戰隊員把科特玆押了起來。他倆先打了幾個電話，接著就決定下一步行動。沒有什麼簡單的解決辦法，因為沒有什麼完全合法的辦法。在基地醫院為士兵們作了初步檢查治療，次日便把他們送到了佛羅里達州麥克迪爾堡。同一天，克拉克和拉森駕機返回華盛頓，途中在巴拿馬補充了一次油料。他們把飛機交給中央情報局所屬的一家小公司處理。拉森去休假，他在考慮他是否應當跟那位姑娘結婚並生兒育女。有一點他很清楚：他打算離開中央情報局。

後來有一件事倒真出人意料，而且除了一個人之外，它對所有的人都將永遠是個謎。

卡特將軍回來兩天了，已重新投入正常工作。總統去外地進行政治遊說。他想在兩星期後召開黨的全國代表大會前的民意測驗中再度樹立自己的形象。前幾天亂哄哄的局面結束後，這位總統的國家安全顧問也鬆了口氣。他覺得無論從哪方面看，他的忍耐都到了極點。他對總統忠心耿耿，盡職盡力，沒有功勞也有苦勞。他覺得自己當艦隊司令挺合適，最好去大西洋艦隊。現任海軍作戰部（空戰）助理部長的佩因特中將曾被告知可能去擔任這一職務，但這畢竟只是總統的提名而已。卡特思忖，凡是他想要的就沒有到不了手的。倘若總統連任，他就可能陞任參謀首長聯席會議主席……吃早餐時想想這些倒也挺不錯的，可以開開胃口。聽完中央情報局的早晨情況簡報後，他甚至還有時間去做做慢跑鍛鍊。七點一刻時有人按門鈴。卡特親自去開門。

「你是誰呀？」

「長官，平常來向你簡報的那個人病了，今天我來代替他。」來人四十多歲，像個很有手段的特工。

「好吧，請進。」卡特示意他進了書房。來人坐下後很高興地看見將軍的書房裡有一架電視機和一臺錄放影機。

「好吧，今天從哪兒開始？」卡特隨手關上了門。

「關塔那摩，長官，」來人答道。

「古巴那邊出了什麼事？」

「長官，具體內容都在我這卷錄影帶上。」他說著便把卡帶放進錄放影機，然後按下放映鍵。

「這是什麼……？」我的老天爺！來人讓錄影帶放映了幾分鐘，然後把機器停住。

「這算什麼呢？這是一個背叛自己國家的人說的話。」卡特見來人臉上閃露出微笑，就說了這一句。

「還有這個。」來人拿出一張上面有他和那個人在一起的照片。「就我個人而言，我希望看見他們把你關進聯邦監獄。聯邦調查局也希望這樣。他們今天就要逮捕你。對你的指控是可想而知的。此案由副助理局長摩瑞負責。此刻他也許正在會見一位美國法官——反正必須經過這類過程。我本人對此毫無興趣。」

「那為什麼你……？」

「我是個影迷，也在海軍幹過。在電影裏出現這種情況時，他們總是給人一個機會，讓他自己去處理問題——他們常常把這個叫做『為了部門的利益』，不要企圖逃跑。我怕你不知道，所以想提醒你，聯邦調查局的一個小組在監視你的行動。根據這座城市的辦事效率——或者辦成一件事得花多長時間——我想不到十點或十一點他們是不會來的。卡特先生，如果他們找到你，那麼願上帝保佑你。你會活著的。我只是希望他們的手段再厲害點兒。你會活下去的，不過是在聯邦監獄裏。等到看守不在的時後，讓某個職業惡棍好好收拾你吧。我對那個也不感興趣。就這樣吧！」說罷他取出錄影帶，連同那張照片一併放進公文包。局裏真不該把那張照片給他——他們告訴過雷恩，這只能用來辨認科特玆。「再見了，長官。」

「可是你已經……」

「做了什麼呢？誰也沒讓我起誓要對此事保密。我洩露了什麼祕密，將軍，你剛才不都看見了嗎？」

「你是克拉克，對吧？」

「你說什麼？誰？」說罷便揚長而去。

半小時後，帕特·奧戴警官看見卡特沿小山向下朝喬治華盛頓公園方向慢跑。他心想，總統不在倒挺好，因為他不必四點半就爬起來去等這個傢伙。他才來了四十分鐘，做了一會兒伸展運動，這傢伙就來了。奧戴讓他先跑過去，而後自己跟了上去。那人上了些年紀，所以跟在後邊跑並不困難，不過也不是就僅此而已……

奧戴跟著跑了一、兩英里，到了接近五角大廈的地方。卡特沿馬路與河濱間的小路慢跑著，跑一陣而後又走一陣。奧戴心想他也許是有些體力不支，也許是想看看是否有人在盯梢，可是……接著見他又開始跑起來。

在跑到停車場北端對面的地方時，卡特離開了小路朝馬路上跑去，似乎只是想橫越馬路。奧戴此時已趕上來，離他頂多五十碼。他覺得不對勁，但還不知道什麼地方不對勁。是……

……他朝路上的車流東張西望著，但並不是想找個空檔跑過去。奧戴意識到這一點時已為時太晚。一輛公共汽車正向北駛來，是一輛華盛頓交通公司的車，剛從第十四大街拐出來——

「當心！」可是卡特對這種警告充耳不聞。

說時遲，那時快，只聽吱嘎的煞車聲。公共汽車想躲開他，結果撞到一輛轎車，接著另外五輛車也撞了上來。奧戴趕到前面。他是警察，有這種義務。小詹姆斯．A．卡特將軍已經被撞出五十英尺遠，倒在路上。

他準是想讓這看起來像一場車禍，奧戴心想，*可是這哪是車禍？*這位特工並沒有注意到從一輛其貌不揚的政府工作人員的公用轎車裏走出一個人。此人站在馬路對面，像許多其他人一樣伸長脖子朝出事現場看著，但臉上絲毫沒有擔驚受怕的樣子，而是露出了滿意的神情。

雷恩在白宮等候著。由於助手的死，總統飛回華盛頓。現在他仍然是總統，還有工作要做。如果這位副局長說他求見總統，那一定有要事。使總統感到驚訝的是，除了雷恩之外，還有國會情報監督特別委員會兩位主席艾爾．特倫特和薩姆．費洛斯也在場。

「進來吧！」他邊說，邊鄭重其事地把他們讓進橢圓形辦公室。「什麼事這麼重要？」

「總統先生，它與某些秘密行動有關，尤其是一個叫做**演藝船行動**的。」

「什麼？」總統頓時警覺起來。雷恩進行了一兩分鐘的解釋。

「哦，是這麼回事。**演藝船行動**是穆爾法官根據危險行動規定，親自交給兩個人去組織實施的。」

「雷恩博士對我們說，我們還有必要瞭解其他一些事。其他與**演藝船行動**有關的事，」費洛斯議員說。

「我對此一無所知。」

「不，您是知道的，總統先生。」雷恩的話柔中帶剛。「是您批准的。根據法律我有責任將這些事向國會作出報告。但在此之前，我覺得有必要先通知您。我請這兩位議員來作人證。」

「特倫特先生，費洛斯先生，能不能請你們先包涵一下。有些事我還不太了解情況，你們能不能讓我單獨問問他？只要一會兒。」

雷恩多麼希望他們加以拒絕啊！可是誰能不給總統一點面子？很快的，辦公室裏只剩下他和雷恩了。

「雷恩，你有什麼事還瞞著？」總統問道。「我知道你有事瞞著我。」

「是的，總統先生，是有事情瞞著您，而且還要繼續瞞下去。那就是我們的人，中央情報局的人和軍方，究竟是誰我不好說，他們都認為自己是在執行上級的命令。」雷恩進一步解釋，但卻不知道哪些情況總統已經瞭解，哪些還不瞭解。他知道這是他永遠也搞不清楚的。重大的機密多半已被卡特帶進了墳墓。雷恩懷疑那裡也有鬼，但……他覺得還是不要去翻卡特的老賬。他暗暗問自己，**上了賊船的人，還有可能不變壞？**

「卡特所做的，據你剛才說到的他所做的那些事——我不知道。很遺憾。我尤其為那些士兵感到遺憾。」

「大約一半人已被我們營救出來了，總統先生。我當時在場。對這件事我是不會姑息的。卡特別有用心地切斷了他們的退路，他想藉此給您一個政治上的……」

「我從來沒有授權他那麼幹！」他幾乎吼叫起來。

「可是您聽任他去做了嘛，總統先生。」雷恩的目光直逼他的眼睛，在這種短兵相接的關口上，總統避開了他的目光。「我的上帝呀，您怎麼做的呢，總統先生？」

「人民要求我們堵住毒流。」

「那就堵嘛，想堵就堵，可是應當依法辦事。」

「那樣行不通。」

「為什麼呢？」雷恩問道。「我們使用武力保護自己利益的時候，美國人民反對過嗎？」

「可是我們在迫不得已時而採取的行動是永遠不能公開的。」

「總統先生，在這種情況下，您有必要以適當方式通知國會，然後採取秘密行動。這次行動您只獲得部分贊成票，本來不必把政治問題牽扯進來，可是總統先生您破壞了這一規則，您把國家安全問題變成了政治問題。」

「雷恩，你很精明，幹你那一行很出色，可是你太天真。」

雷恩並不那麼天真：「那您要我怎麼辦，總統先生？」

「國會到底需要瞭解多少情況？」

「您是想叫我替您撒謊嗎，總統先生？您說我天真。可是兩天前，一位空軍士官倒在我懷裏死去，他留下了七個孩子。總統先生，請告訴我，我既然真的那麼天真，那還會讓這件事沉重地壓在我心頭嗎？」

「你不能用這種方式跟我講話。」

「我並不想這樣，總統先生。可是我不會替您去遮掩的。」

「可是你卻不願透露那些……」

「那些忠實執行您的命令的人員身分。一點也不錯，總統先生，我要替他們保密。」

「對國家又怎麼樣呢，傑克？」

「我同意您剛才說的，我們不需要再出什麼醜聞了。不過這是個政治問題，得由您和外面那兩位去談，總統先生。我的職責是向政府提供訊息，並完成政府部門交辦的一些工作。我是執行政策的工具。那些為國捐軀的人也是。他們有權希望他們為之效忠的政府能對他們的生命作出更高的評價。他們都是人，總統先生，大部份都是青年人，是為了自己的國家——為了您，總統先生——去執行任務的，而且還認為是很重要的任務。可是他們並不知道，而且從來也沒有懷疑過在華盛頓潛藏著敵人。正因為如此，他們多數人才死了。總統先生，我們的人穿上制服時宣誓的誓詞中就有一條：對國家要『忠心耿耿』。難道不是在什麼地方還寫著國家也要對他們忠心不二？這種事已不是第一次啦。我以前沒參與過這種事，以後也絕不會為這種事而撒謊。我既不掩護您，也不掩護任何人，總統先生。」

「我以前並不知道，傑克。說真的，我的確不知道。」

「總統先生，我願意相信您是個正直的人。您剛才所說的話真的能成為理由嗎，總統先生？」雷恩停下來，可是總統無言以對。

「總統先生，您是不是希望先見見兩位議員，然後我再向他們介紹情況？」

「好吧，那就請你先在外面稍等片刻。」

「謝謝您，總統先生。」

雷恩在外面等得很不是滋味。過了一個鐘頭，特倫特和費洛斯才出來。在驅車前往蘭格利途中誰也沒出聲，下車後他們就逕自走進局長辦公室。

「法官，」特倫特說道，「那也許成為你對自己國家的最大貢獻。」

「在那種情況下——」穆爾頓了一下，「我又能做什麼呢？」

「你可以見死不救，你也可以警告對方說我們來了，」雷恩說道。「要是那樣的話，我就不會到這兒來了。法官，在這件事上我還欠你的人情呢。你還可以抱住謊言不放。」

「然後與世隔絕？」穆爾莫名其妙地笑一笑，並搖了搖頭。

「那些行動呢？」雷恩問道。他不知道在橢圓辦公室究竟討論了些什麼，他告誡自己不要隨便猜測。

「從來沒有發生，」費洛斯說。「根據危險行動規則，你做了必須做的——授了權的，就是晚了點兒，不過我們也被通知到了。我們不需要再出現這類醜聞。隨著事態的發展，形勢將明朗化。這在政治上是站不住腳的，但從法律上來看可以說一切都沒有違法。」

「最荒唐的是，它差點成功，」特倫特說。「你們的**裝甲船**的確幹得很漂亮，我想它仍將繼續下去。」

「是的。整個行動的確很成功。」這是賴特第一次開口。「的確是奏效。我們確實在卡特爾內部挑起了火併，其中埃斯科韋多被殺是最後一次——不過如果這種火併再繼續下去，那它就不是最後一次了。許多毒梟因此而化為烏有，也許哥倫比亞的日子也會好過一些。我們需要這種能力，不能讓人剝奪我們的這種能力。」

「我同意，」雷恩說道。「我們是需要有這種能力，但又不能用這種方式來制定公開的政策，真他媽的！」

「傑克，你跟我說說看什麼是是，什麼是非？」穆爾說道。「今天你似乎是個專家。」他說這話倒沒有多少譏諷的意思。

「據說這是一種民主。我們讓人民瞭解一些情況，至少是我們要讓他們知道。」他朝兩位議員擺擺手。「當政府決定要除掉那些威脅到它的利益或公民利益的人時，這就談不上什麼謀殺。當然並非總是這樣。我不知道這條界線該怎麼劃清。不過我也沒必要知道。有人會告訴我們的。」

「得了，一月份一到就不是我們的事了，」穆爾發表自己的見解。「諸位說是吧？就這樣啦。沒人踢政治皮球？」

特倫特是個生性樂觀的新英格蘭人，費洛斯是個意志堅強的亞利桑那摩門教徒。他倆在政見上格格不入，但對此都點頭表示同意。

「這不是兒戲，」特倫特說。

「這有損於國家，」費洛斯表示同意。

「我們所做的……」雷恩低聲說。管它是什麼……

「你並沒做什麼，」特倫特說。「是我們幾個做的。」

「對，」雷恩輕蔑地接了一句。「好啦，我也是快滾蛋的人了。」

「你這麼想？」費洛斯問。

「不至於吧，雷恩博士，」特倫特說道。「我們不知道福勒會任命誰，也許是他所賞識的政治律師。我知道名單上有誰。」

「肯定不會有我。他不賞識我。」雷恩說。

「他沒有必要賞識你，所以你也當不了局長。不過你也走不了，」特倫特說。也許當個副局長，但這話他沒說出口。

「走著瞧吧，」費洛斯說道。「如果十一月份局面發生變化呢？福勒也許會把它弄得一團糟。」

「你可以相信我說的話，山姆，」特倫特說，「真的那樣也就沒辦法了。」

「還有一張王牌，」賴特指出。

「這我早就跟比爾．蕭談過。」穆爾把話接過去。「很有趣。他實際上只觸犯了非法進入這一條。從技術上說他從她那兒得到的都不是保密資料。不可思議，是吧？」

雷恩搖了搖頭，提前告辭了，因為他與他的律師有預約。這位律師將為生活在佛羅里達州的七個孩子建立一個教育基金。

那些輕步兵都在麥克迪爾堡特種行動中心裏進行了調配安置，並對他們說他們的行動很成功，要他們起誓保守秘密。他們都升了級，被分配到新的崗位。但有一個人例外。

「查維斯？」有人喊了一聲。

「喲，克拉克先生。」

「中午我請你吃飯怎麼樣？」

「附近有墨西哥餐館嗎？」

「也許我能找到。」

「今天是什麼日子？」

「說正經事吧，」克拉克說。「我幹活的地方還有個空缺。工資比你現在的多。不過你得先去上它一兩年學。」

「我也一直這麼想，」查維斯答道。他一直認為自己是當官的材料，如果他處於拉米雷茲的指揮位置，也許——不過也許不是那樣。但他倒真想試一試身手。

「你很不錯，年輕人。我希望你來跟我一起幹。」

查維斯想了想他的話。樂得先吃了他請的這頓午飯再說。

布朗科·溫特斯上尉被調往駐紮在德國的一個F－一五戰鬥機中隊。他在那兒表現突出，很快就陞任了小隊長。現在布朗科這個年輕人穩重多了。他擺脫了母親去世而積壓在心頭的痛苦。溫特斯絕不會向後看的。他有了工作而且幹得不錯。

繼悶熱、潮濕的夏季之後華盛頓面臨著一個寒冷、陰鬱的秋季。十一月份這座政治中心城市為了總統大選幾乎傾城出動，爭奪衆議院所有席位，參議院三分之一的席位以及數以百計的政府機關空缺。初秋時，聯邦調查局破獲了幾個由古巴操縱的間諜集團，但奇怪的是這在政治上毫無反應。抓獲販毒集團是警方的功勞，而破獲間諜集團卻被看作是一種失敗，首先就是因為竟然還有間諜集團在活動。除了在古巴難民區，這種事並沒有什麼政治優勢，而那裡的選票也許早已投過，因為福勒談到要和古巴「進行對話」。總統在本黨提名大會上得票領先，可是競選活動缺乏生氣，還為此解僱了兩名主要政治顧問。主要問題在於，已經到了換換胃口的時候了。雖然競爭激烈，喬·羅伯特·福勒在民衆投票中仍以百分之二的選票領先。有人稱之為民衆的委託，另一些則說雙方的競選都搞得亂七八糟。後一種人的說法更接近事實，這是雷恩在一切都收場之後的看法。

在華盛頓及其郊區，沒有重新獲得任職的官員都在準備搬家——不管家在哪裡——或者準備進律師事務所，這樣就可以留在這一地區。國會裏難得有變化，這一次變化也不大。雷恩仍然留用，但不知道自己會不會擔任副局長。現在預測尚且為時過早。有一條他是知道的：總統仍將是總統，無論他犯過什麼錯誤，他仍將是個正人君子。他在任期間，那些需要赦免的人都會獲得赦免。他們的名字將記錄在案，可是誰也不會去注意，等把事情向福勒的作過解釋之後——特倫特負責這件事——誰也不會再追究什麼了。

大選後的那個星期六，丹．摩瑞開著車子和莫伊拉．沃爾夫一起來到安德魯空軍基地。那兒有架噴射式飛機在等著他們。三小時之後飛機降落在關塔那摩又叫基特摩，是美西戰爭後遺留下來的一塊地方，是美國在共黨國家土地上的唯一軍事基地。它是卡斯楚的眼中釘，就像卡斯楚是他在佛羅里達海峽那邊的巨大鄰國的眼中釘一樣。

莫伊拉在農業部工作表現很出色，是某個部門高級行政長官的行政秘書。她現在消瘦了一點，不過摩瑞並不關心這個。她一直把散步作為運動，在心理諮詢治療上也有些成效。她是最後一位受害者，摩瑞希望此行能對她有好處。

這一天終於來到了，科特茲心想。他對自己的命運憂喜參半，同時也只能聽天由命。他賭得很厲害也輸得很兇。他擔心自己的命運，卻又不讓這種擔心表露出來，尤其不能在美國人面前表露出來。他們讓他坐在轎車的後座，把他送到交接關卡。他看見前面還有一輛車，但並沒有太在意。

眼前就是那排高高的鐵絲網，一側是身穿迷彩服——這是科特茲後來學會的字眼——的美國海軍陸戰隊隊員，另一側是身穿作戰服的古巴士兵。科特茲想，也許，僅僅是也許吧，他可以靠三寸不爛之舌得以解脫。車在離關卡五十米處停下後，坐在他左邊的一名下士把他拉下車，打開了他的手銬，因為萬一手銬給帶到那邊，就會給共黨國家多一個口實。其實這才大可不必呢，科特茲心想。

「走吧，老兄！」黑人下士對他說。「該回家啦！」

雖然手銬已除去，但他仍被這兩名海軍陸戰隊士兵架著朝自己的國家走去。他走過去時，他們也許會擁抱他，可是這並沒有什麼實際意義。無論怎麼樣，他科特茲也要拿出男子漢的氣概來面對自己的命運。他挺起胸，朝兩位軍官微笑著，好像他們是在機場大門外迎候他的親人一樣。

「科特茲！」一個男人的聲音喊道。

他從關卡這邊的哨兵崗亭裏走出來。他並不認識這個男的，可是這個女的……

科特茲停下來，那兩名還在往前走的陸戰隊員差點使他摔了一跤。她站在那兒兩眼直直地望著他，一句話也沒說。科特茲也不知道該說點什麼，嘴角的一絲笑意也隨之消失。她的目光使他無地自容。他並不想傷害她，當然他利用了她，但卻從來沒有真正地……

「走吧，老兄，」那黑人下士說著又推了他一把。這時他們已到了關卡邊。

「哦，還有這個也給你，老兄。」下士把一卷錄影帶塞進他腰間的皮帶裏。「歡迎歸來，老夥計！」說著最後又推了他一下。

「歡迎你，上校，」年紀較大的那個古巴人說道。他擁抱了自己從前的戰友，同時小聲說：「你有許多事情要交代呢！」

他們把他拽走之前，科特茲最後一次回過頭。他看見莫伊拉還站在他不認識的那個男人的旁邊。他回過身去，心想她一定明白：沉默是最深沉的愛。

（全文完）

本書武器簡介

先進戰術飛機——由美國通用動力公司和麥道公司合作為美國海軍發展的先進戰術飛機(Advanced Tactical Aircraft, ATA)預備取代美國海軍現役之A—六攻擊機，採用了匿踪設計和先進航電系統。

A—六闖入者式攻擊機——美國格魯曼公司製造，E型於一九七二年進入美國海軍服役，截至目前為止，A—六E仍是美軍航艦攻擊主力。

AK—四七突擊步槍——前蘇聯製造，舉世聞名且使用廣泛的突擊步槍，以簡易耐用著稱，使用七、六二公厘彈藥。

貝瑞塔自動手槍——義大利的貝瑞塔公司以製造小型自動武器聞名於世，其中M九二F手槍還被美國軍方選為制式手槍。

C—一四一舉星者式運輸機——美國洛克希德公司製造，B型於一九七七年首次試飛，為美國空軍主力運輸機之一。

蘇格蘭寬劍式地雷（Claymore Mine）——大部份地雷均係埋於地表下，利用車輛或人員經過時所生效應引發。本型地雷則係以大釘斜上向固定於地表上，由指揮信號以電引發，爆炸後對一特定方向之扇形區射出大量鋼珠。本型地雷名取自蘇格蘭寬劍（claymore，蓋爾語claidheamhmor）。

E—二鷹眼式空中預警機——美國格魯曼飛機公司製造，C型於一九七一年開始量產，目前外銷國家有以色列、日本、埃及和新加坡。

雷射導引炸彈——通常在傳統炸彈外殼加裝一組尋標器／彈翼控制系統，便可在使用雷射標定器的情況下，使炸彈命中目標。

M十六自動步槍——美軍制式步槍，也是西方使用數量最多的自動步槍，在一九六八年出現在越戰中，目前已改良至M十六 A二。

M二〇三榴彈發射器——通常附加在M十六系列步槍上，可發射四〇公厘榴彈。

MP五SD二衝鋒槍——德國HK公司生產的著名MP五衝鋒槍之滅音型，口徑為九公厘。

MH—五三J鋪低三型直升機——美國希科斯基直升機公司為美國空軍特種作戰部隊發展的戰鬥搜救直升機。

MC—一三〇E戰爪式加油／支援機——洛克希德公司製造，美國空軍用於特種作戰中，進行日／夜間低空滲透、空投補給品、心戰、地區偵察等任務。

「迫切的危機」典故

一九一九年，最高法院大法官在「史甘克控美國」(Schenck V. United States) 一案中，首次提出「明顯而即刻之危險」(clear and present danger)的原則，其背景需追溯到第一次世界大戰期間，社會黨秘書長史甘克向應召役男寄發反對徵兵傳單，其內容不但抨擊征兵為違憲虐政，而且煽動役男應維護自己的權利，抵制征召。這種言論被當局認為意圖於軍中引起抗爭，阻撓征募，顯然嚴重地妨害了國會募集軍隊的權力，因而以違反「偵察法」(Espionage Act of 1917)對其提出控訴。雖然史甘克辯稱「偵察法」在本案中抵觸了憲法第一條修正案言論出版自由條款，係屬違憲不當，然而最高法院在審理本案時，一致確認其有罪。荷姆茲大法官在本案中，首次提出「明顯而即刻之危險」的原則，宣布法院的意見：

……一切有關言論自由的訟案，其癥結在於言論當時所處的環境及性質，是否具有造成實際禍害(Substantive evils)的明顯而即刻之危險。如果具有這種危險，那麼國會便有權予以制止。而這乃是一個是否迫切和程度上的問題。當國家處於戰爭期間，許多平時可以容忍的言論，則因其妨害作戰，不能不予以限制，即法院亦不能以其為憲法上的權利而予以保障。

就本案判決之於言論自由而言，它顯示了三項意義：第一，憲法第一條修正案的言論出版自由條款，並不是一項絕對的權利，國會可因其國家的實際需要予以限制。第二，一九一七年的「偵察法」並不構成違憲，這可以說是對一七九一年憲法第一條修正案實施以來，國會究竟可否制定法律，以限制言論自由的問題，作了一個明確的解釋。第三，本案例之判決創始了一項新的衡斷言論自由的原則——「明顯而即刻之危險」的原則，而此項原則的精義，是指依言論之性質及當時的環境，凡具有造成實際禍害的明顯而即刻之危險者，應負法律責任，否則即不得予以處罰。

編者的話

「迫切的危機」是科技驚險小說大師湯姆．克蘭西的力作。該書情節撲朔迷離、高潮迭起，具有強烈的震撼性及渲染力。該作一經問世，即躍為暢銷書排行榜之榜首。星光出版社能將該著介紹給讀者，感到莫大快慰。

這裏，我們要感謝審稿者祁春明先生及譯者章樹平及劉喜林先生，他們在英語研究上造詣深厚，且專攻軍事文學。其譯筆生動洗鍊，典雅傳神，使得原著之迷人風格表露無遺。此外，我們還要特別感謝陳弘先生的熱心指導，和兩位編輯蔡筱雯及郭長玲小姐的細心校對，由於這些同仁的竭力奉獻，才使本書能以此完整的面貌與讀者見面。

最後要特別提出來的是，為了使「迫切的危機」中文版儘量作到完美的地步，因此雖然承蒙熱情的讀者一再表達催促期盼之意，但是我們仍本著審慎的步驟來處理編校的過程——以致時至今日，方才隆重登場。在此，特別要向那些期待已久的讀者致歉，同時謝謝您們不斷的支持與鼓勵。相信當這本深具魅力的小說拿到您手中時，必能再次激起熱烈的廻響；此外書中若有缺失之處，尚祈方家不吝指正。

主要是描述後冷戰時期，恐怖分子處心積慮地破壞美、蘇兩大超級强國所建立的新關係，藉以達到顛覆世界的陰謀。克蘭西在這部小說中，再度展現了其對高科技及政治的豐富知識與深刻體認；將美、蘇雙方戰略競技所特有的爆發力以及核子武器所帶來的全球性危機意識，刻劃得入木三分，令人拍案叫絕。

黑色漩渦　拉瑞・龐德著　莊勝雄譯

VORTEX　560元

與軍事小說家湯姆・克蘭西同享盛名的美國名作家拉瑞・龐德巔峯力作。本書描述古巴與南非之間一場震撼全球的大戰，並將美國也捲入這場戰爭的漩渦中。書中對於各戰爭場面有極細膩深入的描述，情節緊張，意境深遠，令讀者如置身在漫天烽火中。湯姆・克蘭西大力推薦。

十級風暴　阿利斯泰爾・麥克萊恩著　陸承藝譯

FORCE 10 FROM NAVARONE　220元

第二次世界大戰期間，南斯拉夫軍事要衝奈雷特瓦河谷慘遭德軍層層包圍，受困於崎嶇山區裏的南斯拉夫游擊隊彈盡糧絕，岌岌可危。盟軍情報人員馬洛里上尉率領代號十級風暴的秘密行動小組，潛入了德國占領區，卻落入德軍之手，他們將如何突破重圍，力挽狂瀾呢？

太平洋夢魘　賽門・溫徹斯特著　莊勝雄譯

PACIFIC NIGHTMARE　300元

戰爭是不可避免的罪惡嗎？這部具有高度想像空間與精心架構的小說，描述未來的第三次世界大戰，將在遠東如火如荼地展開。面對遠東戰事的爆發，西方各國不由自主地加入了這場原本已十分紊亂的戰爭。在這瞬息萬變、牽一髮而動全局的世界局勢中，戰爭就像一雙揮之不去的魔掌，將世界各國如棋子般玩弄於股掌間。在這裏，你將沈醉在本書精采絕倫的情節中，你也將籠罩在戰爭的夢魘裏。

大地　賽珍珠著　馬真譯　董衡巽校

THE GOOD EARTH　170元

本書是賽珍珠蜚聲國際文壇的偉大作品，榮獲諾貝爾文學獎和普立茲文學獎。作者以敏感多情的筆觸成功地剖析了中國的農民心、鄉土情。本社爲紀念賽珍珠百歲冥誕，特請名家翻譯並取得中文版授權。

異鄉客　賽珍珠著　咏彩譯

THE EXILE　150元

本書是作者賽珍珠爲自己的母親所撰寫的傳記，也是使她榮獲諾貝爾文學獎的兩部傳記作品之一。在這本書中，由於作者精確地捕捉母親生命中最爲精髓的部分，因此，不僅在字裏行間顯現出對母親的追思與敬愛，也使得其生平事蹟在讀者心目中，留下一個永恆不滅的勇者之姿。

傳眞問候卡　約翰·考德威爾著　陳逸羣譯

FAXABLE GREETING CARDS　280元

約翰·考德威爾是美國頗負盛名的漫畫家，其畫筆下的世界鮮活而傳神，文字簡潔而生動，使得許多報章雜誌都同時發表其獨樹一格的作品。在這本傳眞問候卡中，作者以其敏銳而細膩的思維，精心設計了一系列適用於親友及各種場合的傳眞卡片。在這一幀幀實用而別出新裁的圖片中，不僅可以傳遞出作者過人的巧思，更可以讓含蓄而體貼的眞情，在一張張傳眞問候卡中表露無遺。

傳眞商務卡　約翰·考德威爾著　陳逸羣譯

FAX THIS BOOK　280元

約翰·考德威爾是美國頗負盛名的漫畫家，其畫筆下的世界鮮活而傳神，文字簡潔而生動，使得許多報章雜誌都同時發表其獨樹一格的作品。身爲一名專業的漫畫家，考德威爾對商務事宜卻能瞭若指掌，因此，不僅能以幽默、風趣的筆調傳遞正確的資訊，而且具有畫龍點睛之妙。對於目前社會上複雜的商業關係而言，傳眞商務卡的問世，無異是一帖清涼的潤滑劑。

美國排行榜暢銷書・全球中文版獨家授權

新書預告（書名暫定）

捍衛戰艦　凱斯・道格拉斯著　申學理譯　李智揚審校

CARRIER

一艘美國諜報船在靠近北韓水域的公海上突然遭到韓共的襲擊，全體官兵當場被俘。美國旋即以迅雷不及掩耳之勢，突入北韓，營救人質，並避免了一場可能的全面戰爭。本書描寫的是一場運用高科技的超現代化快速突襲戰，節奏緊湊，高潮迭起。

闖入者出擊　史蒂芬・庫恩斯著　俊偉譯

FLIGHT OF THE INTRUDER

本書作者曾是 A-6 闖入者攻擊機的飛行員，藉著一個刺激的冒險故事，帶領讀者體驗駕駛 A-6 闖入者時令人窒息的恐懼和興奮。此外，本書更突破空戰小說固有的格局，深入描繪飛行者駕駛這種充滿爆發力的高科技武器，去執行一次次血淋淋的任務時，內心的掙扎與惶恐。

藍天的主人　戴爾・布朗著　陳逸羣譯

SKY MASTERS

南沙羣島地處要衝，在軍事及交通運輸上均占有重要地位，數十年來即爲東南亞各國急欲爭取之地，近來更是兵戎相見、紛爭不斷。美國暢銷小說家戴爾・布朗以南沙羣島的紛爭爲背景，舖陳出中、美、菲、越之間一場爾虞我詐的戰爭故事，內容精彩、情節緊湊，正義與邪惡的爭戰中，高科技航太武器的運用更是發揮得淋漓盡致，讀來令人愛不釋手。

克里姆林宮的樞機主教　湯姆・克蘭西著

THE CARDINAL OF THE KREMLIN

兩位握有蘇聯星戰計畫機密的人，一位是中情局潛伏於蘇聯的最高間諜，一位是傑克・雷恩，他怎樣化解美蘇衝突、拯救樞機主教，免除了一場世紀大戰？情節緊湊、內容豐富、高潮迭起，令人目不暇給，敬請讀者拭目以待。

迫切的危機 Clear and Present Danger

原 著 者：湯姆．克蘭西(Tom Clancy)
原出版者：G.P. Putnam's
審 稿 者：祁春明
翻 譯 者：章樹平．劉喜林
顧　　問：陳　弘
編　　校：蔡曉雯．郭長玲．林小君
技術編輯：李雁寒
圖片美編：黃恭婉
發 行 人：林紫耀
出 版 者：星光出版社
經 銷 者：星光書報社
臺北市寧波西街 116 號
電話：3034812・3095912
傳真機：3019270
郵政劃撥：0014243−1 號
排 版 者：伊甸電腦排版公司
印 刷 者：傑泰彩色印刷有限公司
中和市中山路二段 340 巷 48 號
電話：2489527
行政院新聞局登記證：局版台業字第零壹陸玖號
中華民國八十一年六月第一版第一刷
訂　　價：上下兩冊共 580 元(不分售)

ISBN：957-677-068-8